# L'EXPÉRIENCE DU POUVOIR

DES MÊMES AUTEURS

Œuvres de Raymond Barre

*La Période dans l'analyse économique, une approche à l'étude du temps,* SEDEIS, 1950
*Traité d'économie politique,* réédition avec Frédéric Teulon, 2 vol., PUF, coll. « Thémis », 1997. Traductions en espagnol, portugais, russe et arabe
*Le développement économique : Analyse et Politique,* Institut de Science économique appliquée, 1958
*Une politique pour l'avenir,* Plon, 1982
*Réflexions pour demain,* Hachette, coll. « Pluriel », 1984
*Au tournant du siècle,* Plon, 1988
*Questions de confiance,* entretiens avec Jean-Marie Colombani, Flammarion, 1988
*Un goût de liberté,* entretiens avec Jean-Marie Chanon, Jean-Claude Lattès, 2000


Œuvres de Jean Bothorel

*La Bretagne contre Paris,* La Table ronde, 1969
*Parole de patron,* entretien avec Jean Chenevier, PDG de BP France, Le Cerf, 1975
*La République mondaine,* Grasset, 1979
*Un prince, essai sur le pouvoir ordinaire,* Grasset, 1981
*Histoire du septennat giscardien,* tome 1 : *Le Pharaon,* Grasset, 1983
*Lettre ouverte aux douze soupirants de l'Élysée,* Albin Michel, 1984
*Toi, mon fils,* Grasset, 1986
*Bernard Grasset,* Grasset, 1989
*Louise ou la vie de Louise de Vilmorin,* Grasset, 1993
*Un si jeune président, biographie de Valéry Giscard d'Estaing,* Grasset, 1995
*Le Bal des vautours,* Gérard de Villiers / Jean Picollec, 1996
*Des yeux pour voir,* entretiens avec Patrick Shelley, Jean Picollec, 1996
*Bernanos, le mal-pensant,* Grasset, 1989
*Le Désir et la mort,* roman, Albin Michel, 2000
*Seillière, le baron de la République,* biographie orale en collaboration avec Philippe Sassier, Robert Laffont, 2001
*Un terroriste breton...,* Calmann-Lévy, 2001
*François Pinault, une enfance bretonne,* Robert Laffont, 2003
*Celui qui voulait tout changer, les années JJSS,* Robert Laffont, 2005
*La Grande Distribution, enquête sur une corruption à la française,* en collaboration avec Philippe Sassier, François Bourin, 2006
*Choisir,* entretiens avec Pierre Mendès France, Stock, 1974, Fayard, 2007

Raymond Barre

# L'EXPÉRIENCE DU POUVOIR

*Conversations avec Jean Bothorel*

Fayard

Cet ouvrage paraît dans la collection
« Témoignages pour l'Histoire »
sous la direction de Jean-Luc Barré.

DÉJÀ PARUS

Pierre Mendès France, *Choisir. Une certaine idée de la gauche.*
Conversations avec Jean Bothorel, 2007.

ISBN : 978-2-213-63031-1

# INTRODUCTION

Ce projet de livre était une entreprise périlleuse : Raymond Barre n'est pas quelqu'un qui se confie aisément. Il appartient à cette génération où la pudeur, la retenue étaient des données imprescriptibles de l'éducation comme de l'élégance. Il s'est pris au jeu et je crois que son témoignage, celui d'un homme atypique, très à part dans notre classe politique, est à la fois stimulant et « rafraîchissant », oserais-je écrire.

Cette classe politique n'a pas, en effet, bonne presse. Elle suscite plus d'indifférence, plus de dégoût que d'admiration. Pourtant, aussi loin que l'on remonte dans les siècles, le mensonge, le cynisme et la violence ont toujours été l'apanage, la spécificité du pouvoir. De ce point de vue, aujourd'hui n'a jamais cessé de ressembler à hier. En revanche, les personnalités dont la carrière s'est déroulée sans trahison, sans lâcheté, sans vilenie, sont toujours des sujets d'étonnement. Elles sont, en quelque sorte, des paradoxes.

Raymond Barre, Premier ministre d'août 1976 à mai 1981, est précisément un de ces paradoxes qui auront pesé sur le cours de notre histoire. Sa longévité à Matignon est exceptionnelle puisque, depuis le début de la IIIᵉ République en 1870, Georges Pompidou et Lionel Jospin ont été les seuls à y être restés plus longtemps que lui.

J'ai donc voulu « aller plus loin », selon le fameux slogan de *L'Express*, avec Raymond Barre et aborder ses diverses expériences du pouvoir. Trois ans chez Jean-Marcel Jeanneney, un ministre du général de Gaulle, cinq ans vice-président de la Communauté européenne, quatre ans et neuf mois Premier ministre, six ans maire de Lyon. « Chaque fois assez de temps pour apprendre, et pas assez pour se lasser », aime-t-il à préciser. Des expériences qui ne briseront pas le fil rouge de son destin : l'université. À l'exception de la période qu'il passe à Matignon, il n'abandonnera jamais sa chaire de professeur. Raymond Barre est d'abord un universitaire, et il n'est pas possible de comprendre son parcours, son indépendance d'esprit, si on oublie ce postulat.

Pendant nos heures d'entretien à Paris ou à Saint-Jean-Cap-Ferrat, j'ai souvent songé à cette réflexion que m'a faite un jour Jean-Claude Casanova[1], un de ses anciens étudiants à Tunis : « Ce qui chez Raymond Barre nous frappait le plus, c'était son aptitude à établir des liens entre l'économie, la politique et l'histoire. » En d'autres termes, il se tient à une certaine altitude, loin en tout cas de la politique *people* et de la république des alcôves. Mais il n'hésite pas, quand il le faut, à redescendre sur terre, à rapporter ses dialogues avec les principaux acteurs français ou étrangers, à épingler celui-ci ou celui-là. Il faut alors entendre son rire, ses exclamations indignées ou ironiques qui viennent ponctuer une boutade, une anecdote.

Il n'a voulu ni revenir sur son enfance et sa jeunesse, ni évoquer la part plus intime ou plus personnelle de son existence. Cette décision en elle-même illustre l'extrême réserve qui le caractérise. Sa vie privée n'appartient qu'à lui. Il y a sa famille, Mme Barre, spontanée, avenante, pleine de ce charme « Mitteleuropa » ; il y a Venise, ses voyages, les concerts, l'opéra, la poésie... Nanti d'une exceptionnelle mémoire, passant allégrement de l'économie à la littérature, de la géographie à l'histoire de l'art, de la gastronomie à la musique, sa culture impressionne.

---

1. Jean-Claude Casanova deviendra un des conseillers de Raymond Barre à Matignon.

Il est sur ce terrain sans égal dans le milieu politique, toutes tendances confondues. Une culture vivante, sans pédantisme, qu'il vous invite à partager comme il déguste au Club des Cent[1] les meilleurs crus, mariés à d'excellentes recettes.

Raymond Barre ne se laisse pas aisément percer. Moins que son allure débonnaire, c'est son regard vif, en alerte, qui m'a toujours le plus frappé. Quand parfois, sur les bancs de l'Assemblée nationale, il semblait somnoler d'ennui, l'œil restait aux aguets et aucun député n'était à l'abri d'une réplique aussi soudaine que cinglante.

Pour mieux le comprendre, faut-il partir de l'île de la Réunion où il est né en 1924 au domicile d'Octave Déramond, son grand-père ? Il allait grandir auprès de cet homme reconnu et respecté, et auprès de sa mère. « Ma famille est installée à la Réunion depuis plusieurs générations, me confiait-il en 1982. J'ai passé toute ma jeunesse sur cette vieille terre française de l'océan Indien, éprise de culture, et qui a mérité d'être appelée "Ile des poètes". J'y ai fait mes études secondaires et commencé mes études juridiques. À la fin de 1942, la Réunion s'est ralliée au général de Gaulle. J'ai servi deux ans sous les drapeaux. »

L'adolescent et le jeune homme avaient déjà tous les traits que l'adulte va révéler. « Raymond, racontera sa mère en 1979, a toujours été très soumis, tout en ayant beaucoup de caractère. Il était animé d'un idéal très élevé et aspirait à la perfection. C'était un brillant élève. Les vieux Réunionnais se souviennent des palmarès de distribution des prix publiés dans les journaux locaux où l'on relevait chaque année son nom pour le prix d'excellence. »

Auguste Legros, le copain devenu maire de Saint-Denis-de-la-Réunion, se souvient aussi de la rudesse de Raymond, l'arrière

---

1. Club des Cent : un club d'épicuriens composé, comme son nom l'indique, de cent personnes très représentatives de *l'establishment* français. Ils se retrouvent régulièrement autour d'un déjeuner que l'un d'entre eux – le brigadier – est chargé de préparer avec un chef réputé.

de l'équipe de football. Il sera partout le premier, le plus fort. Il est de ces gens qui sont plus intransigeants que les intransigeants, plus dur que les durs, plus retors que les retors, plus orgueilleux que les orgueilleux... Quand il s'installe à Matignon, il sera d'ailleurs plus Premier ministre qu'un Premier ministre, cumulant Matignon et la rue de Rivoli, siège à l'époque du ministère de l'Économie et des Finances.

L'insularité, la distance – la France est à six mille kilomètres – conforteront aussi son patriotisme. La « drôle de guerre » et la défaite de 1940 n'ont pas, à la Réunion, été ressenties avec la même humiliation qu'à Paris. La France, ici, reste intacte, et son image perdure à travers le combat du Général. C'est là que prend sa source l'indéfectible admiration de Raymond Barre pour de Gaulle.

Enfin, de ce temps lointain où il bachotait au lycée Leconte-de-Lisle à Saint-Denis, il a gardé cette sensibilité de l'élève qui ne sait pas perdre, qui ne souffre aucune remarque. S'il se présente comme « un homme carré dans un corps rond », c'est qu'il y a chez lui, sous une réelle placidité, un caractère très subtil et chatouilleux.

Voilà sans doute pourquoi nous avons gardé un sentiment contrasté de son passage à Matignon. D'un côté, le respect pour son courage, sa ténacité, ses compétences, face à une accumulation de graves difficultés. Il a voulu les résoudre en nous répétant que ce serait long et qu'il avait conscience de nous imposer une cure d'austérité. De l'autre, l'agacement pour la façon dont il traita ce qu'il baptisa le « microcosme ». Qu'il s'adressât aux parlementaires, aux journalistes, aux syndicalistes, « billevesées », « calembredaines », « bêtises », « sottises » furent les plus mesurés de ses qualificatifs. « Je n'ai pas joué le jeu », admet-il aujourd'hui.

Après mai 1981, les Français le retrouveront et très vite le regretteront. Porté par une opinion qui lui manifeste sa sympathie et sa confiance, il va s'engager dans la course présidentielle de 1988. Ce n'était pas un combat pour lui. Il était seul, sans organisation partisane, face à des fauves de l'arène politique, Mitterrand, Chirac, Giscard. Et il n'a jamais su, il ne saura jamais flatter les électeurs. Est-il possible de gagner une élection sans caresser l'électorat dans le sens du poil ?

Quand il décida de briguer en 1995 le poste de maire de Lyon dont il était député depuis 1978, j'ai craint, je l'avoue, qu'il n'assène quelque bonne vérité aux Lyonnais et qu'il ne perde la bataille. Si elle fut rude, il l'emporta.

En février 2001, Raymond Barre a annoncé qu'il se retirait de la vie politique active, et indiqué qu'il ne se représenterait ni à la députation ni à la mairie. Ce qu'il a fait. Il n'en est pas moins un observateur libre et passionné des événements qui bousculent notre époque, comme de l'action que mènent les dirigeants actuels, français ou étrangers.

Élu à l'Académie des sciences morales et politiques au fauteuil d'Alain Peyrefitte, disparu en 1999, il manque très rarement les séances qui se tiennent à l'Institut tous les lundis après-midi. Dans ce cénacle d'esprits apaisés qui goûtent au plaisir de la discussion et de la spéculation intellectuelles, il se sent chez lui. Ici le Premier ministre, l'élu d'hier, cèdent la place à l'universitaire qu'il fut et qu'il reste.

Au fond, si une certaine placidité ombrageuse peut le définir, le scepticisme lucide du professeur d'université caractérise son approche des êtres et du monde. Dans un des derniers numéros de son bulletin *Faits et Arguments*, il titrait son article : « Confiance... malgré tout ». Tout Raymond Barre ne réside-t-il pas dans ce « ... malgré tout » ?

Il faut décider, il faut agir, il faut avancer... malgré tout.

Jean BOTHOREL

PREMIÈRE PARTIE

# AVANT 1981

# Chapitre premier

# La nomination

*Vous m'avez, monsieur le Premier ministre, prévenu d'entrée de jeu : vous avez décidé de ne pas écrire de « Mémoires ». Vous avez néanmoins accepté cet entretien qui va porter sur une période capitale de votre vie, puisqu'elle couvre les années 1976-1981, où vous êtes Premier ministre, et celles qui suivront. Pourquoi refusez-vous cette idée de « Mémoires » ?*

Si j'ai acquis une certaine réputation nationale et internationale, je ne me considère pas comme une personnalité de dimension historique. Je conçois que des personnalités ayant participé à de grands événements nationaux ou internationaux rédigent leurs Mémoires, mais moi ? Non, vraiment ! Par ailleurs, j'ai beaucoup écrit ou parlé à propos de mon parcours qui fut assez inattendu pour avoir suscité attention et curiosité. Henri Amouroux m'a consacré une biographie complète et généreuse. J'ai publié depuis 1981 *Politique pour l'avenir*, *Réflexions pour demain*, et, en collaboration avec Jean-Marie Colombani, *Questions de confiance*. J'ai donné à la revue *Le Débat* un long entretien conduit de manière remarquable par François Furet. Enfin, je viens de contribuer à l'émission *Pour l'histoire* de Franz-Olivier Giesbert qui a été diffusée sur TV 5. Ma vie y est racontée en détail. J'ai sacrifié aux rites, cela suffit !

Avec vous, ma démarche est d'une autre nature. Je souhaite aborder les questions qui, à travers mon expérience du pouvoir, me paraissent aussi essentielles aujourd'hui qu'hier : comment l'universitaire que je suis a réagi quand il a été confronté à l'exercice du pouvoir politique au plus haut niveau ? Quelle a été la philosophie de l'action qui m'a inspiré ? Quels sont les enseignements que je tire de mes cinq années à Matignon ? Si je suis amené à parler de moi, j'évite autant que je peux la complaisance ou l'autosatisfaction. Je veux mettre en relief la force des choses et la nature des hommes. C'est en fait une « étude de cas ».

Je crois aussi que la fin des années 1970 est un tournant décisif dans l'histoire des principales nations occidentales, dont la France : brusque ralentissement de la croissance économique qui ne retrouvera plus le rythme des Trente Glorieuses ; entrée en scène des pays émergents comme ceux de l'Asie du Sud-Est, la Chine, l'Inde ; prise de conscience du coût de l'énergie avec le « choc pétrolier » ; enfin, début de ce que l'on appellera la « mondialisation » ou la « globalisation ». Dans ce contexte, je me suis fixé des objectifs, je me suis heurté à d'importants obstacles économiques et politiques, et j'ai pu mesurer les conditions comme les limites des fonctions d'un Premier ministre. Voilà ce que j'ai envie de raconter et d'expliquer.

Nous sommes entrés dans une époque de communication généralisée où tous les dirigeants politiques doivent s'exhiber et livrer à l'opinion leurs états d'âme, leur vie familiale, voire amoureuse ! Cette évolution masque de plus en plus la réalité du pouvoir, les défis qu'il se doit de relever. Ceux-ci n'en existent pas moins, comme ils existaient quand j'étais à Matignon. C'est cette réalité du pouvoir que j'aimerais approfondir avec vous.

*Alors, commençons par le commencement : votre nomination, le 25 août 1976, au poste de Premier ministre. Personne ne vous attendait. Vous êtes ministre du Commerce extérieur dans le gouver-*

*nement de Jacques Chirac depuis seulement huit mois, vous n'appartenez à aucun parti politique, vous n'avez jamais été élu ni au Parlement ni à aucun échelon local. Si vous bénéficiez d'une grande notoriété chez les universitaires et chez les économistes, vous êtes quasiment inconnu des Français. Aviez-vous imaginé que le président Giscard d'Estaing puisse un jour vous proposer Matignon ?*

Jamais l'idée ne m'avait effleuré. Je lisais depuis plusieurs semaines, dans les journaux, des rumeurs sur un probable remaniement ministériel et j'avais moi-même pris la mesure des tensions qui régnaient au sein du gouvernement. La majorité venait d'essuyer une sévère défaite aux élections cantonales et je voyais monter l'irritation de Chirac à l'égard de Giscard, j'entendais vitupérer des ministres giscardiens contre Chirac, des ministres UDR[1] contre Giscard, des élus UDR contre le gouvernement... J'essayais de me tenir à l'écart de toutes ces intrigues et manœuvres. J'étais surtout correct et loyal envers le Premier ministre, et il le savait. Nos rapports étaient cordiaux.

Immédiatement après ma nomination comme ministre du Commerce extérieur, je l'ai accompagné en Inde, et, dès ce voyage, je sens que le courant entre Matignon et l'Élysée passe difficilement.

Les choses iront de mal en pis. Un soir, nous dînons en tête à tête à Matignon. « Raymond, me dit Chirac, je n'en peux plus. Avec le président de la République, ce n'est plus possible. Il faut lui couler du béton dans les veines. Je veux reprendre les choses en main. Il faut que vous m'aidiez, et je compte sur vous. » J'écoute. Que voulez-vous que je fasse d'autre ?

À la même époque, je dois aller en Iran. Giscard décide d'envoyer Michel d'Ornano, et il me reçoit. Il m'explique qu'il envisage de remanier le gouvernement après les vacances et que je changerai de poste. J'en prends acte.

---

1. L'UDR était le parti gaulliste qui allait devenir quelques mois plus tard, en décembre 1976, sous l'impulsion de Jacques Chirac, le RPR.

Quelques semaines plus tard, je m'envole avec Chirac pour le Japon. Il est toujours aussi cordial à mon égard, et aussi critique à l'endroit du président. Il ne laisse cependant rien transparaître de sa décision de démissionner.

*Dans quelles circonstances avez-vous alors été nommé ?*

À l'issue du dernier Conseil des ministres, avant les vacances gouvernementales de l'été 1976, Giscard me prend à part et me demande où je vais me reposer. Je partais le lendemain pour Venise et j'avais l'intention de rentrer la veille du prochain Conseil, fixé le 25 août. « Pouvez-vous revenir deux jours avant ? » Ce que je fais, bien entendu. Je venais d'arriver chez moi, le dimanche 22 août, quand Jean François-Poncet, secrétaire général de l'Élysée, m'appela pour m'informer que le président voulait me voir le lendemain à 11 heures.

J'avais sous les yeux *Le Journal du dimanche*, qui annonçait un remaniement ministériel et précisait que Jean-Pierre Fourcade était le mieux placé pour Matignon. On le voyait en short, sur une plage. Dans l'article, mon nom n'était pas cité. Si Fourcade est Premier ministre, me suis-je dit, il se peut que Giscard veuille me nommer aux Finances ou aux Affaires étrangères, compte tenu de mon expérience européenne.

Le lendemain, me voilà à l'Élysée. Giscard commence par s'informer sur mes vacances, puis il me donne à lire le courrier qu'il avait échangé avec son Premier ministre : la lettre de démission de Chirac, et sa réponse dans laquelle il lui demandait d'attendre la rentrée. Ces lettres démontraient qu'il n'était plus possible qu'ils puissent travailler ensemble.

« Si j'ai voulu, me dit-il, que vous lisiez cette correspondance, c'est parce que je souhaite vous nommer Premier ministre.

— Monsieur le Président, ai-je répondu après avoir marqué quelques secondes de surprise, Premier ministre, c'est pour moi très flatteur, mais est-ce possible et raisonnable ? Je ne suis pas membre du Parlement, je n'ai pas fait de discours devant les députés ou sénateurs, je n'ai pas l'expérience d'un homme politique et, vraiment, je ne me sens pas en situation d'assumer cette fonction. »

À quoi il m'objecte : « Je pense au contraire que vous êtes qualifié pour l'assumer. Vous n'êtes pas, c'est vrai, intervenu devant les parlementaires, mais, quand vous aurez fait un premier discours, vous trouverez, croyez-moi, aussitôt vos marques. »

Ça c'est passé ainsi, sans autre préambule.

*À aucun moment, jusque-là, Giscard ne vous avait laissé entendre, même de manière très allusive, que vous pourriez être un bon Premier ministre ?*

Pas une seule fois. Au demeurant, il avait d'abord songé – il le révèle dans son ouvrage *Le Pouvoir et la Vie* – à M. Guichard et à M. Peyrefitte, tous deux, comme Jacques Chirac, des hiérarques de l'UDR. Finalement, ils ont renoncé : ils craignaient d'être désavoués – d'être « flingués », selon le mot de Peyrefitte – par leur parti, et ils ne voulaient pas prendre ce risque. Tout Premier ministre UDR aurait été alors qualifié de « traître » par les alliés de Chirac dont l'emprise sur le parti était de plus en plus forte.

Au-delà de l'estime qu'il me témoignait, Giscard m'avait aussi choisi, j'en suis convaincu, pour mon équation personnelle : sans être attaché à aucun parti, j'avais la confiance d'un large éventail de personnalités politiques. Aucun leader du moment – ni Chaban, ni Lecanuet, ni Peyrefitte – n'aurait été accepté par les tendances partisanes qui constituaient alors la majorité présidentielle. S'il était vrai que le parti gaulliste perdait pour la première fois depuis 1958 la direction du gouvernement, j'avais ma légitimité, disons, gaullienne, et, d'ailleurs, l'UDR ne va pas déterrer aussitôt la hache de guerre. En fait pour Giscard, je suis utile et utilisable. Il fait un pari sur moi.

Après que le président m'eut fait part de son intention, nous avons eu ce dialogue important pour l'avenir. J'ai tout de suite voulu préciser clairement les conditions de mon acceptation :

« Puisque vous semblez décidé à me nommer, je ne déclinerai pas votre offre. Je veux simplement, monsieur le Président, vous dire deux choses. D'une part, si je ne fais pas l'affaire, je suis prêt à partir dès que vous me le demanderez ; d'autre part, je suis, selon la règle, à votre disposition.

— Eh bien, préparez-vous. Voyez Serisé[1] pour former votre gouvernement et venez me retrouver mercredi soir. Je signerai votre décret de nomination et ensuite vous ferez une courte déclaration sur le perron de l'Élysée.

— Si je dois faire cette déclaration, je voudrais formuler une requête. J'ai observé pendant six mois le fonctionnement du gouvernement. J'ai pu mesurer à quel point il est dangereux, pour un Premier ministre, d'être constamment court-circuité par quelques-uns de ses ministres. Je ne tiens pas à me trouver dans cette situation. Je ne l'accepterais pas. Je ne peux l'éviter qu'avec votre soutien, et si vous faites savoir que j'assumerai mes fonctions de Premier ministre dans la plénitude de mes attributions.

— Je vous donne l'assurance qu'il en sera ainsi.

— Je le dirai, si vous le permettez, dans mon petit speech sur le perron. »

Nous discutons ensuite de la situation économique et j'indique au président que je compte m'y attacher en priorité. Il faut régler le problème du ministère de l'Économie et des Finances. J'envisage de prendre ce ministère pour disposer de tous les leviers de commande. Giscard me dit que c'est une bonne idée, évoque le cas d'Antoine Pinay qui fut président du Conseil et

---

1. Jean Serisé, inspecteur des Finances, était auprès de Giscard depuis 1962. Très proche du président, il sera tout au long du septennat son conseiller privilégié.

ministre des Finances. « Dans les situations graves cela se comprend », ajoute-t-il.

*Vous alliez conserver cette double casquette jusqu'en avril 1978. En quoi allait-elle vous assurer une plus grande efficacité ? Après tout, vous étiez le chef du gouvernement, et cela eût dû suffire à garantir votre autorité ?*

La réalité des choses est plus complexe. Lorsque je prenais une décision au titre de ministre de l'Économie et des Finances, je n'utilisais pas mon papier à en-tête « Le Premier ministre », j'utilisais mon papier « Le ministre de l'Économie et des Finances ». Pour les fonctionnaires de la rue de Rivoli, j'étais leur patron. La machine répondait mieux, et plus vite. J'étais en relation directe avec les principaux directeurs du ministère, ce qui change totalement le climat et, je dois dire, le « bastion des Finances » a très bien réagi.

Quand je serai reconduit comme Premier ministre en avril 1978, le président me conseillera de ne pas garder l'Économie et les Finances, ce qui était ma propre idée.

*Revenons à votre entretien avec Giscard...*

À l'issue de notre dialogue, il m'a raccompagné et il a ajouté : « Vous connaissez la règle, le président tient les Affaires extérieures. Étant donné votre expérience, je souhaiterais vous y associer. » J'ajoute que je n'ai pas signé de lettre de démission anticipée, comme beaucoup d'autres Premiers ministres l'ont fait. Je n'en signerai pas non plus quand je formerai, en mars 1977, mon deuxième gouvernement, et, en avril 1978, mon troisième gouvernement. Le président avait ma parole, et cela suffisait.

Il me fallait maintenant réfléchir à la formation du futur gouvernement et à la composition de mon cabinet. J'ai passé l'après-

midi du lundi et toute la journée du mardi chez mon collaborateur Francis Gavois en compagnie de Jean Serisé.

Mon premier souci est la formation de mon cabinet. Je sais
l'importance d'une bonne équipe et du travail en équipe. J'ai
demandé à mon cabinet du Commerce extérieur de me suivre à
Matignon : Francis Gavois, Jacques Bille, Albert Costa de Beauregard, Jacques-André Troesch, Patrick Gautrat. J'avais pu apprécier
leur compétence. Ils constitueront la base de mon équipe.

J'avais rencontré à l'occasion d'un voyage à Bordeaux Daniel
Doustin, préfet de la région Aquitaine. Nous avions sympathisé
et il a accepté d'être mon directeur de cabinet. Il avait une
grande expérience : gouverneur de la France d'Outre-mer, directeur de la DST au temps de l'OAS puis préfet de plusieurs
départements. J'aimais sa spontanéité, sa finesse, sa bonne
humeur. Nous nous sommes découvert la même passion pour la
poésie. Souvent le soir à Matignon, après une journée harassante,
nous nous récitions l'un à l'autre Baudelaire ou Vigny... Il aura
à ses côtés trois sous-préfets : Jean-Pierre Ronteix, Jean-Louis
Chaussende et Pierre-André Wiltzer qui sera mon chef de cabinet. Je garde l'équipe sociale du cabinet de Jacques Chirac :
Raymond Soubie qui sera pour moi le conseiller le plus avisé
dont je prendrai souvent l'avis, et Raphaël Hadas-Lebel.

Jean-Claude Casanova suivra les questions de l'éducation
nationale et les problèmes de la vie politique qu'il appréhende
avec subtilité. Jacques Alexandre, assisté de Sylvie Dumaine,
prendra en charge les relations avec les médias écrits et audio-
visuels : je les ferai beaucoup souffrir ! Thierry de Clermont-
Tonnerre se joindra à eux. Yvette Nicolas devient le chef de mon
secrétariat particulier.

Tous ces collaborateurs m'accompagneront pendant cinq ans,
et après aussi. Seul Doustin nous quittera après les législatives
de 1978, comme nous en étions convenus, et je l'ai remplacé
par Philippe Mestre. Cette solidarité, cette loyauté sans faille de

tous les membres de mon cabinet furent pour moi une chance exceptionnelle.

*La manière dont Jacques Chirac démissionne le 25 août 1976 fera date dans les annales de la V^e République. Il explique publiquement son désaccord avec le chef de l'État. Du jamais vu ! Est-ce que cette initiative inattendue de Chirac va modifier l'esprit dans lequel vous aviez décidé d'aller à Matignon ?*

Pas du tout. Après la démission de M. Chirac, je suis reçu, comme prévu, en fin d'après-midi à l'Élysée pour être officiellement nommé Premier ministre. À la sortie, dans une brève déclaration, je m'attache à préciser que j'entends exercer pleinement mes fonctions. Le soir même, M. Giscard d'Estaing intervient à 20 heures sur TF1, et, à son tour, après avoir expliqué pourquoi il m'avait choisi, il dira clairement que j'exercerai la plénitude de mes attributions. Le samedi suivant, à mon premier Conseil des ministres comme chef du gouvernement, il répètera : « L'action sera conduite sous l'autorité du président de la République par le Premier ministre dans la plénitude de ses attributions. Il lui revient, et à lui seul, de diriger, de coordonner l'action de tous les ministres. S'il est nécessaire que je reçoive de ceux-ci des informations utiles à l'exercice de mes responsabilités, les décisions concernant leur action leur seront toujours adressées par le Premier ministre. » Tout démarrait par conséquent selon mes vœux : que les choses soient bien cadrées.

*C'est alors que vous formez votre gouvernement. Celui-ci est connu en fin de journée, le vendredi suivant, et le premier Conseil des ministres se tient le samedi matin. Vous avez donc passé trois jours de tractations pour constituer votre équipe. Vous étiez, si j'ose dire, un « bleu » dans ce genre de négociations. Est-ce que vous avez été confronté à des difficultés majeures ?*

Non, pas vraiment. Pendant les quelques jours de « tractations », comme vous dites, j'avais des rendez-vous téléphoniques avec le président pour l'informer de mes choix. Le Premier ministre propose, le président décide. C'est la règle. Je me dois de souligner que Giscard a accepté toutes mes propositions. Je n'ai subi aucune pression, je n'ai reçu aucun coup de fil de celui-ci ou de celui-là. C'est étrange, mais c'est ainsi. On m'a fait deux ou trois blagues. En particulier, quelqu'un a téléphoné à M. Sauvagnargues, ministre des Affaires étrangères dans le gouvernement Chirac, pour lui fixer un rendez-vous avec moi. Or, il avait de sérieux problèmes de santé et son départ était prévu. Je ne souhaitais évidemment pas le voir avant d'avoir formé mon gouvernement...

En fait, parmi les principaux ministres il y a eu des changements d'attribution, mais très peu de départs, très peu de nouvelles figures. Celles-ci sont apparues au niveau des secrétaires d'État.

Les départs ? Je n'ai pas repris Jean de Lipkowski au ministère de la Coopération et j'ai supprimé celui de l'Information. Jean Sauvagnargues a été remplacé par Louis de Guiringaud. Je l'avais connu à New York où il représentait la France auprès de l'ONU. Il avait été, entre autres choses, chargé de la Conférence sur les problèmes du Moyen-Orient après le lourd contentieux entre Michel Jobert et Henry Kissinger. Lorsque j'ai proposé son nom, Giscard qui l'estimait beaucoup l'a aussitôt accepté. Ce n'est pas facile de trouver un bon ministre des Affaires étrangères : celui-ci doit à la fois très bien connaître les problèmes internationaux, être à l'aise dans les milieux diplomatiques et faire montre d'une grande réserve. Quand on dirige le Quai d'Orsay, « on ne cause pas »...

La dernière fois que j'avais vu Guiringaud – à l'occasion du bicentenaire de la fondation des États-Unis où j'avais accompagné Giscard à Washington en mai 1976 –, il s'apprêtait à quitter New York sans nouvelle affectation. Je ne savais pas où il était. Costa de Beauregard l'a retrouvé en Suisse et lui a téléphoné : « Le Premier ministre veut vous proposer les Affaires étrangères. » Et voilà comme cela s'est fait !

J'ai beaucoup apprécié M. de Guiringaud, il avait un jugement très sûr. J'ai souffert quand il fut violemment attaqué, en 1978, après avoir déclaré qu'il soupçonnait les Milices chrétiennes libanaises d'être liées à Israël. Ce que personne n'ignorait. Des élus de la majorité et de l'opposition demandèrent sa démission et voulurent l'interpeller à l'Assemblée nationale. J'ai refusé qu'il y aille et je lui ai dit que c'était moi qui répondrais. Je ne voulais pas qu'il se fasse insulter.

J'ai également fait entrer Christian Beullac comme ministre du Travail. Alors numéro 2 chez Renault, il avait croisé Giscard à l'École polytechnique. Il n'appartenait pas au milieu politique et je le voulais auprès de moi pour son expérience tant du monde des affaires que du monde des salariés. Ce n'était pas, pour les syndicats, un « capitaliste ». Il a accepté par amitié.

Les changements d'attributions ? Jean-Pierre Fourcade pour lequel j'ai une grande estime, est passé des Finances à l'Équipement. J'aurais pu garder Michel Durafour à son poste de ministre du Travail. Il ne le voulait pas, m'a-t-il expliqué : « J'ai passé deux ans avec votre prédécesseur et j'ai entendu toutes les promesses qui ont été lancées. Comme ce n'est pas du tout la ligne que vous allez suivre, je ne veux pas, demain, me trouver face à des syndicats qui ne manqueront pas de me les rappeler. » Une attitude qui honorait cet homme politique. Je lui ai proposé d'être mon ministre délégué à l'Économie et aux Finances.

J'ai souhaité également aplanir les relations entre « giscardiens » et « chabanistes », difficiles depuis l'élection présidentielle, en proposant deux noms : Robert Boulin et Joseph Fontanet, très proches de Chaban-Delmas. Giscard, qui les avait écartés en 1974, accepta. Boulin fut nommé ministre chargé des Relations avec le Parlement. Fontanet, accaparé par le lancement de son éphémère quotidien *J'informe*, préféra décliner mon offre.

Je rencontre Simone Veil. « Je souhaiterais, lui ai-je dit, vous nommer ministre des Universités, un domaine que je veux réformer en profondeur. Votre autorité intellectuelle et morale serait très utile. Est-ce que vous acceptez ? » Sa réponse a fusé : « Jamais ! Je ne quitterai pas la Santé. » Elle y resta donc.

Comme les élections municipales s'annonçaient dans quelques mois – en mars 1977 – et que j'avais une rude partie économique à jouer, j'ai accepté avec plaisir la proposition du président de nommer trois ministres d'État représentant les principales formations de la majorité. Ils suivront la préparation des élections. Il s'agit d'Olivier Guichard, de Michel Poniatowski et de Jean Lecanuet. Guichard devint garde des Sceaux et dirigera la « troïka ». Contrairement à de nombreux commentaires, ce n'était pas, en effet, un « triumvirat ». J'ai adressé une lettre à Olivier Guichard : « Je vous saurais gré de présider un groupe de travail composé des ministres d'État – auxquels se joindra Michel Durafour. Ce comité aura pour tâche de fixer les modalités de l'action commune que doivent mener les formations politiques qui soutiennent l'action du président de la République. » Un secrétaire d'État, Antoine Ruffenacht, est placé auprès d'Olivier Guichard pour l'accompagner dans ce travail. Je connaissais M. Guichard depuis 1959. Je connaissais moins Michel Poniatowski qui, rapidement, m'apparaîtra comme un « homme de gouvernement ».

J'avais connu Jean Lecanuet quand j'étais à Bruxelles, entre 1967 et 1972. Je l'ai retrouvé en janvier 1976 au gouvernement de Jacques Chirac. Nos liens se sont alors resserrés. Il m'aidera beaucoup lors de ma candidature à la présidence de la République. Malade les dix dernières années de sa vie, il a beaucoup souffert. Ma femme et moi étions très proches des Lecanuet. J'ai pu apprécier sa droiture. Doté d'une vraie culture, il y avait chez lui de l'épaisseur, de la profondeur. Il m'a un jour confié son regret de n'avoir pas appelé, au second tour de 1965, à voter pour le Général. « Quand je regarde le passé, je le regrette. »

MM. Guichard, Lecanuet et Poniatowski ne me feront jamais défaut et, une fois par semaine, nous déjeunerons ensemble afin de mieux évaluer la situation politique.

Avant que le secrétaire général n'annonce la composition du nouveau gouvernement, j'ai vu le président pour les derniers ajustements. L'un d'eux concernait le secrétaire d'État à la Culture, Michel Guy, qui était partant. J'ai proposé à Giscard de nommer Françoise Giroud, pour qui j'avais beaucoup de considération. Elle était, jusque-là, secrétaire d'État à la Condition féminine, et j'avais l'intention de supprimer ce poste pour créer une Délégation permanente à la condition féminine, ce qui a été décidé dès la semaine suivante. Nicole Pasquier en prendrait la responsabilité, à l'initiative de Giscard. Elle était lyonnaise, je ne la connaissais pas, mais j'allais la découvrir et elle entrerait au gouvernement en janvier 1978 en même temps que Monique Pelletier.

*Alors que vous étiez en train de constituer votre gouvernement, il y avait eu, le jeudi, la passation des pouvoirs avec Jacques Chirac. Je suppose que, dès ce soir-là, vous vous installez dans votre bureau à Matignon. Quelles réflexions vous inspire votre nouvelle situation ?*

La passation des pouvoirs s'est déroulée dans une atmosphère cordiale. Jacques Chirac me donna quelques conseils et me promit son aide toutes les fois que je le souhaiterais. Je l'ai reconduit, selon l'usage, puis, me voilà dans le splendide bureau de l'hôtel Matignon qui sera désormais le mien. Je suis seul. L'agitation des derniers jours a pris fin. Je me trouve face à l'immensité de la tâche qui m'attend, et ma réflexion se porte sur les conditions dans lesquelles je devrai l'exercer. Quelques points forts se détachent :

La situation politique est très difficile. Si le président de la République jouit de la confiance de l'opinion, la majorité à l'Assemblée nationale est fragile et elle ne sera pas pour moi de tout repos. Le départ de Jacques Chirac laissera des traces. Les partis politiques sont déjà attentifs aux prochaines échéances électorales et inquiets devant une opposition virulente que dirige François Mitterrand.

La situation économique est préoccupante : une forte inflation qui risque de s'accélérer ; une monnaie affaiblie qui est sortie du Serpent monétaire européen et qui ne cesse de faire le va-et-vient ; une augmentation excessive des salaires ; des revendications des agriculteurs qui souffrent d'une sécheresse accablante ; un fort déficit du commerce extérieur.

Sur le plan extérieur, l'attachement du chef de l'État au développement de la Communauté européenne heurte beaucoup de membres de l'UDR. Sa volonté de restaurer de meilleures relations avec les États-Unis — ce que l'on qualifie d'atlantisme — n'est pas appréciée par tous.

Je suis donc confronté à des difficultés certaines et je n'ignore pas mes propres handicaps. Je ne suis pas un élu ; je ne suis inscrit à aucun parti, bien que personne n'ignore mon dévouement au général de Gaulle et ma sensibilité démocrate-chrétienne. Je ne peux compter que sur la bienveillance du chef de l'État et sur les relations confiantes que j'ai nouées naguère avec un certain nombre de personnalités politiques. Quant aux médias, s'ils m'observent avec curiosité, leur intérêt est limité puisque je ne suis pas connu de l'opinion et que je n'appartiens pas à la « classe politique ».

Au regard de ce constat, j'ai pris mes résolutions.

D'abord, respecter scrupuleusement le partage des responsabilités entre le président et le Premier ministre, conformément à la distinction clairement définie par le général de Gaulle dans la conférence de presse qu'il donna en septembre 1968. Il venait de remplacer Georges Pompidou par Maurice Couve de

Murville, et un journaliste l'interrogea sur les raisons de ce changement. Je connais bien cette réponse du Général :

« Dans notre République, c'est le chef de l'État qui répond de l'intérêt supérieur et permanent de la France, de la stabilité des Institutions, de la continuité dans la conduite des Affaires publiques. Sa fonction et son action sont donc à grande portée et dépassent la conjoncture. Aussi est-il élu par le peuple pour sept ans, aussi est-il rééligible.

« Le Premier ministre choisi et nommé par le chef de l'État est, lui, aux prises avec la conjoncture, ayant constamment à représenter, à coordonner et à suivre l'activité des autres ministres et celle des administrations, à mettre à exécution le pouvoir réglementaire, à conduire la participation du gouvernement au travail législatif et au contrôle du Parlement, à se tenir en contact avec les faits, les opinions, les intérêts.

« Il vit sans trêve ni ménagement dans ce qu'on nomme la politique, c'est-à-dire dans l'immédiat, pour y traduire en actions du moment des directives d'ensemble données par le président. Il y dépense sans pouvoir compter ce qu'il a de valeur et de possibilités humaines au point de vue intellectuel, moral et même physique. Sans doute faut-il qu'il dure et endure assez longtemps pour parcourir ce qu'on peut appeler une phase dans l'œuvre des pouvoirs publics, autrement dit en moyenne pendant plusieurs années.

« Mais, par principe et par nécessité, sa tâche a des limites. Il doit donc être relevé quand le moment en est venu, sans d'ailleurs que son remplacement n'implique pour l'État aucune rupture dans ses desseins ni aucun retournement dans sa marche, puisque c'est au président qu'il appartient de fixer les objectifs, la direction, le rythme. »

Ma responsabilité à l'égard du président de la République et ma tâche sont clairement définies. Ce sera ma ligne de conduite. Par ailleurs, j'entends marquer mon autorité personnelle à l'égard des membres du gouvernement et de l'Administration, et me montrer inflexible sur la direction politique que je prendrais. Bien entendu, je me donne comme règle d'entretenir des relations loyales et confiantes avec les partis de la majorité, y compris l'UDR et d'avoir avec Jacques Chirac des relations des plus cordiales.

Comme ma priorité était de rétablir la stabilité du franc et de mettre en œuvre une politique de croissance non inflationniste, j'étais résolu à poursuivre avec les syndicats, avec les organisations patronales, la politique contractuelle, sans céder à des revendications contraires au redressement du pays.

Dans ce même esprit, je décide qu'il me faudra expliquer sans relâche aux Français la nécessité et les raisons des décisions à prendre. Cette pédagogie est d'autant plus requise qu'ils ne mesurent pas l'ampleur des changements qui affectent l'état du monde. Comment remédier à la vulnérabilité économique et sociale de notre pays qui m'était apparue depuis Bruxelles? C'était cela que je devais, inlassablement, expliquer à nos compatriotes. Je me rappelai à ce sujet ce que m'avait confié le général de Gaulle au cours d'une audience : « Dites-vous bien que lorsqu'il s'agit de grandes affaires, il faut répéter sans cesse des choses simples. » Plus tard on me fera grief de le faire.

Il m'apparaissait enfin que cet effort d'ensemble s'imposait si on voulait gagner les élections législatives de mars 1978. Je craignais, personnellement, que la démagogie de l'union de la gauche ne soit, dans le monde difficile où l'on se trouvait, très néfaste pour le pays. Face à cette démagogie, il fallait conquérir la confiance des Français en menant une politique cohérente et ferme.

Grande et rude tâche ! À partir de demain, ai-je pensé, il faut tenter de vivre !

Je décide enfin que, dès ma prise de fonction à Matignon, j'irai m'incliner sur la tombe du général de Gaulle à Colombey-les-Deux-Églises. Je m'y suis rendu un matin sans escorte, sans journalistes ni photographes. C'était une démarche strictement personnelle. Au moment où j'accédais à une des plus grandes charges de l'État, je voulais me ressourcer là où je pouvais trouver inspiration et courage. Dans ce petit cimetière où repose le Général, tout est simple et grand. Je pense à la phrase de Romain Gary dans *L'ode à l'homme qui fut la France* : « Nul ne pourra nous priver de lui. »

Un bref communiqué de Matignon signalera mon déplacement.

# Chapitre II

# L'homme public

## Chez un ministre du Général

*Dans son intervention télévisée, le président Giscard d'Estaing vous qualifie de « meilleur économiste de France », ajoutant que si vous êtes un inconnu pour beaucoup de Français et pour les milieux politiques, vous êtes un « homme public ». Qu'entendait-il par là ? Faisait-il allusion aux expériences qui vous avaient formé ? La principale raison de votre nomination ne tient-elle pas à ces expériences que très peu de nos concitoyens, en effet, connaissaient ? Si vous n'avez alors jamais eu de responsabilités aux niveaux les plus élevés du pouvoir politique, vous en aviez exercé à divers échelons, dont certaines très prestigieuses...*

Certes, je ne tombais pas du ciel ! Mais je suis venu à la politique dans des circonstances très particulières, et je vous dirai aujourd'hui encore que je n'ai pas le sentiment d'avoir eu de carrière politique. Je suis un universitaire à qui il a été donné de servir l'État. J'avais ma chaire d'économie politique et je pouvais la retrouver à tout moment pour y exercer un métier que j'aime. Dans mes différents postes, j'ai toujours été indifférent au lendemain. Je me disais : « Tu as une tâche à remplir, il faut la remplir du mieux que tu peux pour le pays, et dans l'indifférence du reste. Si tu es viré, tu es viré, et *so what ?* » J'acceptai avec une totale sérénité d'être un jour remercié. Cela, je vous assure, donne une immense liberté dans l'action. C'est mon destin. J'ai souvent envie d'écrire un papier sur le thème du destin et des hommes...

J'ai, bien sûr, fait des choix, mais ma vie a été portée par une succession de hasards et de circonstances inattendues qui ont dessiné mon destin. Je ne l'ai pas préconstruit avec l'obsession farouche de le réaliser, à l'inverse de MM. Giscard, Mitterrand et Chirac.

Lorsque M. Giscard d'Estaing m'appelle, il sait qui je suis, d'où je viens, et les responsabilités que j'ai eues. Agrégé à vingt-six ans des facultés de droit et sciences économiques, c'est le destin qui me conduira en Tunisie. Mon rang de sortie me permettait de choisir Caen. Mon camarade Pasquier, autre lauréat originaire de Caen, était, lui, nommé à Tunis. Il avait de graves soucis familiaux et souhaitait rester auprès de ses parents. Je lui ai proposé que nous permutions nos postes. J'étais célibataire, je ne connaissais pas l'Afrique du Nord ; j'y suis allé. Avant mon départ, j'ai rendu visite, selon la coutume, aux membres du jury, et l'un d'entre eux m'a interpellé : « Alors, Barre, il paraît que vous embarquez pour Tunis ? J'espère que vous n'allez pas vous tunisifier, car on ne vous a pas reçu à l'agrégation pour vous endormir sur vos lauriers ! » J'étais nommé pour deux ans. La crise tunisienne de 1952, les tensions entre Paris et le bey vont m'obliger à prolonger mon séjour[1]. En effet, si je rentrais en France, je n'aurais pas eu de successeur, le bey refusant toute nouvelle nomination, et Lucien Paye, alors directeur de l'Instruction publique, m'a demandé de rester. Encore le destin !

---

1. En 1952, le conflit avec le Néo-Destour s'aggrave. Bourguiba et plusieurs chefs nationalistes sont arrêtés. Le bey de Tunisie – Lamine Bey – est solidaire du Néo-Destour.

Mes collègues et moi étions tous issus des concours de 1950 et 1952. Nous avions vingt-sept ou vingt-huit ans, et c'est là-bas que j'ai rencontré celle qui allait devenir ma femme.

Je suis arrivé en Tunisie au début 1951 et j'en suis parti au lendemain du « discours de Carthage[1] », prononcé par Mendès France le 31 juillet 1954. J'ai donc passé là-bas quatre années où j'ai vu se développer le problème tunisien. Je me suis rendu compte très rapidement qu'il n'était pas possible d'aller à l'encontre des aspirations nationales de la population tunisienne. Je voyais aussi que c'était tout le Maghreb qui aspirait à l'indépendance.

Je fus le premier économiste à enseigner à l'Institut des hautes études à Tunis. À l'Institut il n'y avait aucune effervescence ; c'était très bigarré : des Français, des Italiens, des Tunisiens d'origine turque, des Tunisiens d'origine juive... Nous étions, comme je vous l'ai dit, une équipe de jeunes professeurs – sept de mes collègues agrégés – qui vivions quasiment avec les étudiants, dont beaucoup étaient néo-destouriens. Il était convenu et accepté que nous ne discutions pas du problème de l'indépendance tunisienne. Il m'est arrivé d'aider des étudiants du Néo-Destour à sortir de prison pour qu'ils puissent passer leurs examens. L'un d'entre eux est devenu secrétaire général de la Ligue arabe.

Si mes années tunisiennes ne sont pas une expérience de pouvoir, elles vont m'éclairer et guider mes choix à propos de l'Indochine, puis du drame algérien. J'ai toujours soutenu, comme citoyen, la politique de Pierre Mendès France à l'égard de l'Indochine. Quant au problème algérien, il m'est apparu dès ce moment-là impossible de le résoudre autrement qu'en jouant la carte de l'indépendance.

---

1. Le discours prononcé à Carthage par Pierre Mendès France, en accordant à la Tunisie l'autonomie interne, ouvrait la voie à l'indépendance.

*Jean-Marcel Jeanneney approuvait, lui aussi, la politique de Mendès France en Indochine et en Tunisie. Est-ce une des raisons pour lesquelles il vous offre votre première expérience du véritable pouvoir ? Nommé par de Gaulle ministre de l'Industrie en janvier 1959, Jeanneney vous demande d'être son directeur de cabinet.*

M. Jeanneney connaissait mes sentiments. Nous partagions la même tristesse devant les difficultés de plus en plus graves qui affectaient notre pays, confronté à la guerre d'Algérie, aux déséquilibres économiques, à l'effondrement du franc.

À mon retour de Tunis, j'avais retrouvé la chaire qui m'attendait à l'université de Caen. Je connaissais assez bien Jean-Marcel Jeanneney, ancien doyen de Grenoble, membre de mon jury d'agrégation. Élu professeur à la faculté de droit de Paris, il avait pris la direction du service d'activité économique à la Fondation nationale des sciences politiques. De mon côté, en préparant le concours d'agrégation entre 1948 et 1950, j'avais déjà travaillé à la direction des Relations économiques extérieures au sein d'une petite cellule économique. À cette occasion, j'avais rencontré un homme d'une puissante intelligence, Alexandre Kojève, grand spécialiste de Hegel, qui déployait ses dons dans les relations économiques internationales.

C'était une époque fort intéressante où l'on discutait, notamment à l'OECE[1], de la libération des échanges et de l'Union européenne des paiements. Pendant deux ans, je me suis familiarisé avec ces problèmes. Lorsque Jean-Marcel Jeanneney fut nommé au Comité Pinay-Rueff[2] en septembre 1958, il me demanda plusieurs fois mon sentiment sur tel ou tel sujet. Il savait que j'étais gaulliste sans avoir jamais participé à aucun mouvement politique.

---

1. Organisation européenne de coopération économique.

2. Ce comité d'experts fixa les principes de la politique économique et financière qu'allait mettre en œuvre le Général dès l'hiver 1958. Ce comité est en particulier le père du « franc lourd ».

Dès qu'il sut qu'il allait être nommé ministre de l'Industrie, il me reçut chez lui et me proposa d'être son directeur de cabinet. Nous étions le 24 décembre 1958. Je n'avais aucune expérience, ce à quoi il me répondit : « Vous avez l'expérience d'un économiste, et surtout un directeur de cabinet doit être un homme de confiance. J'ai confiance en vous. C'est pour moi une grande aventure qui commence, acceptez de m'y accompagner. » Son épouse était là et elle ajouta : « Je vous demande personnellement d'accepter. » J'ai donné mon accord en posant toutefois une condition : comme j'ignorais si j'allais être ou non un bon directeur de cabinet, je ne souhaitais pas m'accrocher à ma nouvelle fonction et je voulais, par conséquent, continuer d'enseigner à Caen. J'ai bloqué mes heures hebdomadaires de cours dans une seule journée, et j'ai fonctionné ainsi pendant trois ans et demi.

J'ai dû d'abord lever certaines préventions à mon égard. Le directeur de cabinet du ministère de l'Industrie avait toujours été, jusque-là, un polytechnicien du corps des Mines. Ce ministère compte beaucoup de directions verticales – les Carburants, les Mines, les Charbonnages, etc. – qui ont à leur tête des ingénieurs de grand talent. Ceux-ci plaçaient auprès du ministre un de leurs jeunes collègues sur lequel ils pouvaient exercer leur influence. Avec moi, ce n'était plus le même schéma. De surcroît, Jean-Marcel Jeanneney avait une réputation d'indépendance et de fermeté.

Les préventions sont tombées rapidement. D'une part, les ingénieurs ont compris que j'étais de passage et que je ne visais pas, à terme, un de leurs postes au sein du ministère. D'autre part, je me suis efforcé d'exercer ma fonction en étroite relation avec eux, notamment avec le directeur des Mines. Enfin, Michel Debré, le Premier ministre, attendait beaucoup du ministère de l'Industrie pour relancer notre économie, et il accorda toute sa confiance à Jeanneney.

C'est là que je vais découvrir à quel point ce ministère est protectionniste et qu'il a un allié, le CNPF[1], dont les conceptions corporatistes et dirigistes sont très proches des siennes.

*Par exemple ?*

Le gouvernement Debré avait, dans le cadre de l'OECE, décidé de libérer les échanges et d'appliquer le traité de Rome. Or, un des principaux pouvoirs du ministère de l'Industrie était de contrôler les licences d'importation et d'exportation. Si nous libérions les échanges, ce pouvoir tombait. Je devais convaincre les agents du ministère que la politique du gouvernement allait s'écarter progressivement de leurs habitudes. Ce n'était pas facile. De leur côté, des chefs d'entreprise m'expliquaient que la libération des échanges était une catastrophe. Je leur répondais : « Les échanges sont libérés en France, ils le sont aussi dans les autres pays. Vous craignez la concurrence allemande ? Eh bien, méditez cette célèbre phrase : "Si tu ne vas pas à Lagardère, Lagardère ira à toi !" »

La libération des échanges sera faite dans le respect scrupuleux de l'OECE et nous avons commencé à appliquer le traité de Rome : suppression des contingents et baisse des droits de douane. Le Marché commun, celui de l'Europe des Six, se mettait concrètement en place. La première baisse des droits de douane concernait la France et l'Allemagne. Nos chefs d'entreprise n'étaient pas très heureux.

*J'ai l'impression que cette volonté qu'avait de Gaulle de libéraliser notre économie n'a pas du tout été perçue, à l'époque ?*

Vous avez raison. En réalité, personne, alors, n'avait dans l'esprit que le général de Gaulle voulait libérer la France d'un

---

1. Conseil national du patronat français, qui est devenu le Medef.

système qui était anticoncurrentiel. Il définira en une formule synthétique sa politique de rénovation économique : « Expansion, productivité, concurrence, concentration, voilà bien évidemment les règles qui doivent dorénavant s'imposer à l'économie française traditionnellement circonspecte, conservatrice, protégée et dispersée. »

Dans les six mois qui suivent mai 1958, sur la base du rapport Rueff, il a pris les principales mesures de sa politique d'adaptation : réduction du déficit budgétaire ; limitation des emprunts du Trésor pour financer le déficit ; dévaluation du franc, création du fameux « franc lourd ». Il abandonnait surtout le triptyque jusque-là si caractéristique de notre politique économique : inflation, protection, dévaluation. Il lui substituait un nouveau triptyque : maîtrise des prix, libération des échanges, stabilité de la monnaie.

Si la question algérienne recouvrait l'actualité, au gouvernement plusieurs ministres proches de Michel Debré – dont Jeanneney – ont conduit avec autant de rigueur que de ténacité cette transition.

Les coups de frein venaient surtout du ministère de l'Économie et des Finances et du CNPF.

### Toujours du CNPF ?

Hé oui ! J'ai vécu ces blocages qui, hélas, illustrent encore certains de nos modes de fonctionnement, et surtout cette difficulté que nous avons à engager des réformes. En 1961, il s'agissait de notre industrie des biens d'équipement. Nous avions dans ce domaine un grave retard structurel par rapport à l'Allemagne fédérale et même à l'Italie. La création d'un organisme de financement spécialisé fut envisagée. Je me suis d'abord heurté à un veto des patrons. Heureusement, leur responsable des affaires économiques était alors Henri Laffont, un esprit distingué, fin. Je le voyais régulièrement et nous avions noué de bonnes relations. Il ne s'agissait pas de créer, comme en Italie ou en Espagne, un organisme qui régenterait nos entreprises de biens d'équipement, mais de leur donner les moyens de se développer, notamment les moyens financiers. Nous avons longuement discuté et nous sommes parvenus à nous accorder sur un texte. Je me réjouissais de cette ouverture, quand j'appris que Laffont avait été assassiné [1].

Je me retrouvais de nouveau face au patronat. Dans le même temps, la direction du Trésor manifesta son refus de toute action spécifique en faveur de l'industrie des biens d'équipement. Elle n'y avait pas pensé et je découvrais que le ministère de l'Économie et des Finances refusait à peu près tous les projets qui ne venaient pas de chez lui. J'avais pourtant, comme économiste, des liens très cordiaux avec les directeurs de ce ministère.

Pinay, alors ministre de l'Économie, bloquait lui aussi le projet. Là-dessus a surgi un regain de tension entre Michel Debré et Antoine Pinay. Ils ne s'entendaient pas, mais s'efforçaient de n'en rien montrer. Or, après que de Gaulle eut annoncé en novembre 1959 la sortie de la France de l'OTAN, Pinay, en plein Conseil des ministres, critiqua la position du Général, qu'il jugeait anti-américaine. Deux ou trois semaines plus tard, Debré obtenait sa démission. Le jour où il passa le relais à son successeur, Wilfrid Baumgartner, il m'a, à ma surprise, téléphoné : « Monsieur Barre, je tiens à vous dire que je n'ai rien contre le ministère de l'Industrie, contre votre ministre. Celui qui me cherche des ennuis, je ne peux pas l'accepter, est au cabinet de Michel Debré. Alors, dites-le à votre ministre, je n'ai rien contre vous, mais je ne me suis jamais laissé faire par les petits fonctionnaires autour de Debré. »

Baumgartner, avec lequel Jeanneney avait d'excellents rapports, n'en demanda pas moins, dès son arrivée, qu'on oublie le

---

1. Henri Laffont fut assassiné par l'OAS, début mars 1962. On n'a jamais découvert son ou ses assassins.

programme d'aide à l'industrie des biens d'équipement. André de Lattre, directeur du cabinet de Baumgartner, et moi, nous avons malgré tout tenté d'imaginer quelque chose à travers le Crédit national. Ce fut une cote mal taillée. L'opposition des fonctionnaires des Finances était intacte et de Gaulle ne voulait pas constamment arbitrer contre eux. Je crois que nous avons manqué à ce moment-là un tournant qui correspondait à une vision industrielle – Debré et Jeanneney voyaient juste : la France devait développer fortement ses entreprises de biens d'équipement, et aujourd'hui encore notre déficit dans ce secteur est un handicap.

*En 1960, 1961, l'opinion était davantage préoccupée par le drame algérien que par le redéploiement de nos industries. Est-ce que vous avez suivi certains aspects du dossier algérien ?*

Je représentais Jean-Marcel Jeanneney au comité de direction du plan de Constantine. En octobre 1958, de Gaulle avait annoncé à Constantine un plan de cinq ans d'aide au développement de l'Algérie. En dépit des événements et du référendum sur l'autodétermination, le plan se poursuivait. Nous avions là-bas des intérêts industriels importants : le pétrole, le gaz, les mines de l'Ouenza.

J'allais représenter mon ministre à l'inauguration du port de Bône où d'importants travaux avaient été réalisés pour l'exportation du minerai de fer de l'Ouenza. Trois scènes me sont restées en mémoire. Le soir de mon arrivée à Ouenza, un vieil instituteur algérien, sachant que j'étais universitaire, a voulu me manifester son dévouement : il enseignait dans seize classes, bientôt dix-sept, il était fier d'être algérien et français. La nuit, on m'a conduit sur la ligne Morice qui séparait l'Algérie de la Tunisie où j'avais vécu quatre ans. Hier, on passait d'un pays à l'autre sans même s'en rendre compte ; ce temps-là était fini. Le lendemain, nous sommes descendus d'Ouenza vers Bône. Des deux côtés de la route, des milliers d'écoliers d'origine algérienne agitaient leurs petits drapeaux. Là, j'ai compris que le million de Français qui vivaient en Algérie ne résisteraient jamais à la montée de cette jeunesse. Trois scènes, dont la dernière fut vraiment un choc...

Dans le cadre des affaires algériennes, nous avons eu également à régler le problème du pétrole saharien. La société Total revendiquait cette gestion. Jean-Marcel Jeanneney y était opposé et ne voulait pas que Total soit en position de monopole. Par ailleurs, la Société nationale de recherches et d'exploitation des pétroles en Algérie, que dirigeait Roger Goetze, ancien directeur du Budget, proche du Général, était extrêmement jalouse de son autonomie. En s'appuyant sur cette société nationale, Jeanneney a encouragé la création d'un groupe public face à Total. Cette fois encore, Pinay y mit son veto, mais, après son départ, le projet fut mené à son terme.

Je revois M. Prada, de la direction des Carburants, qui vient un matin avec un grand carton me montrer la liste des noms possibles pour le nouveau groupe. Il fallait choisir. Et nous tombons d'accord sur Elf, parce que c'était le sigle le plus court et le plus évocateur.

*Votre action en Algérie est aussi reliée, je pense, au fait que le ministère de l'Industrie avait alors en charge toutes les entreprises du secteur public : EDF, GDF, Charbonnages de France...*

Bien sûr, et j'ai découvert non seulement les dirigeants des entreprises publiques, mais les responsables syndicaux de ce secteur. Dès mon arrivée au cabinet, je me suis présenté à Pierre Guillaumat, ministre des Armées, unanimement respecté, qui appartenait au corps des Mines et qui était une figure parmi les grands commis de l'État. « Je n'ai pas de conseils à vous donner, m'a-t-il dit, sinon ceci : qu'il n'y ait jamais de grèves de mineurs. » Nous étions au début de la crise du charbon, et Jean-neney m'avait demandé de préparer un plan d'adaptation des Charbonnages. Nous l'avons mis sur pied et les syndicats l'ont accepté. Je n'ai jamais oublié la recommandation de Guillaumat et j'ai toujours veillé à ce qu'il n'y ait pas de tensions excessives avec les syndicats. Certes, il y a eu des difficultés, mais jamais de rupture. Nos discussions ont été aussi claires, aussi franches que permanentes. Avec la toute-puissante CGT, nous étions dans un climat de respect mutuel, quand bien même le rapport de force était sans concession.

J'ai mesuré ce respect à l'occasion du putsch d'Alger, le 22 avril 1961. Jean-Marcel Jeanneney inaugurait une installation gazière dans le Sud algérien et devait rentrer ce jour-là. Nous perdons alors tout contact avec lui. Je téléphone à Michel Debré qui me dit de ne pas bouger, de m'occuper du ministère et, si besoin est, de le rappeler. Le soir, par radio, il invite, dans sa déclaration inoubliable, les Parisiens à se rendre en masse, et par tous les moyens, vers les aérodromes. Je reste à mon bureau et, à deux heures du matin, je reçois un appel téléphonique : « Ici Marcel Paul. » Il s'agissait du militant communiste, déporté à Buchenwald, ancien ministre du Général en 1945, et devenu l'un des dirigeants de la CGT. Nous nous étions plusieurs fois rencontrés. « Monsieur le directeur, me dit-il, vous avez suivi les événements. Je voudrais transmettre un message au général de Gaulle. Je sais que vous pouvez le toucher sans passer par les canaux habituels dont nous ne sommes pas sûrs. Alors je viens vous demander d'informer le Général que si jamais la France était en danger, nous sommes là, et nous résisterons. » Je l'ai remercié, l'assurant que j'allais aussitôt rendre compte à l'Élysée de notre conversation. Il a ajouté : « Nous sommes prêts, le cas échéant, à recevoir des armes pour nous défendre. » « Sur ce point, lui ai-je précisé, les instructions sont simples : vous allez au commissariat de police voisin et vous vous mettez à la disposi-tion des autorités. » Et j'ai appelé mon correspondant à l'Élysée, Jean Méo, qui pouvait joindre directement le Général.

Marcel Paul m'avait raconté, la voix pleine d'émotion, ses retrouvailles, en juin 1958, avec de Gaulle qui, recevant les représentants syndicaux, l'avait interpellé : « Eh bien, Paul, comment ça va ? » Les souvenirs de la Résistance, du premier ministère de Gaulle en 1945, étaient vivaces, et le Général nous avait fait passer le message qu'il fallait ménager Marcel Paul.

Pour l'universitaire que j'étais, ces trois années et demie au ministère de l'Industrie furent pleines d'enseignements. J'ai eu la chance, d'une part, d'être accepté par l'Administration que je découvrais et dont j'ai pu mesurer la complexité, d'autre part, d'être confronté au patronat, aux dirigeants des entreprises publiques et au milieu syndical. Brusquement, je me suis trouvé aux prises avec l'exercice du pouvoir, qu'il s'agisse de la libération des échanges, d'Elf, du plan de Constantine, de la reconversion des Charbonnages ou des directives sur l'organisation territoriale de la politique industrielle. C'est en 1960 que nous avons créé le premier organisme chargé de la décentralisation industrielle, que dirigea Arrighi de Casanova.

Enfin, comme si le destin avait déjà esquissé mon avenir, je n'ai pas seulement suivi les affaires européennes à travers l'application du traité de Rome, j'ai été à ce moment-là très impliqué dans la CECA (Communauté européenne du charbon et de l'acier). Le ministre de l'Industrie était le représentant de la France à la CECA et nous devions faire face à une double crise de surproduction : celle du charbon, que j'ai évoquée, et celle de l'acier. L'Europe était parmi nos principales préoccupations. Les difficultés pour appliquer le traité de Rome me permettaient déjà d'apprécier les rigidités de notre appareil d'État, tandis qu'à la CECA j'ai surtout travaillé avec les dirigeants allemands et l'entourage du Chancelier Erhard.

*De Gaulle, qui avait manifesté dans les années précédentes son hostilité à la CECA, à la CED (Communauté européenne de défense) et aux efforts d'union des pays européens, était-il dès ce moment-là partisan de la construction européenne ?*

Contrairement à une idée largement répandue, le Général voulait, comme je vous l'ai dit, qu'on libère l'économie, et il était pour l'Europe du Marché commun. En 1958, à la veille de l'application des traités européens, et notamment du traité créant le Marché commun, on s'est interrogé : quelle va être l'attitude du général de Gaulle à l'égard de la construction européenne ? En fait, il ne changera rien aux décisions concernant le Marché commun. Ce n'est pas seulement parce qu'il respecte la signature de la France, c'est aussi qu'il voit l'utilité du Marché commun pour le développement des Six, en particulier celui de la France. Dans les *Mémoires d'espoir*, il écrit qu'il entend s'investir dans certains domaines essentiels : « Il s'agit de la compétition internationale, parce que c'est le levier qui peut soutenir la marche de nos entreprises, les contraindre à la productivité, les amener à s'assembler, les entraîner à la lutte au dehors. D'où ma résolution de pratiquer le Marché commun qui n'est encore qu'un cadre de papier, d'aller à la suppression des douanes entre les Six, de libérer largement notre commerce mondial. »

J'ai recueilli sur ce point l'opinion de Pierre Chatenet, qui fut ministre dans le gouvernement Debré, puis, en 1962, président d'Euratom, le Commissariat européen à l'énergie atomique. Il était très proche du général de Gaulle et l'avait accompagné dans ses nombreux voyages en province, dont la Lorraine, alors touchée par la crise du charbon. « Vous savez, m'a-t-il confié, le Général n'était pas contre l'Europe, il était opposé à toutes formes d'institutions qui auraient cherché à se substituer aux États. Dès son premier voyage en Lorraine, il a compris que la France avait besoin de se transformer et qu'il était urgent d'introduire la concurrence et la liberté d'initiative dans notre économie.

C'est à ce moment-là qu'il est devenu clairement un partisan du Marché commun. »

Lorsque le général de Gaulle m'a nommé vice-président de la Commission européenne en 1967, il venait d'opposer son veto à l'entrée de la Grande-Bretagne, et beaucoup en avaient conclu qu'il était contre l'Europe. J'ai eu avec lui cet échange qui illustre, je crois, très bien sa position sur le Marché commun :

« Je vous envoie à Bruxelles, m'a-t-il déclaré. Il y a, à la porte, l'Angleterre et d'autres pays. Je ne veux pas que l'Angleterre entre.

— Vous ne voulez pas qu'elle adhère à l'Europe ?, l'ai-je interrogé.

— En Europe, elle y est déjà, m'a répondu le Général. Je ne veux pas qu'elle entre dans le Marché commun. J'ai beaucoup travaillé, j'ai fait beaucoup de sacrifices pour que le Marché commun existe, et je ne veux pas qu'il se dilue dans une zone de libre-échange. Bien sûr, l'Angleterre entrera un jour, mais elle le fera quand elle aura agi comme nous, c'est-à-dire quand elle se sera remise debout toute seule. »

Il refusait que l'Angleterre puisse se faire payer par la Communauté des sacrifices qu'elle s'était refusés à elle-même. « Quand elle se sera remise debout toute seule. » Ça ne s'invente pas !

## VICE-PRÉSIDENT À BRUXELLES

*Cela nous amène à votre deuxième expérience du pouvoir : vous êtes nommé en 1967 vice-président de la Commission européenne, une fonction aussi importante que prestigieuse.*

Avant d'en venir là, un mot encore sur mes fonctions auprès de M. Jeanneney. Vous savez, si ces trois années et demie furent une expérience professionnelle extraordinaire, elles m'ont surtout appris ce qu'est le sens de l'État que personnifiaient de Gaulle, Debré et plusieurs ministres. Jeanneney appartenait à cette génération qui avait vécu le désastre de la guerre, connu ce sentiment de honte devant l'effondrement de la France, puis découvert la Résistance. Dans les années qui suivirent, tous les gens d'honneur se disaient : « Il faut que notre pays s'en sorte. » Il y avait une volonté extraordinaire de rénovation, une volonté de faire oublier la défaite, l'Occupation, Vichy.

Au mois d'avril 1962, après le référendum sur l'autodétermination en Algérie, de Gaulle va remplacer Michel Debré par Georges Pompidou. Le gouvernement est remanié. Jean-Marcel Jeanneney quitte l'Industrie pour être nommé haut représentant de la France en Algérie, poste éminemment stratégique à l'époque. Il m'a proposé de le suivre. J'étais fatigué après ces trois ans et demi, et je voulais changer d'air. Marc Jacquet, qui allait devenir ministre des Travaux publics et des Transports, me téléphona : « Prenez la direction de mon cabinet. » Ce fut non. Je suis rentré à Caen où j'ai repris mon enseignement. Il me fallait faire oublier que j'étais un clerc ayant trahi, et je suis redevenu universitaire. J'avais renoncé, en entrant au cabinet de Jeanneney, à l'université de Paris où je pouvais être élu très jeune, en 1959. Dans l'ordre du tableau, j'étais vraiment en retard. J'ai attendu un an avant de me représenter et, en 1964, j'ai été élu par mes collègues parisiens. J'ai donc enseigné à Paris de 1964 à 1967, jusqu'au jour où de Gaulle me nomma vice-président de la Commission européenne à Bruxelles.

*Il y avait, je pense, en 1967, plusieurs hauts fonctionnaires susceptibles d'être nommés vice-président de la Commission européenne. Vous succédiez à Robert Marjolin, collaborateur du général de Gaulle à Londres. Savez-vous pourquoi le Général vous a choisi ?*

Franchement, je ne le sais pas vraiment. En tout cas, il ne semble pas que ma nomination ait un lien avec Jean-Marcel

Jeanneney, puisque celui-ci n'en a pas été informé. Plusieurs raisons ont dû plaider en ma faveur.

D'abord, en 1967, au moment où il fallait nommer le successeur de Robert Marjolin, l'Europe était secouée par une des crises les plus graves qu'elle ait connues. Il faut en rappeler le contexte. Les signataires du traité de Rome de 1957 considéraient tous que la Communauté économique n'était qu'un premier pas de la construction européenne et qu'il serait plus tard nécessaire de progresser sur le plan politique. Le général de Gaulle était sur cette ligne et il proposa à ses partenaires qu'ils discutent régulièrement ensemble de défense, de politique étrangère, de culture. Sa proposition, qui fit l'objet d'une négociation conduite par Christian Fouchet, aboutit à ce que l'on a appelé le « Plan Fouchet ». Ce plan, on l'a oublié, allait très loin. Les domaines de la défense, de la politique étrangère, de la culture, de la protection des libertés, seraient gérés par des institutions communes sur une base intergouvernementale, sous l'autorité d'un Conseil de chefs d'État et de gouvernement.

Un accord se dégagea et une conférence des ministres des Affaires étrangères des Six se réunit à Paris en janvier 1962. Mais une nouvelle version du projet, amendée par le Général, fut repoussée par les ministres belge, Paul Henri Spaak, et italien, Antonio Segni. Ils craignaient que ce Conseil de chefs d'État et de gouvernement n'affaiblisse la Commission et bloque l'entrée de la Grande-Bretagne. Et puis, quelle serait l'attitude de cette Europe politique à l'égard des États-Unis ?

Une belle occasion avait été ainsi perdue par les Six. Plus tard, il y aura, dans beaucoup de pays européens, une nostalgie discrète du Plan Fouchet. Et il faudra attendre décembre 1974, sous le septennat de Giscard d'Estaing, pour voir la création informelle du Conseil européen des chefs d'État et de gouvernement.

Là-dessus a lieu une seconde crise qui va conduire, en 1965, à l'enterrement, si l'on peut dire, de la conception fédérale de la

CEE. En mars de cette année-là, le président allemand de la Commission, Walter Hallstein, présente à l'Assemblée parlementaire de Strasbourg des propositions concernant le financement de la politique agricole commune pour les cinq années suivantes. Il ne s'agit pas seulement de mesures financières et techniques. Hallstein, soutenu par le commissaire néerlandais à l'Agriculture, Sicco Mansholt, a greffé sur sa proposition des développements institutionnels qui peuvent modifier le fonctionnement et la nature de la CEE : réalisation du Marché unique le 1er juillet 1967, plus de six ans avant l'échéance prévue par le traité de Rome ; attribution à la Communauté de « ressources propres » se substituant aux contributions des États membres et directement perçues et gérées par la Commission ; reconnaissance à l'Assemblée de Strasbourg d'une certaine initiative financière, d'un pouvoir d'amendement au budget que la Commission pourrait accepter ou refuser, et de pouvoirs de contrôle semblables à ceux d'un Parlement national.

Cette proposition, qui s'inspirait d'une interprétation supranationale du traité, entendait créer une relation fondamentale entre la Commission et le Parlement européen, se substituant à celle qui existait entre la Commission et le Conseil des ministres.

*C'est-à-dire que les institutions européennes et en particulier la Commission prenaient le pas sur les États ?*

Exactement. Or, le Benelux, l'Italie, l'Allemagne, favorables en principe à la supranationalité, émettent des réserves, car ils ne veulent pas aller aussi loin. La France, pour sa part, y est opposée et va lancer une offensive contre la Commission.

Notre gouvernement n'ayant pas obtenu que l'on dissocie le financement de la PAC, proposition qu'il acceptait, des autres dispositions d'ordre institutionnel, qu'il rejetait, de Gaulle décida le 1er juillet 1965 de ne plus siéger à Bruxelles et de rappeler Jean-Marc Bœgner, notre représentant auprès de la CEE. Ce que l'on baptisa la « politique de la chaise vide ».

Le 9 septembre suivant, le Général annonçait qu'à compter du 1er janvier 1966, le gouvernement français refuserait le passage à la règle de la majorité dans les décisions du Conseil des ministres. Pour la première fois, une disposition capitale du traité de Rome – la règle de la majorité –, qu'aucun partenaire de la France n'était prêt à remettre en cause, était contestée. C'était l'impasse.

Les réactions de l'opinion en France, sa mise en ballottage lors de l'élection présidentielle, à la fin de 1965, vont conduire de Gaulle à assouplir sa position et à accepter de reprendre les négociations avec nos partenaires.

C'est ainsi qu'en janvier 1966 est signé le « compromis de Luxembourg », qui maintient définitivement la Commission dans un rôle non gouvernemental. C'est une décision fondamentale. Le « compromis de Luxembourg » n'a jamais été, depuis lors, remis en question par aucun État membre de la CEE ou de l'Union européenne.

M. Marjolin quittait la Commission dans ce contexte très agité. Le président Hallstein s'en allait lui aussi. Les journaux parlaient de « naufrage » de l'Europe, et je pense que beaucoup de personnes pressenties pour aller à Bruxelles se disaient : « C'est la fin, ça n'a plus d'intérêt... » Ce fut une des raisons de ma nomination.

*On a dit aussi que Pierre Massé, commissaire général au Plan, a soutenu votre nomination ?*

Je ne le crois pas. Certes, je connaissais bien Pierre Massé. Il m'avait demandé dès 1964 de participer aux commissions du Plan, notamment la plus importante, la commission de l'Équilibre.

Si je suis très attaché au nom de ma discipline, « économie politique », toutes les fois que j'ai pu, j'ai accepté une mission qui m'ouvrait de nouveaux horizons. Je ne suis pas uniquement un universitaire chasseur de papillons. C'est pour cela que je suis allé à Tunis, chez Jeanneney, maintenant au Plan, demain à Bruxelles, après-demain à Matignon... C'est la grande affaire de la vie : quand on vous propose de nouvelles responsabilités, si vous ne bougez pas, comme l'âne de Buridan, vous vous encroûtez.

Je ne suis pas un économiste dogmatique. Dans aucune des fonctions de pouvoir que j'ai occupées, je n'ai été là pour appliquer mes théories. Je me suis efforcé d'avoir toujours une démarche scientifique et pragmatique : observer, évaluer les difficultés, chercher les bonnes solutions. Quand vous êtes économiste, vous avez des grilles de réflexion, d'analyse, qui vous aident à appréhender les problèmes, mais elles ne vous donnent pas de recettes. Celles-ci, c'est à vous de les imaginer, de les concevoir. Jean-Marcel Jeanneney comme Pierre Massé étaient des esprits créatifs qui me paraissaient exemplaires.

Pierre Massé était un homme exceptionnel, d'une culture étonnante, un passionné, comme moi, de musique. J'avais pour lui un grand respect et il me manifestait beaucoup de sympathie. J'étais Premier ministre lorsqu'il fut élu à l'Académie des sciences morales et politiques, et il me demanda de lui remettre son épée d'académicien. Sous de Gaulle, il avait ses entrées à l'Élysée comme à Matignon. Lors de la dernière séance de la commission de l'Équilibre du V<sup>e</sup> Plan, il m'invita à faire la synthèse des travaux et fit distribuer mon texte. Mais il n'est pas intervenu dans ma nomination à Bruxelles.

Étienne Burin des Roziers, secrétaire général de l'Élysée, joua en revanche un rôle certain. Il m'appréciait et m'invitait de temps en temps à discuter des problèmes monétaires. J'étais déjà convaincu, et je le lui disais, que le seul contrepoids à la puissance des États-Unis et du dollar, nous devions le trouver dans la gestion du système monétaire international et non dans l'étalon-or. Je sais qu'un jour, le Général lui a dit : « Alors, Barre, qu'est-ce qu'il devient ? » Ce qui m'a valu une invitation à déjeuner en petit comité. Dix personnes : le Général, Mme de Gaulle, le romancier Romain Gary, que de Gaulle aimait beaucoup, Jean Seberg, Jacques Marette, ministre des PTT, et sa femme, Édouard Charret, député de Lyon, dont l'épouse était une ancienne secrétaire du Général.

J'entends encore de Gaulle demander à Jean Seberg : « Alors, Madame, est-ce que les sunlights ne vous importunent pas trop ? » Il rentrait d'un voyage en Égypte et ma femme lui dit : « Mon Général, on vous a vu au Caire, dans la foule. Nous sommes parfois inquiets de vous voir prendre ces risques. » Il lui répondit : « Madame, c'est là que l'on est le plus tranquille... Et puis, que voulez-vous, à mon âge ! Pour mourir en beauté, il faut mourir jeune. »

Comme Burin des Roziers, je pense que Michel Debré a également proposé mon nom. Il souhaitait que je reprenne une fonction dans la haute administration. Lorsque j'étais auprès de Jeanneney, il considérait que je faisais un travail de secrétaire d'État. Je pouvais, avait-il dit à Pompidou, prétendre à une activité d'ordre ministériel. Mais j'étais de l'équipe Debré, pas de celle de Pompidou !

Voilà donc plusieurs des raisons qui ont conduit, je crois, à ma nomination, et je suis reçu par de Gaulle en juin 1967.

*J'imagine qu'il était tout de même impressionnant d'être reçu en tête à tête par de Gaulle. C'est autre chose qu'une rencontre à l'occasion d'un déjeuner à dix...*

Sans aucun doute ! Surtout qu'il y a eu, de ma part, un contretemps assez singulier. Quand Burin des Roziers m'a appelé pour me dire que le Général me convoquait dans la matinée, à 11 heures, j'ai répondu que je présidais un jury d'examen à la faculté et que je ne pouvais venir. Il me fixa un nouveau rendez-vous dans l'après-midi !

De Gaulle m'a accueilli par une boutade : « Alors, Monsieur le professeur, vous faisiez passer des examens ! »

Il y a, m'expliqua-t-il, deux postes qui se libèrent : celui de Pierre Massé, au Plan, mais Pompidou a son candidat ; et celui de Robert Marjolin. « Est-ce que Bruxelles vous convient ? » me dit-il. Que pouvais-je objecter ? Sinon que j'étais à sa disposition et que j'irais là où il me nommerait. Il précisa : « Vous êtes jeune, votre tâche auprès de la Commission sera considérable. Je suis attaché au Marché commun et j'ai fait beaucoup pour que la France y ait sa place. Ce que je vous demande et que je demande à la Commission, c'est qu'elle ne cherche pas à se substituer aux États. Elle a son rôle de réflexion, de proposition, je trouve cela très bien, mais j'entends qu'elle s'en tienne strictement à cela. » Il me le répétera à plusieurs reprises quand je le reverrai.

Une chose curieuse, qui relève toujours de ce « destin », s'est alors produite. Je connaissais encore assez peu Giscard. En 1967, il n'était plus ministre et présidait la commission des finances de l'Assemblée nationale. Burin des Roziers me rapporta qu'il l'avait appelé pour lui signaler que j'étais pressenti ou pour le Plan, ou pour Bruxelles. « Il ne doit pas hésiter un instant, et choisir Bruxelles. Bruxelles c'est l'avenir », lui répondit Giscard.

*Votre prédécesseur, Robert Marjolin, était, paraît-il, une personnalité hors norme ?*

En effet ! Savez-vous qu'il n'avait pas son baccalauréat ? Un professeur de philosophie l'avait remarqué et il s'était inscrit à l'Institut des recherches économiques et sociales que dirigeait Charles Rist[1]. Il obtient une bourse pour une université améri-

1. Charles Rist (1874-1955) : Économiste. Il donna au libéralisme « son suprême visage : celui de l'orthodoxie monétaire », dira de lui son collègue André Piettre.

caine et, en 1941, il rejoint Londres où il devient l'un des conseillers économiques du général de Gaulle. Il n'hésitera jamais à prendre les responsabilités que lui proposeront les hommes de qualité qui l'auront remarqué. Ce mélange d'audace, de compétence et de sagesse le mène à la tête de l'OECE, et, depuis 1958, à la vice-présidence de la Commission européenne. Il est parmi les pionniers du traité de Rome et jouit d'une aura internationale peu commune.

*La situation de crise dans laquelle se trouvait alors l'Europe comme l'opposition du Général à l'entrée de l'Angleterre ont-elles été pour vous, dès le début, un handicap ?*

Si je mesurais les difficultés qui m'attendaient, j'arrive à Bruxelles convaincu que la France est un beau et grand pays, un peu « cocorico », mais très respecté. Or je tombe dans une ambiance fort différente. La France est redoutée mais contestée. De Gaulle, incarnation de la grandeur, de l'autorité, est craint et isolé. Son veto à l'entrée de la Grande-Bretagne n'est accepté par aucun de nos partenaires. Même l'Allemagne se montre prudente. Quant aux Belges, ils militent pour l'entrée de l'Angleterre, bien que celle-ci soit farouchement contre la supranationalité, alors qu'eux-mêmes sont pour. J'ai relevé cette contradiction devant nos amis belges. J'ai compris qu'elle ne tenait pas face à une autre réalité : la diplomatie belge, depuis la fin du XIXe siècle, m'expliqua Étienne Davignon [1], consiste à compenser l'influence de la France par l'influence britannique.

On murmurait que de Gaulle m'avait envoyé à la Commission pour torpiller le « compromis de Luxembourg ». J'ai dû m'expliquer. J'étais là, sans ambiguïté aucune, pour aider à poursuivre les objectifs fixés par le traité de Rome, et j'ai demandé à

---

1. Étienne Davignon était alors chef du cabinet de Paul Henri Spaak. Il deviendra en 1981 vice-président de la Commission européenne.

reprendre les fonctions de Robert Marjolin aux Affaires économiques et financières, ce qui n'allait pas de soi. Il en avait fait un poste d'observation qui lui permettait d'intervenir sur tous les sujets. L'administration française proposa de couper le poste en deux : à moi l'Économie et le Plan, dont personne ne voulait, et à mon collègue allemand les questions monétaires. Je me suis battu et j'ai gardé l'ensemble des attributions de Marjolin. Ma position ne relevait pas d'une quelconque volonté de puissance, mais de la logique des faits. Ensuite tout s'est très bien passé. J'avais auprès de moi Henri Rochereau, qui fut ministre de l'Agriculture dans le gouvernement Debré, et Jean-François Deniau, charmant, intelligent, qui n'appréciait pas, dans nos réunions, de devoir rester debout, selon la coutume, alors que les vice-présidents étaient assis...

Jean Rey, le successeur de Hallstein à la tête de la Commission, était un ancien ministre belge, très ami de la France, européen jusqu'au bout des ongles. Il n'admettait pas que de Gaulle voulût imposer sa loi. Il a vite pris la mesure de ma bonne foi.

*Quels étaient exactement les objectifs de la France au sein de cette Europe passablement secouée en 1967 ?*

Nous avions trois objectifs principaux : le tarif extérieur commun, la PAC – la politique agricole commune – et l'aide à l'Afrique.

La PAC était l'obsession du Quai d'Orsay : avoir le plus d'argent possible. Avec intelligence, Sicco Mansholt, vice-président en charge de la PAC, utilisait notre position, ce qui allait nous entraîner vers un contrôle généralisé des agriculteurs. Couve de Murville me confiera : « Vous savez, quand j'ai, en janvier 1962, signé les premiers textes fondateurs de la politique agricole commune, j'ai dit à un de mes collaborateurs : "Ne pensez-vous pas que nous venons de faire une grande erreur ?" Nous nous sommes totalement lié les mains. » C'était vrai. La PAC a enfermé l'agriculture dans des contradictions que nous payons encore aujourd'hui !

*Peu de temps après votre installation à Bruxelles surgissent les événements de Mai 1968. Par-delà leur dimension politique et sociale, ces événements se déroulent alors que nous vivons une secousse monétaire. La livre sterling chute, le dollar flambe, le franc est malmené. Tous les médias et la classe politique dans son ensemble s'attendent à une dévaluation du franc. De Gaulle les prend à contre-pied : il ne dévalue pas. Dans le cadre de vos fonctions, vous avez soutenu sa décision. Quel a été exactement votre rôle ?*

Après Mai 68 et les accords de Grenelle[1], j'avais demandé à un groupe d'experts, dont Michel Albert, d'évaluer les consé-quences de ce chambardement. Certains proposaient un réajuste-ment des tarifs douaniers et quelques barrières en attendant que retombe l'orage. Couve de Murville, nommé Premier ministre après les législatives de juin 1968, en libéral qu'il était, refusa. « Aujourd'hui, me dit-il, nous sommes fragilisés, les marchan-dises entrent, eh bien, laissons-les entrer ! Dans le cas contraire, comment ferions-nous ? »

À la Commission, en dépit des incertitudes qui pesaient sur le franc, nous étions en phase avec la position de Couve. En réalité, le franc ne bougeait pas. Nous ne comprenions pas les gesticulations des éditorialistes et de certains dirigeants politiques qui réclamaient une dévaluation.

Début novembre 1968, lors d'une mission à Paris, Jean-Claude Paye, mon directeur de cabinet, voit son beau-père, Jean-Marcel Jeanneney, et lui expose les raisons pour lesquelles nous sommes tous, à Bruxelles, déboussolés par ces rumeurs de déva-

---

1. Ces accords signés le 27 mai 1968 entre le gouvernement de Georges Pompidou, les syndicats et le patronat, garantissent une forte augmentation des salaires : de l'ordre de 7 %.

luation, alors qu'il n'y a pas lieu de dévaluer. Jeanneney rendra aussitôt compte à de Gaulle de sa conversation avec son gendre. Roger Goetze partageait lui aussi notre analyse. Le 23 novembre 1968, Bernard Tricot, secrétaire général de l'Élysée, m'a appelé : « Le Général vous attend ce soir à 18 heures. »

Pour être à l'heure, j'ai fait le voyage en voiture. De Gaulle présidait le Conseil des ministres depuis 15 heures, et j'ignorais ce qui avait été décidé. Vers 18 h 30, on m'introduit dans son bureau et il m'accueille en me lançant : « Alors, il faut que j'envoie quelqu'un aux États-Unis pour expliquer au président américain où nous en sommes ? »

J'ai senti qu'il me tendait une perche. Il ne fallait surtout pas la saisir, et j'ai répondu : « Je pense, mon Général, qu'il appartient à notre ambassadeur à Washington d'expliquer la position française. » J'ai enchaîné en lui exposant mon point de vue sur la dévaluation. J'étais contre pour des raisons bien sûr techniques, car il nous faudrait engager une autre politique, mais j'ai ajouté : « Je pense également qu'il s'agit d'une manœuvre dirigée contre vous. À travers la dévaluation, on veut vous porter un coup. La dévaluation serait la preuve éclatante de votre échec économique. »

Il m'a regardé en haussant les épaules : « Eh bien, je vais vous dire ce que j'ai décidé et ce que j'en pense. On ne dévaluera pas. J'ai vu Couve de Murville et je lui ai demandé de ramener le déficit budgétaire à six cents millions de francs. Il m'a répondu : "J'ai travaillé là-dessus. Nous sommes à mille deux cents millions et je crois que nous resterons à neuf cents millions. Nous ne descendrons pas plus bas." Voilà où nous en sommes ! Voyez-vous, j'ai essayé de rendre à la France une monnaie, mais que voulez-vous faire quand notre économie traîne un boulet comme celui de l'agriculture, et que nous avons des chefs d'entreprise qui sont incapables de rivaliser avec les Italiens pour fabriquer des machines à laver ? » En une phrase, il venait de résumer nos difficultés.

Le soir même, à la télévision, il a déclaré à la stupéfaction générale que le franc ne serait pas dévalué.

Notre situation pouvait être redressée, comme l'ont démontré les deux mois suivants. Le gouvernement a annoncé un effort budgétaire, une restriction des crédits bancaires et un rétablissement momentané du contrôle des changes. Le mouvement des capitaux s'est inversé, l'argent a commencé à rentrer.

Ce rétablissement a brusquement été interrompu le 2 février 1969, quand de Gaulle, à Quimper, annonça le référendum sur la régionalisation et la réforme du Sénat. L'effet fut immédiat. Je l'ai observé depuis Bruxelles. Pour les milieux d'affaires comme pour beaucoup de commentateurs, il avait peu de chances de gagner ce référendum. Les violentes attaques contre le franc ont repris tandis que le dollar se renforçait et que la livre sterling continuait de dégringoler.


## INITIATEUR DE L'EURO ET GARDIEN DU FRANC

*Ces circonstances vont vous amener à rédiger un mémorandum pour la coopération économique et monétaire au sein de la CEE. Ce mémorandum fit, à l'époque, beaucoup de bruit dans les milieux européens. Peut-on dire qu'il a ouvert la voie à l'union monétaire, à l'euro ?*

Je n'ai jamais, en 1969, utilisé l'expression « union monétaire ». J'aurais immédiatement été blackboulé. En revanche, c'était bien l'esprit de ces memoranda, car il y en eut plusieurs. Devant la triple crise du franc, du sterling, du dollar, j'avais décidé dès février 1968 de proposer des solutions. J'agissais de manière – passez-moi l'expression – assez ingénue, ces questions monétaires n'étant pas, selon le traité de Rome, du ressort de la Commission européenne. Or j'avais remarqué un article du traité qui stipulait que les États membres en difficulté devaient s'entraider, et j'ai bâti tout mon mémorandum sur cette idée.

Nous avons, ai-je écrit, réalisé la PAC et la « monnaie verte », nous avons supprimé le contingentement des marchandises, nous continuons d'abolir les droits de douane, et nous négocions le Kennedy Round[1]. Comment peut-on en même temps accepter des fluctuations monétaires qui ont pour but de rétablir des primes à l'exportation, et des prélèvements à l'importation ? La contradiction relevait de l'évidence.

Mon premier mémorandum, soumis en février 1968 aux ministres européens des Finances, invitait les Six à étudier sans retard quatre mesures : pas de modification des rapports de parité entre les monnaies sans un accord commun ; adopter des dispositions pour éliminer toute fluctuation des taux de change ; mise en place d'un dispositif de concours mutuel ; définition d'une unité de compte européenne.

Un an plus tard, en février 1969, j'ai présenté un deuxième mémorandum, celui que vous évoquez. On le baptisa « premier plan Barre », et il suscita en effet de nombreux commentaires. Il s'agit d'un texte beaucoup plus important, qui jette les bases d'une « coopération économique et monétaire ». Les conclusions étaient très explicites, puisque nous demandions qu'au début de l'automne 1969, les pays membres fixent les perspectives d'évolution en matière de production, d'emploi, des prix, des balances de paiement. Nous voulions qu'ils se concertent en permanence à propos de leur politique conjoncturelle et qu'ils se donnent, en particulier, un objectif de taux d'inflation. J'avais proposé

---

1. Le Kennedy Round qui s'ouvre en mai 1964 s'inscrit dans la suite des négociations du GATT sur le commerce mondial. À l'origine, soixante-six pays font partie du Kennedy Round. Quant au GATT – General Agreement on Tariffs and Trade – il fut inauguré au lendemain de la guerre pour fixer les règles des échanges commerciaux et les conditions selon lesquelles un marché commun ou une zone de libre-échange peuvent être créés.

3 %, les Allemands 2 %, ce qui donna lieu à de longues discussions. Enfin, le mémorandum instituait des mécanismes de coopération monétaire inspirés du FMI : face à une crise, les banques centrales interviennent à court terme et les gouvernements s'unissent pour soutenir, à moyen terme, le pays en difficulté au titre du concours mutuel. Les Six étant liés par une politique commune ou coordonnée, il était logique qu'ils se dotent des moyens nécessaires pour s'accorder, dans le cadre de leur association, un soutien.

La Commission fut enthousiaste. L'accueil des Six, très réservé. Les gouverneurs des banques centrales, même s'ils m'appréciaient, s'interrogeaient sur les ambitions de la Commission. Les idées du mémorandum firent petit à petit leur chemin. La presse leur fut de plus en plus favorable et Giscard d'Estaing, président de la commission des finances, les appuya clairement. « Il faut aller encore plus loin », dira-t-il. J'estimais que nous étions déjà allés très loin !

Le « non » au référendum du 27 avril 1969 et le départ du général de Gaulle allaient brutalement tout remettre en question.

*Georges Pompidou est élu président de la République le 15 juin 1969. Vous restez à Bruxelles, mais dans un contexte européen qui va changer. Dès sa déclaration de Rome, à la mi-janvier 1969, où il annonçait qu'il serait candidat à l'Élysée si de Gaulle venait à se retirer, Pompidou s'était déclaré en faveur de l'entrée de la Grande-Bretagne dans la CEE.*

En effet, lorsqu'il fut élu président de la République, toutes les chancelleries furent prévenues de ses intentions.

Ce n'était pas, toutefois, ma préoccupation immédiate. Je continuais de redouter une dévaluation du franc à laquelle je restais opposé. La nomination de Jacques Chaban-Delmas comme Premier ministre rassura la Commission européenne, puisqu'il affirma, dans son discours d'investiture devant les députés, qu'il ne dévaluerait pas.

De son côté, Georges Pompidou me reçut à l'Élysée avec Robert Marjolin, et nous abordâmes, bien entendu, les problèmes monétaires. Je lui rappelai ma position : j'étais contre la dévaluation, mais, comme Chaban autant que ses conseillers, Simon Nora et Jacques Delors, y étaient opposés, je n'ai pas vraiment argumenté. Quant à Giscard, revenu aux Finances, après ce que nous nous étions dit à propos du mémorandum, je le pensais opposé à toute dévaluation.

En réalité, Pompidou voulait se donner une marge de manœuvre et il décida dans le plus grand secret de dévaluer le franc de 12,5 % le 8 août, deux mois après son élection.

*Êtes-vous de ceux qui pensent que l'inflation galopante qu'allait connaître notre pays est née ce jour-là, c'est-à-dire bien avant le premier choc pétrolier ?*

Oui, et ce qui s'est passé à ce moment-là mérite d'être médité. De Bruxelles, j'observais la vulnérabilité de notre pays. Nos partenaires n'appréciaient guère notre arrogance alors que nous manquions cruellement de solidité. Les Allemands, fidèles sur le terrain politique, se méfiaient de nous sur le terrain économique. Leurs conceptions étaient à l'opposé des nôtres. Chez nous, toujours le triptyque : *croissance inflationniste, protection, dévaluation.* Chez eux, une croissance associée à un mark fort et stable, pas de protectionnisme depuis Ludwig Erhard dont j'avais pu mesurer les résultats de la politique. Ministre des Finances sous Konrad Adenauer, puis chancelier en 1963, il avait démontré que la force du mark ne gênait ni la puissance de l'économie ni les exportations allemandes.

J'avais compris qu'une monnaie forte est le meilleur moyen d'obliger les chefs d'entreprise à s'adapter. Quand ils ne peuvent plus compter sur un ballon d'oxygène – la dévaluation –, ils deviennent très attentifs à leur compétitivité. Mon mémorandum sur la coopération monétaire répondait à ces observations.

La décision de Pompidou fut mal accueillie à Bruxelles. On s'attendait à une réévaluation du mark, et celle-ci aurait pu être accompagnée d'une légère dévaluation du franc. La Commission européenne n'était pas hostile à ce schéma, bien qu'elle eût préféré une réévaluation du mark sans dévaluation du franc. Or le gouvernement français nous mettait devant le fait accompli. Les Allemands étaient catastrophés. « Pourquoi ne nous a-t-on pas prévenus ? » se désolait devant moi l'intransigeant Karl Schiller, ministre allemand des Finances, d'autant qu'il ne pouvait éviter une réévaluation annoncée de sa monnaie : elle fut de 9 %. C'est-à-dire que le franc s'était déprécié de 21,5 % (les 9 % de l'Allemagne venaient s'ajouter à nos 12,5 %) par rapport au mark, ce qui allait une fois de plus accoutumer nos chefs d'entreprise à compter sur une sous-évaluation du franc par rapport au mark et aux monnaies liées à ce dernier. Ce fut le départ d'une longue période inflationniste.

Georges Pompidou estimait qu'il fallait accepter l'inflation pour éviter le chômage. Au dernier Conseil européen des ministres auquel j'ai participé, en 1972, j'expliquai que les tendances inflationnistes s'accéléraient dangereusement. Les gouvernements devaient prendre garde, déclarai-je, au déclenchement d'une inflation généralisée. Un seul ministre m'appuya : Helmut Schmidt, alors ministre des Finances allemand. Il succédait à Karl Schiller. M. Giscard d'Estaing se tut. Il avait des instructions de Pompidou et les appliquait le doigt sur la couture du pantalon. Il ne voulait pas non plus perdre une seconde fois les Finances[1], et il ménageait son avenir. Mais je lui reconnais

---

1. Le général de Gaulle, après sa réélection en 1965, avait confié à Georges Pompidou le soin de former un nouveau gouvernement. Pompidou lui demanda de ne pas reprendre Valéry Giscard d'Estaing comme ministre de l'Économie et des Finances.

d'avoir, entre 1969 et 1974, tenu rigoureusement le budget, un point d'ancrage dans une situation par ailleurs profondément bouleversée.

*Vous n'avez jamais douté qu'une spirale inflationniste s'enclencherait ?*

Jamais et, dès octobre 1969, j'ai renouvelé mes propositions, qui seront baptisées « second plan Barre » : un document de dix-neuf pages. Nous voulions avancer très concrètement : un plan par étapes fut élaboré afin d'étudier, au cours de l'année 1970, la création d'une « union économique et monétaire ». Je dis bien, cette fois, « union », et l'usage du mot était un saut considérable, comme l'était le projet lui-même.

À l'intérieur de la CEE, il s'agissait de parvenir, selon un processus irréversible, à un espace économique sans frontières dans lequel les produits s'échangeraient librement, la prestation des services ne rencontrerait pas de restrictions arbitraires, les facteurs de production, humains, intellectuels et financiers, auraient une mobilité effective.

À l'égard de l'extérieur, la CEE deviendrait progressivement un ensemble économique et monétaire individualisé et organisé. Les marges de fluctuation entre les différentes monnaies européennes seraient progressivement réduites, et les droits de tirage des Six sur le Fonds monétaire international, gérés en commun.

Je proposais également qu'une unité de compte européenne soit créée, et j'avais suggéré le mot « écu », parce qu'il peut se traduire en allemand par *thaler* et que ses initiales signifient en anglais ou en américain « European Currency Unit ». Je voulais qu'à la solidarité artificielle, fondée sur des prix agricoles communs souvent trop élevés, se substitue une solidarité plus réelle, fondée sur les intérêts économiques de tous.

Mes propositions furent assez fraîchement accueillies et Jean Monnet qui, au contraire, voulait les appuyer, vint me voir.

Il alla jusqu'à m'inciter à créer un Fonds monétaire euro-péen, un FME. J'y avais réfléchi, lui expliquai-je, mais je savais que nos partenaires n'accepteraient jamais un FME qui leur apparaîtrait comme un rival du FMI. Si les mécanismes que je proposais étaient proches, comme je vous l'ai dit, du FMI, ils ne remettaient pas en question l'autorité de celui-ci. Monnet a alors rencontré le chancelier Willy Brandt et l'a convaincu qu'il fallait appuyer le « second plan Barre ». Au som-met de La Haye, en décembre 1969, le président Pompidou a fini, après une longue conversation avec Brandt, par s'aligner sur la position allemande. Il se méfiait beaucoup de l'Allemagne dont la prospérité était alors insolente. Ce n'est pas par hasard qu'il donna, à ce même sommet, son accord pour l'intégration de la Grande-Bretagne : il voulait créer un contrepoids à la puissance de nos voisins d'outre-Rhin. Ses relations avec Bonn ne furent jamais faciles. Quand Willy Brandt obtiendra en 1971 le prix Nobel de la paix, elles deviendront même exé-crables. Pompidou n'a pas accepté que l'on décerne une telle distinction à un chancelier allemand.

En tout cas, le Conseil des chefs d'État et de gouvernement de décembre 1969 confia à un groupe d'experts placé sous l'au-torité de Pierre Werner, président du gouvernement luxembour-geois, le soin d'étudier, sur la base des propositions de la Commission, la mise en place d'une union économique et monétaire dans les dix ans à venir. Les journaux furent unanimes à souligner la portée de l'événement, certains pour le déplorer, d'autres, comme *L'Express*, pour y applaudir.

J'ai alors reçu un coup de fil, qui m'a beaucoup touché, de Robert Marjolin : « Bravo, je vous félicite. »

Je ne me faisais guère d'illusions. Ma position vis-à-vis de la France était difficile. Notre gouvernement était aux antipodes des objectifs de la Commission. Il s'intéressait à la PAC, à l'aide à l'Afrique, mais l'ouverture d'un grand marché, la liberté des échanges, comme la stabilité monétaire, étaient contraires à sa philosophie politique.

De son côté, Georges Pompidou venait de lever le veto français à l'adhésion de la Grande-Bretagne et d'organiser un référendum. Si le « oui » l'emporta, il y eut surtout une abstention massive. La gauche était divisée sur le sujet européen et Pompidou, à travers ce référendum, avait voulu la mettre en difficulté. L'opération se retourna contre lui : les socialistes, qui avaient conseillé l'abstention, apparurent comme les vainqueurs du scrutin.

*Pour votre part, vous étiez alors contre l'entrée de la Grande-Bretagne. Pour les mêmes raisons que de Gaulle ?*

Je partageais en effet le point de vue du Général : il fallait attendre que les Anglais se remettent sur pied. D'ailleurs, les conditions d'adhésion de la Grande-Bretagne sont demeurées un mystère. Je puis témoigner que les dirigeants anglais dans leur majorité ne voulaient pas intégrer la Communauté. Que s'est-il passé entre Edward Heath, Premier ministre, très européen, et Georges Pompidou ? On ignore ce qu'ils se sont dit. Une certitude : la France a cédé sur les balances sterling pour des raisons incompréhensibles. Le sterling est resté un mois dans le serpent monétaire, puis il s'est remis à flotter.

*Au printemps 1972, les initiatives de la CEE vont brusquement marquer le pas : les négociations avec la Grande-Bretagne commencent. C'est à ce moment-là que vous quittez Bruxelles. Ce gel relatif de la politique communautaire vous a-t-il inquiété ?*

Oui, j'étais inquiet. Voyez-vous, mon expérience bruxelloise m'a beaucoup appris, et elle a forgé quelques-unes de mes convictions, dont la nécessaire stabilité monétaire. En cinq ans, j'ai accompagné la mise en place des institutions essentielles de la Communauté. En juillet 1967, le traité de fusion des exécutifs était entré en vigueur au profit de la Commission. Celle-ci avait repris les attributions dévolues à la CECA et à Euratom, qui furent dissous. De même, le Conseil des ministres, le Parlement de Strasbourg, la Cour de justice européenne avaient pris leur vitesse de croisière, et nous avions tenté de lancer le processus d'une union monétaire.

À l'automne 1972, au cours d'une réunion à Paris des chefs d'État et de gouvernement à laquelle je fus invité, Pompidou me donna la parole et je me suis répété en déclarant : « Le danger qui menace la Communauté, c'est l'inflation. » J'ai rappelé les conclusions de mon dernier mémorandum, et les propositions du rapport Werner. En vain. Notre président, comme beaucoup de nos dirigeants, refusait de prendre en compte ce péril. La mentalité inflationniste, assortie de l'idée que l'inflation endiguait le chômage, était dans nos gènes. De Napoléon à la Grande Guerre, le franc avait été stable. Ensuite, pendant près d'un siècle, jusqu'à l'euro, il n'a jamais cessé de fluctuer. Pierre Mendès France, qui avait tenté de mener une politique monétaire rigoureuse, n'en eut pas le temps. De Gaulle fut le seul à avoir donné « une monnaie à la France », ainsi qu'il me l'avait dit. Après son départ, nos vieux démons ont resurgi.

Au début de ces années 1970, je ne comprenais pas non plus notre attitude vis-à-vis des États-Unis. Michel Jobert, notre ministre des Affaires étrangères, détestait son homologue américain, Henry Kissinger. Il fut incapable d'établir le dialogue avec Washington. Je regardais tout cela avec beaucoup d'inquiétude.

*Vous étiez sur beaucoup de points en désaccord avec la politique conduite par Pompidou. Vos relations avec lui étaient-elles difficiles ?*

Nullement. Il fut avec moi d'une grande courtoisie. Mais, comme je vous l'ai dit, j'étais de l'équipe Debré, pas de la sienne.

En 1967, quand de Gaulle me nomma à Bruxelles, il était Premier ministre et il allait attendre quelques mois avant de me recevoir à Matignon. « Je sais, me dit-il, que vous traitez avec Couve[1] et le Général. Je ne suis pas directement les questions européennes. Mais, s'il en est besoin, vous m'appelez, et Jean-René Bernard[2] est bien entendu à votre disposition. »

Si j'ai toujours eu de bons rapports avec Pompidou, j'étais un peu sur la réserve. Il avait quelque chose du paysan madré, rusé, aimant beaucoup la vie. Christian Fouchet me raconta qu'il avait interrogé de Gaulle : « Comment avez-vous pu choisir Pompidou comme Premier ministre ? » Et le Général de répondre : « J'avais besoin d'un arrangeur. »

Quand j'ai quitté Bruxelles, M. Pompidou m'a aussitôt reçu, m'affirmant qu'il songeait à me proposer un poste au gouvernement. On avait envisagé que je prenne la présidence de la Commission européenne après le départ de Jean Rey. Ce n'était pas possible. D'abord, je n'avais jamais été ministre ; ensuite, les Anglais, qui venaient d'entrer, ne me portaient pas dans leur cœur.

---

1. Maurice Couve de Murville était ministre des Affaires étrangères dans le gouvernement de Pompidou.

2. Jean-René Bernard était le conseiller diplomatique de Georges Pompidou.

# Chapitre III

# Les liens avec
# Valéry Giscard d'Estaing

*Vous venez d'évoquer les différentes responsabilités que vous avez exercées en dehors de votre travail d'universitaire, et qui vous ont donné cette dimension d'« homme public » dont parla Valéry Giscard d'Estaing. L'avez-vous souvent croisé dans cette décennie soixante et au début des années 1970 ?*

J'avais rencontré Valéry Giscard d'Estaing quand il était secrétaire d'État à l'Économie et aux Finances. Ses capacités et son talent faisaient pressentir une brillante carrière.

Quand j'ai quitté en 1962 le ministère de l'Industrie, Giscard, devenu ministre de l'Économie et des Finances, me nomma dans un petit groupe d'experts, dirigé par M. Blot, directeur général des Impôts, qui devait, à la demande du nouveau gouvernement algérien, préparer le budget de l'Algérie pour 1963. Nous avons travaillé d'arrache-pied dans l'ancien bureau du gouvernement général saccagé par l'OAS. Blot avait retrouvé quelques anciens fonctionnaires des Finances en Algérie. Un soir, au terme d'une séance de travail, la porte du bureau s'ouvrit et nous vîmes entrer Ben Bella. Il s'informa des résultats de nos travaux ; nous lui fîmes part des difficultés. « N'hésitez pas à me dire tout ce qu'il

faut faire, nous dit-il. Je l'expliquerai au peuple algérien. »
L'homme avait beaucoup de dignité. Le discours de présentation
du budget fut prêt à la date prévue et Ahmed Francis, ministre
des Finances, en donna lecture devant l'Assemblée algérienne.

Toujours en 1962, Giscard me nomma membre du Comité
Pierre Lorrain. Ce dernier, sage et avisé président de la Société
générale, avait reçu mission d'étudier l'évolution du marché
financier en France. J'eus, à cette occasion, la possibilité de rencontrer des personnalités du monde financier public et privé,
dont M. Saltes, président du Crédit national. On doit aux travaux de ce comité la création en France des SICAV.

Je retrouverai M. Giscard d'Estaing à Bruxelles, à la fois au
Conseil des ministres de la Communauté, mais aussi plus fré-
quemment dans les conférences des ministres des Finances, réunions en marge des institutions communautaires, qui se tenaient
tous les trois mois dans chaque capitale. Les ministres échan-
geaient leurs vues et se concertaient avant les Conseils des
ministres relevant du traité. De 1969 à 1972, j'ai pu mesurer
l'autorité de Giscard et l'ascendant qu'il exerçait sur ses collègues. À mon retour à Paris en 1972, je l'ai rencontré à plusieurs
reprises. C'est sur sa proposition que j'ai été nommé membre du
conseil général de la Banque de France, ce qui me permettait de
suivre de près la politique économique et monétaire du pays. Ce
conseil était assez formel, mais, un lundi par mois, nous avions
une réunion à laquelle participaient de nombreux chefs d'entreprise, et qui était consacrée à l'analyse de l'évolution de la
conjoncture économique. Olivier Wormser était alors gouverneur de la Banque de France. Ce diplomate renommé et redouté
avait été nommé en 1969 par le Premier ministre, Maurice
Couve de Murville, après qu'il eut dirigé un groupe d'étude avec
Robert Marjolin. Il avait pour mission de moderniser la Banque
de France, qui s'était quelque peu assoupie. Wormser suivait
avec la plus grande attention le fonctionnement du marché des

changes et les relations monétaires internationales dominées par les États-Unis.

Au début de 1974, Georges Pompidou me proposa de remplacer René Montjoie, commissaire général du Plan, qui avait de graves problèmes de santé. J'ai rendu visite à Giscard qui n'avait pas un penchant particulier pour le commissariat du Plan. Il m'a assuré de son soutien, tout en soulignant : « Ne restez pas trop longtemps dans cette fonction. Ce qu'il vous faut, c'est une tâche de gestion. » Je n'irai pas au Plan : la veille du jour où ma nomination devait passer en Conseil des ministres, le président Pompidou est mort.

*Plus précisément, quelles étaient vos relations avec le nouveau chef de l'État quand il succède à Georges Pompidou en mai 1974 ?*

Je ne participais pas à la vie politique active. Mon enseignement m'absorbait. Je suivais cependant avec intérêt les ambitions présidentielles. J'admirais l'habileté de Giscard à conserver son autonomie par rapport à l'UDR et son intérêt de gouverner au centre. Il était un ministre des Finances brillant. J'avais regretté qu'au mois d'avril 1969 il se fût prononcé contre le référendum du général de Gaulle. Mais je reconnais que j'avais moi-même considéré ce référendum comme suicidaire. De Gaulle voulait-il trouver une sortie digne de lui ?

Pendant la campagne présidentielle, je ne me manifestai que par un article dans *Les Échos*. La situation économique du pays me préoccupait et j'ai donné pour titre à cet article : « C'est l'austérité qu'il nous faut. » Un propos à contre-courant.

À la fin de 1974, quelques mois après son élection, Giscard me confia la présidence de la Commission de réforme du financement du logement. Le problème du logement est alors assez aigu. J'ai pour rapporteur général un jeune inspecteur des Finances très intelligent, Antoine Jeancourt-Galignani. Les travaux de la Commission nous conduiront à préconiser de changer la nature des aides : de l'aide à la pierre, qui était le fondement du système depuis 1945, nous avons proposé de passer à l'aide à la personne. L'aide à la pierre représentait le triomphe des règles technocratiques. L'aide à la personne tenait mieux compte des capacités financières des ménages et tendait à favoriser une aide plus sociale. Il nous paraissait assez nécessaire de faire évoluer le puissant système HLM et d'autoriser la vente des logements HLM. Notre rapport, remis fin 1975, a été suivi d'une réforme adoptée quand j'étais Premier ministre, en 1977.

Au printemps 1975, le président de la République m'avait désigné comme son représentant personnel dans un petit groupe d'experts – américain, anglais, allemand, et français – chargés d'étudier, dans une grande confidentialité, la façon dont nous pourrions recycler les pétrodollars, c'est-à-dire les dollars non dépensés par les pays producteurs de pétrole[1]. Personne n'a connu l'existence de ce groupe où j'ai eu le privilège de rencontrer George Schultz, secrétaire d'État américain, et de nouer avec lui des relations amicales. En me confiant cette mission, Giscard me testait sans doute.

Le 1er août 1975, à la conférence d'Helsinki sur la sécurité et la coopération en Europe, qui rassemblait trente-cinq pays, Giscard fit passer l'idée d'un sommet plus restreint autour des États-Unis, de la Grande-Bretagne, de l'Allemagne fédérale, du Japon et de la France. Il proposa que la première de ces rencontres ait lieu à Rambouillet au mois de novembre suivant.

L'initiative était inédite. Giscard, de nouveau, me demanda d'être son représentant personnel, et je retrouvai George Schultz. Nous étions, là encore, invités à ne rien dire à nos administrations respectives, et je rendais compte au seul chef de l'État.

---

1. Le premier choc pétrolier, après la guerre israélo-arabe d'octobre 1973, provoqua une hausse spectaculaire du prix du pétrole et donc un enrichissement considérable des pays producteurs qui accumulèrent des masses de dollars. Il fallait « recycler » cet argent.

Notre mission n'était pas évidente : d'ailleurs, Claude Pierre-Brossolette, secrétaire général de l'Élysée, que j'avais interrogé, m'avait répondu : « Vous allez sculpter du vent ! » Il se trompait.

Les sommets et les Conseils européens ont perduré sur la base de l'idée de M. Giscard d'Estaing : des chefs d'État ou de gouvernement, peu nombreux, discutent librement entre eux, sans la présence de ministres, diplomates ou hauts fonctionnaires. Cette pratique rompait avec la tradition et n'allait pas de soi. Quand les chefs d'État ou de gouvernement se retrouvent uniquement entre eux, ils se parlent, ils décident. Le courant passe, ou non. Après Rambouillet, les sommets qui suivront procéderont de cet esprit mais ils sont devenus plus formels.

Vous savez, mes différentes expériences m'ont convaincu d'une chose : rien ne vaut le contact personnel. De ce contact naît – ou ne naît pas – la confiance.

Je m'en étais déjà rendu compte à Bruxelles. Le Conseil européen se réunit actuellement l'après-midi, et le soir a lieu le dîner réservé aux chefs d'État ou de gouvernement. C'est là que les décisions se prennent. Elles sont confirmées le lendemain par des rencontres bilatérales. Aujourd'hui, les vingt-cinq chefs d'État ou de gouvernement mettront sûrement plus de temps à se connaître qu'à l'époque de l'Europe des Six ou des Neuf, mais les relations directes entre eux sont aussi essentielles qu'hier.

*En fait, quand vous êtes nommé en janvier 1976 ministre du Commerce extérieur dans le gouvernement de Jacques Chirac, vous avez déjà derrière vous une longue pratique du président Giscard d'Estaing. Vos deux missions diplomatiques, comme ce rapport sur l'aide au logement, témoignaient de sa confiance et de sa considération à votre égard. Quand il vous propose d'entrer au gouvernement, vous n'êtes tout de même pas étonné ?*

Détrompez-vous ! Une fois ces missions accomplies, j'ai repris mes cours à l'université. Mais à peine ai-je retrouvé mes étudiants que je reçois, dans la nuit du 9 au 10 janvier 1976, un appel du Premier ministre, Jacques Chirac. Nous nous connaissions, sans plus. Il me dit que le président et lui veulent me nommer ministre du Commerce extérieur. Il insiste : « Ministre, et pas secrétaire d'État. » Il me demande une réponse pour le lendemain. Selon mon principe – « quand une opportunité se présente, il faut la saisir » – après réflexion, je lui donne mon accord.

*Comment avez-vous été accueilli à votre premier Conseil des ministres ?*

Extrêmement bien ! N'étant pas parlementaire, n'appartenant pas à un parti, au fond, je n'inquiétais personne. D'autres nouveaux promus, comme Alice Saunier-Seïté ou Lionel Stoléru, firent une entrée beaucoup plus remarquée ! À l'issue du Conseil, Giscard m'a pris à part : « Je vous ai mis au Commerce extérieur pour vos compétences, mais aussi pour que vous voyiez comment fonctionne le gouvernement. » J'ai observé.

Il n'y avait pas eu, avant moi, de ministre du Commerce extérieur, il n'y avait eu que des secrétaires d'État. Beaucoup de fonctionnaires m'expliquaient qu'il fallait que j'exploite cette promotion et que j'empiète sur le ministère de l'Économie et des Finances. Je m'en suis bien gardé.

Je voulais d'abord découvrir et comprendre le milieu dans lequel je venais de tomber. Il y a une décision que j'ai prise d'emblée et qui innovait : j'ai invité les directeurs du Quai d'Orsay et des Finances concernés par le commerce extérieur à me rencontrer avant et après mes voyages. Une fois même, j'ai fait venir Bernard Clappier et les membres du conseil de la Banque de France, ce qui n'était pas du tout conforme aux usages. Cette habitude de m'entourer, si besoin était, des principaux directeurs de ministères, et de recueillir leurs avis, je ne la perdrai jamais.

Je réunirai également dans les différentes villes de France les représentants de mon ministère et des chefs d'entreprise. Je souhaitais créer des instances qui regrouperaient, sur le modèle japonais, toutes les activités du commerce extérieur. François Missoffe, qui fut notre ambassadeur au Japon, m'avait apporté son soutien. Dans l'ensemble, ça se passa bien.

Après une phase d'ouverture progressive sur le monde, après une phase de mobilisation des énergies, à partir de 1973, pour faire face au déficit de la balance des paiements, j'estimai que nous devions entrer dans une phase d'organisation et de consolidation de notre place en matière d'échanges internationaux. Le commerce international est une action continue, systématique, qui s'exerce sur le long terme non seulement par l'exportation et l'importation des produits, mais aussi par des investissements à l'étranger et par la présence de Français à l'étranger. C'est sur ces deux points que nous avions encore de grands progrès à faire.

Ce qui me frappa le plus, ce fut le faible intérêt que l'on portait au Commerce extérieur, alors que c'est le lieu où se concentrent les forces et les faiblesses d'une économie.

# CHAPITRE IV

# Premières initiatives
# comme Premier ministre

*Quand vous vous installez à Matignon, fin août 1976, vous avez par conséquent derrière vous un* background *autrement plus substantiel que la plupart des dirigeants politiques. Votre cabinet est constitué, votre gouvernement est formé. Quelles sont les toutes premières décisions que vous prenez ?*

Mon premier souci a été de prendre la mesure exacte de la situation du pays. C'est pourquoi j'ai tout de suite décidé de prolonger le mode d'action que j'avais inauguré au Commerce extérieur ; je me suis entouré de quelques hauts fonctionnaires que je réunirais toutes les semaines : Francis Gavois, directeur-adjoint de mon cabinet, Jacques de Larosière, directeur du Trésor, Paul Deroche, directeur du Budget, Claude Villain, directeur des Prix. Il s'agissait de réfléchir avec eux aux questions monétaires et budgétaires. « Je n'arrive pas ici en matamore, leur ai-je dit. J'ai besoin de vos avis et je déciderai en fonction des discussions que j'aurai avec vous. Je déciderai et vous demanderai d'exécuter. » J'ai trouvé chez eux un soutien précieux qui n'était point marqué de cette distance qu'observent les responsables du ministère des Finances à l'égard des ministres « politiques ».

À Matignon, ce genre de consultations permanentes n'existait pas avant moi et n'a plus, je crois, existé après moi.

J'ai également choisi d'associer directement Bernard Clappier, gouverneur de la Banque de France, à mes réflexions et mes décisions. Pendant des mois, il viendra me voir toutes les semaines pour me rendre compte de la situation monétaire et des réserves dont il dispose dans ses caisses. C'était l'homme le plus discret et le plus avisé que je connaissais ; j'avais pour lui un grand respect.

Enfin, sur une suggestion de M. Doustin, j'ai organisé la première réunion de l'ensemble des préfets. Ils sont les représentants de l'État dans nos départements et je comptais sur eux pour me soutenir dans ma tâche. Ce travail d'équipe m'a considérablement servi.

*Comme toujours après la formation d'un nouveau gouvernement, le Premier ministre reçoit les partenaires sociaux. Vous ne dérogez pas à cette règle et vous avez des entretiens avec tous les leaders syndicaux et les représentants du patronat. Ce genre de rencontres n'est-il pas purement formel, les points de vue des uns et des autres étant connus d'avance ?*

Mes premiers contacts furent, je l'avoue, décevants et même un peu attristants. Il y a cinq confédérations syndicales et je constate une surenchère constante dans leurs revendications : ils ne se rendent pas compte de l'état de l'économie et s'accrochent à leurs avantages acquis.

Je ne rencontre pas non plus de mouvement représentatif des entreprises, mais le CNPF, la CGPME et d'autres organisations qui prétendent à la représentativité de celles-ci. Enfin je n'ai pas en face de moi des représentants de l'agriculture française, mais quatre organisations : la FNSEA, le CNJA, les chambres d'agriculture, les coopératives agricoles qui m'assaillent de revendications.

Alors que j'expliquais les difficultés auxquelles le pays avait à faire face, je me trouvais devant un prisme d'intérêts. Il s'agissait avant tout de défendre des intérêts catégoriels sans le moindre souci de l'intérêt général.

Je dois néanmoins reconnaître que j'ai bénéficié, auprès des principaux leaders syndicaux, d'une relative paix sociale jusqu'aux législatives de 1978 à l'exception de la grande grève de mai 1977. J'ai établi de bonnes relations avec André Bergeron, le secrétaire général de FO, que j'ai ensuite invité à Matignon. Nous avions pris l'habitude, à la fin du déjeuner, de boire une petite prune... Il s'efforça de comprendre les raisons de ma politique ; il avait beaucoup de bon sens et m'expliquait l'attitude des syndicats. Sur tel point il me disait : « Donnez-leur un petit peu de grain à moudre » ; sur tel autre : « Tenez bon... »

J'ajoute que beaucoup de dirigeants syndicaux me connaissaient depuis mon passage au ministère de l'Industrie et à Bruxelles. Ils considéraient, je crois, que je n'étais pas un politicien qui cherchait à les abuser. Certains se rendaient compte qu'il n'y avait pas d'autre politique possible que celle que je menais, même s'ils lui étaient opposés et qu'ils devaient suivre leurs bases.

À mes côtés, Raymond Soubie, habile et patient, entretenait un constant dialogue avec toutes les organisations professionnelles, et les informait de nos projets. De l'ensemble de ces rencontres je tirais la conclusion que la gravité de la situation du pays leur échappait et que la politique que je devais mener me mettait à contre-courant.

*Vous avez aussi rencontré les chefs des partis de la majorité ?*

J'ai fait les visites d'usage. Je pris contact avec les présidents des trois groupes parlementaires de la majorité, Roger Chinaud pour le PR, Max Lejeune pour le CDS, Claude Labbé pour l'UDR. Chinaud et Lejeune étaient d'une correction parfaite. Avec Labbé, fort aimable au demeurant, je ne saurai jamais sur quel pied danser. Il distinguait toujours le soutien que son parti donnait à certaines actions du gouvernement, de la confiance qu'il accordait à celui-ci.

Au soir du premier Conseil des ministres, je m'adresse à mes compatriotes par la télévision. C'est la première fois que je fais une intervention d'une telle importance. Je ne dois pas lire mon texte mais le connaître parfaitement. L'allocution est enregistrée en cours d'après-midi. Le réalisateur de l'émission, M. Herzog, me donne ses derniers conseils : « Si cela ne marche pas, me dit-il, nous recommencerons. » Je parviens au bout de mon intervention sans accroc. Herzog me dit : « Cela va bien, il n'y a rien à changer ! » Je suis épuisé. Si vous permettez ce détail, ma chemise est trempée.

Le lendemain, en début de matinée, je reçois un coup de téléphone du journaliste François Bruel, qui publie chaque matin une lettre, *Le Télégramme économique*, de grande influence. Bruel, que je connais de longue date et dont le sens politique est partout reconnu, me dit simplement, à sa manière : « C'était bien. Vous avez eu le ton qu'il fallait. » Il ne dissimulait jamais son jugement, qui était aigu. J'en fus rassuré.

*Une des premières préoccupations d'un chef de gouvernement n'est-elle pas aussi de s'assurer de la loyauté des « services », comme on dit, c'est-à-dire la Sécurité intérieure, la DST, et les services secrets, à l'époque le SDECE ?*

Nous touchons là, en effet, à un domaine très sensible. Doustin m'avait mis en garde : « Vis-à-vis de ces services, il faut vous placer d'emblée dans une position de vigilance. Surtout ne pas se faire faire un enfant dans le dos ! » Sitôt après ma nomination, il avait convoqué les responsables du SDECE, de la DST et des autres services compétents pour une évaluation très précise des problèmes en cours. Il institua au début de chaque semaine une réunion de ce type. Elle eut lieu régulièrement à Matignon.

Quand Édith Cresson fut nommée Premier ministre et qu'elle me demanda quelques conseils, je lui ai cité la phrase de Doustin : « Ne vous faites pas faire un enfant dans le dos par les services de sécurité. » Je reste convaincu qu'un Premier ministre doit se mettre à l'abri des surprises.

*Cela me conduit à un sujet tabou : qui dit services secrets dit fonds secrets, lesquels sont sous la responsabilité du Premier ministre. Je pense que l'on s'occupe aussi très vite de ce problème-là ?*

Ce n'est pas le premier dossier que j'ai ouvert ! Mais, puisque vous me posez la question, je n'ai rien à cacher. La dotation globale des fonds secrets, dotation inscrite dans le budget de l'État, et que tout citoyen peut vérifier, se divisait de mon temps en trois tranches. Une moitié est mise à la disposition des services secrets : le SDECE, qui est devenu la DGSE. Une autre partie va à l'Élysée pour les dépenses dites de « souveraineté » : réceptions, voyages, visites officielles... Le solde revient au Premier ministre pour également régler ses dépenses de souveraineté, celles des ministres et aussi pour aider les partis politiques de la majorité.

Ce solde-là était géré par le directeur de mon cabinet de la façon la plus stricte. L'argent, détenu par le secrétaire général du gouvernement, ne passait pas entre mes mains. Chaque mois, le secrétaire général du gouvernement remettait à mon directeur de cabinet un douzième de la somme qui nous revenait pour l'année. Et mon directeur ventilait l'argent : une enveloppe pour chaque ministre, une enveloppe pour chaque parti... Le RPR, dont l'attitude était devenue par trop intolérable en 1980, a été mis en quarantaine pendant six mois ! On refusa en particulier de subventionner *La Lettre de la Nation*, l'organe du RPR, que dirigeait le bouillant polémiste Pierre Charpy. Le montant des différentes enveloppes était tenu secret : il n'y avait pas de transparence !

Quand je suis arrivé à Matignon, j'ai mis plus de six mois à rembourser les engagements qu'avait pris mon prédécesseur Jacques Chirac sur les fonds secrets. Aussi ai-je donné des instructions d'économie.

En mai 1981, il restait de l'argent sur la dotation des cinq premiers mois de l'année que Matignon avait perçue. Nous n'avions dépensé que le strict nécessaire, en dépit de la campagne présidentielle. J'ai réparti les sommes disponibles entre les formations de la majorité et le solde a été remis à l'Élysée.

J'ai laissé à mon successeur Pierre Mauroy une situation sans aucune dette. Il disposait bien entendu des fonds secrets correspondant aux mois compris entre juin et décembre 1981.

En réalité, la gestion des fonds secrets dépend entièrement de la rigueur du Premier ministre et de son directeur de cabinet. Il faut être clair sur ce point : si vous voulez puiser dans les fonds secrets, vous le pouvez ; il n'y a ni contrôle ni sanction. Je crois que ma gestion des fonds secrets fut correcte. Quelque temps après mai 1981, un journaliste a eu ce commentaire qui m'a beaucoup amusé et fait plaisir : « Raymond Barre n'est certainement pas parti avec les fonds secrets, car son train de vie n'a pas changé après son passage à Matignon ! »

*Vous pensez que Lionel Jospin a eu raison de supprimer les fonds secrets, en tout cas la partie qui était gérée par Matignon ?*

Je ne le pense pas. Je fais crédit à l'honnêteté des hommes, même si je n'ai pas la naïveté de penser qu'il y a en politique de nombreuses tentations. Les fonds secrets sont nécessaires. C'est une trésorerie immédiatement disponible. Le gouvernement en a besoin pour régler en urgence des affaires importantes et sérieuses. L'État n'est pas préparé à l'urgence. Et les services secrets comme les services de sécurité doivent, par définition, disposer d'argent... secret.

*Il y a vos rencontres avec les organisations professionnelles, avec les parlementaires, il y a la gestion des « Services », il y a, enfin et surtout, la manière dont vont s'organiser vos relations de travail avec le président de la République. Quel sera le rythme de vos rencontres ?*

J'avais, avec le président de la République, deux audiences hebdomadaires, le lundi et le jeudi à 18 heures. Nous abordions tous les dossiers en cours, la situation politique, souvent les questions européennes et internationales dans un climat de confiance et de liberté d'expression totale.

Le mercredi matin, avant chaque Conseil des ministres, je passais un quart d'heure avec le président dans son bureau. Rien d'important ne se décidait à ce moment-là, sauf événement exceptionnel. Le président pouvait me prévenir qu'il insisterait sur tel ou tel point, et moi-même je pouvais lui rappeler d'être vigilant sur un dossier particulier, mais tout avait été réglé à l'audience du lundi soir.

Les Conseils des ministres sous Giscard se déroulaient de 9 h 30 à 12 h 30, sur le modèle qu'avaient instauré de Gaulle et Pompidou. Une première partie était consacrée à ce que nous appelions le point A, l'examen des projets de lois, une deuxième au point B, les nominations, enfin une troisième aux communications diverses, dont celles du ministre des Affaires étrangères. Sur quelques décisions très importantes, le président pouvait décider d'un « tour de table », chaque ministre pouvant alors donner son avis personnel.

Depuis Giscard la durée des Conseils a été, paraît-il, fortement raccourci. C'est dommage car le Conseil est le lieu où les ministres s'informent réciproquement et c'est un facteur de cohésion.

CHAPITRE V

# Vers
# les élections législatives
# de mars 1978

## L'ATMOSPHÈRE POLITIQUE

*Vous vous installez à Matignon dans un climat politique très tendu. Au sein de la majorité, le divorce entre Jacques Chirac et Valéry Giscard d'Estaing est engagé ; à gauche, c'est l'euphorie, le « Programme commun » entre le PS, le PCF, les radicaux de gauche est en cours d'élaboration, et l'opposition est de plus en plus convaincu de gagner les législatives. Vous n'appartenez pas à ce « microcosme » politique, comme vous le qualifierez. Comment avez-vous vécu d'entrée de jeu cette situation ?*

Contrairement à une idée largement répandue, je n'ai jamais porté de jugement négatif sur la classe politique française. Elle a ses qualités et ses défauts. En revanche, ce que j'ai dit à diverses reprises, c'est que le milieu politique français partage un certain nombre de rites ou de comportements dont je ne parviens pas à me sentir proche. J'ai, à l'époque, parlé du « microcosme », c'est-à-dire de tout ce qui vit de la politique, par la politique et pour la politique, tout ce qui s'agite et bruit autour des hommes politiques proprement dits.

Ce « microcosme » ne m'a jamais séduit. Il est vrai que je n'avais pas eu, comme la plupart des membres de la classe politique, à passer par toutes les étapes du cursus. Dans les rapports entre eux et moi restera toujours le fait que je suis entré dans le milieu par effraction. Mais il y a plus. Je crois qu'il y a une tendance profonde chez moi : je ne suis pas capable d'accepter l'encadrement des partis et la marche au pas. Fondamentalement, je suis un solitaire. Je me sentirai la plupart du temps un marginal dans la classe politique.

*Même quand vous étiez étudiant à Paris, au lendemain de la guerre, vous n'avez jamais adhéré à un mouvement politique ?*

Non, jamais. Une seule fois, et très brièvement, je me suis mêlé à la vie militante aux côtés du RPF[1], lors de la campagne des municipales d'octobre 1947 dans la région parisienne. C'est à cette occasion que j'ai rencontré André Malraux. Il était venu à la Cité universitaire nous présenter son film *L'Espoir*. Je l'entends encore avec sa voix brisée commenter le passage admirable où les femmes républicaines, tout en noir, se signent alors que passe devant elles le corps du pilote abattu par les franquistes. Ce fut ma première rencontre avec Malraux.

Quelques jours après, je l'ai accompagné avec une quinzaine d'étudiants au cinéma de Montrouge rempli de communistes. « Nous allons monter sur la tribune, nous expliqua Malraux. Je vais m'adresser à la salle et nous serons évidemment conspués. Il y aura un tel chahut que nous répondrons en chantant *La Marseillaise*, et toutes les fois qu'ils m'interrompront, on chantera *La Marseillaise*. » Nous montons sur la tribune et il commence : Citoyennes, Citoyens... » Tonnerre d'insultes. Malraux nous regarde et on entame « Allons enfants de la Patrie... ». Il a recom-

---

1. RPF : Rassemblement du peuple français, mouvement lancé par le général de Gaulle à Strasbourg le 6 avril 1947.

mencé au moins dix fois. Résultat : la salle s'est vidée, et nous nous sommes retrouvés seuls. J'étais impressionné. À cette époque, dans ce genre de réunions, on risquait de graves incidents.

Je n'ai plus revu Malraux, sinon pour le saluer dans de rares occasions officielles.

J'étais Premier ministre quand, fin novembre 1976, il est mort. Je suis allé m'incliner devant sa dépouille, à Verrières où il s'était retiré en 1969, après la disparition de Louise de Vilmorin. Pour ses funérailles dans la Cour carrée du Louvre, la question se posait de savoir qui parlerait au nom du gouvernement. Françoise Giroud ou un ministre de tendance gaulliste ? Le président décida que ce serait le Premier ministre.

Rendre un hommage solennel à Malraux dans la Cour Carrée du Louvre, tâche redoutable et émouvante ! J'ai travaillé deux nuits pour préparer mon texte. Depuis ma jeunesse, j'avais beaucoup lu Malraux. Je connaissais son œuvre. *La Condition humaine* et *L'Espoir* étaient pour moi des livres inépuisables.

Dans ce lieu grandiose illuminé par quarante porteurs de torches, face au chat cher à Malraux, devant une foule silencieuse, j'étais porté par l'émotion. J'ai prononcé cette phrase qui enthousiasma Romain Gary : « Les Français doivent savoir qu'une part de l'honneur de la France s'appelle André Malraux. » Mon discours n'a pas été jugé indigne de l'homme et du lieu. À la sortie, j'étais avec Françoise Giroud. Giscard est venu vers nous et a eu ce mot : « C'est quand même une bonne chose que d'avoir un Premier ministre qui ait de la culture. »

Pour revenir à votre question, je n'ai pas eu d'expérience proprement dite au sein d'un parti politique, et je dois avouer que l'instabilité ministérielle sous la IVe République m'avait appris à m'en méfier.

*En dépit de votre méfiance envers les partis politiques, ils sont malgré tout nécessaires au fonctionnement de la démocratie...*

Je comprends la nécessité des partis politiques et leur discipline, mais, par tempérament, il m'est difficile de m'y plier. Si vous êtes membre d'un parti, il y a des sujets qui vous tiennent à cœur et sur lesquels vous devez accepter de vous taire parce que la position du parti est différente de la vôtre. Personnellement, je l'accepte mal. Vous retrouvez là les habitudes de l'universitaire indépendant. Et puis il y a aussi des rites, des mœurs auxquelles je n'étais pas habitué et que je n'étais pas décidé à adopter. Plus que les partis, je me méfiais de leurs appareils et de leurs méthodes, ainsi que du nombre croissant de leurs « apparatchiks ».

À mon retour de Bruxelles, la classe politique me sollicita pour les élections législatives de mars 1973. René Pleven, alors garde des Sceaux dans le gouvernement Messmer, dirigeant du CDP[1] avec Joseph Fontanet et Jacques Duhamel, me proposa de me présenter à Nancy où j'étais sûr, m'affirma-t-il, de l'emporter. J'ai vu Pierre Messmer, à la fois Premier ministre et élu de Lorraine, qui m'encouragea à accepter. J'ai réfléchi et écrit à Pleven : « Je ne me sens pas de goût pour ce genre de combat. » Je suis de sensibilité démocrate-chrétienne. Ma filiation personnelle est là. Je regrette vivement que le MRP ait, en 1946, provoqué le départ du Général, et en 1954 la chute de Mendès France. Bref, il n'y a pas de politique sans opportunisme. Ce n'est pas mon fort !

Ma vie, sans la politique, est pleine et l'a toujours été. Je remercie la Providence d'avoir pu exercer des responsabilités à l'Industrie, à Bruxelles, à Matignon, enfin à la mairie de Lyon, sans être jamais passé par la voie des combinaisons partisanes.

---

1. CDP : Centre démocratie et progrès, issu du MRP et de la démocratie chrétienne.

C'est un énorme avantage. Je n'ai pas rempli mes diverses fonctions en considérant qu'elles étaient durables et renouvelables. Je les ai toujours considérées comme précaires. Ce qui m'a donné une liberté d'action exceptionnelle dans les diverses fonctions qui ont été les miennes.

C'est vrai que je me suis, dès le départ, tenu à l'écart des partis. Je n'ai pas cherché des contacts discrets et intéressés avec les leaders des formations de la majorité. Mais j'ai toujours été loyal et respectueux de cette majorité.

*Il y a en tout cas un événement politique qui va secouer sérieusement votre majorité : le 5 décembre 1976, moins de quatre mois après sa démission, Jacques Chirac crée le RPR qui succède à l'UDR. On parla d'un « coup d'État »... Chirac écartait des instances dirigeantes du nouveau parti les « barons du gaullisme », dont les principaux appartenaient à votre gouvernement. À l'époque, Giscard a totalement mésestimé la portée de la stratégie de son ancien Premier ministre. En avez-vous parlé avec lui ?*

Nous suivions évidemment le président et moi, la scène politique. Mais je n'avais alors pas le temps de m'intéresser en priorité à la cuisine politique.

J'ai attaché cependant la plus grande importance à la création du RPR, ce parti me paraissait devoir être l'instrument personnel de Chirac dans le combat qu'il mènera sans relâche contre Valéry Giscard d'Estaing, un combat dont j'avais ressenti chez lui la volonté. Dans les années 1977 et 1978, Giscard n'a pas imaginé, je le crois, que Chirac et le RPR seraient aussi dangereux. Il se montrait soucieux de toutes les formations de sa majorité, plein de courtoisie à l'égard des élus RPR, cherchant à apaiser les tensions. Je me suis parfois demandé s'il n'espérait pas à l'occasion des législatives, maîtriser le RPR, renouer avec Chirac, bref les ramener l'un et l'autre dans le jeu. Pour moi qui était quotidiennement aux prises avec les réalités politiques, je ne doutais pas du caractère irréductible de l'opposition de Chirac : Giscard était un obstacle sur sa route vers l'Élysée et il voulait l'écarter.

Le jour même de la création du RPR un événement significatif survint. J'ai fait évacuer *Le Parisien libéré* occupé par la CGT. Le quotidien ne paraissait plus depuis novembre 1974 et personne ne semblait s'en soucier. Personne surtout ne voulait intervenir. Le problème était certes très délicat et chacun se renvoyait sans cesse la balle, de l'Intérieur vers Matignon et l'Élysée, et vice-versa. Or voici que le ministre de l'Intérieur me fait savoir qu'en fin de semaine il n'y aura que trois ou quatre cégétistes qui monteront la garde au *Parisien* et que l'occasion paraît très bonne pour les déloger et faire évacuer le journal. L'Élysée et l'Intérieur me disent que la décision appartient au Premier ministre.

Oserais-je intervenir dans ce conflit, l'un des plus longs de l'après-guerre et on ne peut plus sensible puisqu'il s'agissait de la presse ?

J'analyse attentivement la situation avec Daniel Doustin. N'est-ce pas un piège ? N'est-ce pas l'occasion de me tester ? Assuré que l'évacuation des cégétistes pouvait se faire sans bavure, je décide de l'autoriser. C'était une affaire où il fallait affirmer l'autorité de l'État jusqu'ici bafouée.

Le samedi à l'aube, l'opération se déroula sans aucun problème et Claude Bellanger directeur du *Parisien libéré* vint sur le champ me remercier. Il ne cessa jusqu'à sa mort de me manifester sa gratitude.

Sitôt l'évacuation connue, dans presque tous les journaux les salariés se sont mis en grève, ce qui était prévisible. Cette grève allait durer quatre ou cinq jours. Beaucoup de bruit et tout rentra dans l'ordre.

Pour le tout nouveau RPR, ce n'était évidemment pas l'idéal : pas de presse pour rendre compte de son avènement. J'ai reçu une lettre incendiaire de Jacques Chirac qui m'accusait d'avoir délibérément cherché à saboter le lancement de son parti. Je lui ai répondu qu'il connaissait très bien le problème du *Parisien libéré*, mieux que moi, probablement, et que j'avais simplement voulu restaurer l'autorité de l'État. Je n'avais aucune mauvaise intention ni à l'égard du RPR ni au sien propre.

Cet échange de courrier me donnait un avant-goût du bras de fer qui m'attendait avec le RPR.

*Vous n'avez pas eu envie de mettre en garde, d'alerter le président de la République sur vos craintes ?*

Je manifestais devant le président mon étonnement à propos du comportement sournois du RPR comme à propos de certaines attitudes de Chirac. Mais ce n'est qu'après 1981 que j'ai livré à Giscard l'analyse que j'avais développée pendant mon passage à Matignon. « Monsieur le Président, lui ai-je dit, vous étiez dans une situation très particulière. En 1974, les gaullistes, derrière l'UDR, pensaient l'emporter. Or Chirac détruit Chaban et organise une dissidence en votre faveur. Vous entrez dans l'arène et, grâce à votre talent, à votre jeunesse et au désir de changement des Français, vous gagnez avec 0,5 % d'avance sur Mitterrand. À partir de ce moment-là, vous êtes l'« usurpateur » : vous occupez une fonction qui devait revenir soit à l'UDR, soit au Parti socialiste. Comment voulez-vous que ces deux formations vous laissent tranquille ? De surcroît, quand vos rapports avec Chirac se dégradent, vous prenez un Premier ministre qui n'est pas UDR. Labbé se répand à l'Assemblée nationale : "Nous avons perdu l'Élysée, maintenant nous perdons Matignon." Vous avez pu mesurer les turpitudes que nous avons subies pendant cinq ans. Il n'y avait pas de réconciliation possible. La conjonction du RPR et du PS assurera votre échec. »

Dans la vie politique de la V<sup>e</sup> République, le septennat de Giscard a été une parenthèse. Sa grande capacité, son talent ne suffisaient pas à dominer l'appétit du pouvoir chez ses adversaires, leurs attaques, leur complicité, leurs trahisons. Quel dommage pour la France.

Sur le plan personnel, je vous dirai que je n'attachais aucune importance au climat ambiant. Au poste où j'étais, il faut porter cuirasse. Et puis, les réalités nationales seules comptent à mes yeux.

Sur le plan du débat intellectuel et politique, je déplorais le style et le niveau de la discussion. À la mauvaise foi ce sont trop souvent ajoutées la légèreté intellectuelle et parfois, hélas, la médiocrité. Et puis, quelle impuissance à proposer une autre politique cohérente et appropriée ! Comment, dans ces conditions, ce tumulte pouvait-il m'atteindre ?

J'évitais de manière générale toute gesticulation médiatique. Si vous relisiez attentivement la presse de l'époque, vous constateriez que j'attaquais rarement, mais que je répondais toujours. Parfois je me vengeais par un bon mot qui faisait les délices des journalistes. Qui s'y frotte s'y pique ! Ma tâche était de décider. Je ne pouvais pas faire une politique et vouloir en même temps en faire une autre, prendre une décision et regretter de l'avoir prise, être et ne pas être ! Je suis en fait un « pessimiste actif ».

*Cette distance que vous preniez avec la « politique politicienne », l'aurez-vous au moment des municipales de mars 1977 ?*

Je n'étais à Matignon que depuis six mois quand a démarré la bataille des municipales et, en particulier, celle de Paris. Ce fut très pénible. J'étais en voyage officiel en Égypte et j'apprends que Giscard a reçu Michel d'Ornano et que celui-ci a déclaré, en sortant de l'Élysée, que le président lui a demandé d'être candidat à Paris. À mes collaborateurs qui m'accompagnaient au Caire, j'ai dit : « C'est foutu. » Je rentre et je reçois tous les élus RPR du conseil municipal de Paris. Ils ne décolèrent pas. « C'est inadmissible », ne cessaient-ils de me répéter. Je n'y pouvais rien. Giscard avait songé un moment à Michel Poniatowski.

Il m'en avait dit un mot et je lui avais donné mon opinion : « Ce n'est pas possible, c'est Morny [1] que vous envoyez conquérir Paris. » Chirac sauta sur l'occasion.

En fait, une seule candidature aurait probablement dissuadé Chirac de se lancer : celle de Pierre-Christian Taittinger. Giscard n'en voulait pas. Je le savais depuis le premier jour. Taittinger avait été secrétaire d'État chargé des Collectivités locales dans le gouvernement Chirac. C'est à lui qu'il était revenu de préparer le nouveau statut de Paris, et quand j'ai formé mon gouvernement, j'avais souhaité le garder à ce poste. « Non, changez-le, m'avait répondu Giscard. Il ne fera pas l'affaire, pour Paris. » Il voulait à Paris un fidèle des fidèles. Ce fut Michel d'Ornano. Taittinger est un homme d'une droiture exemplaire, très fin, avec beaucoup d'allure. Je souhaitais qu'il reste, et j'ai proposé qu'il soit secrétaire d'État aux Affaires étrangères.

Tous mes collaborateurs m'invitaient à me tenir en dehors de la bataille de Paris. « Ne vous en mêlez pas », me répétait Doustin. J'ai fait cependant deux réunions publiques avec Michel d'Ornano. Elles étaient sinistres et ne laissaient aucun espoir ! Mais je ne voulais pas abandonner un de mes ministres pour lequel j'avais de la sympathie.

Les élections municipales furent incontestablement un succès pour l'union de la gauche, et je l'ai reconnu dès le soir du second tour. Pour Chirac, Paris efficacement pris en mains serait la base puissante de sa stratégie future.

*Les résultats du scrutin modifiaient la donne politique, tandis que les dirigeants de tous les partis ne pensaient plus qu'à une chose : la prochaine échéance électorale, celle des législatives de mars 1978. Vous avez démissionné pour remanier votre gouvernement. L'avez-*

---

1. Le duc de Morny entraîna, en 1862, le gouvernement français de Napoléon III dans la désastreuse expédition du Mexique.

*vous fait à la demande du président de la République, ou de votre propre initiative ?*

Selon l'usage j'ai démissionné au lendemain des élections. M. Giscard d'Estaing m'a alors invité à former un gouvernement de seize ministres. Il y en aura quatorze.

Si j'avais accepté, lors de la formation de mon premier gouvernement, la présence de trois « ministres d'État » à mes côtés pour préparer les municipales, elle ne me paraissait plus nécessaire. Je considérais qu'il n'y avait plus lieu d'établir de hiérarchie politique entre les ministres. En revanche, je ne voulais pas me séparer des trois personnalités concernées.

J'ai proposé au président que Guichard aille à la Défense, Poniatowski aux Affaires sociales, et que Lecanuet reste au Plan et à l'Aménagement du territoire. Ils m'avaient toujours soutenu, ils avaient été à mon égard solidaires et loyaux. Je pensais que le gouvernement avait besoin d'eux. En fait Giscard voulait écarter Poniatowski. Celui-ci, depuis qu'un des auteurs de l'attentat des Jeux olympiques de Munich avait quitté la France, était dans une position fragile. Pour ne pas donner l'impression de sanctionner Poniatowski le président préféra que les trois ministres d'État quittent le gouvernement.

Il m'est revenu de le leur annoncer, une tâche dont je me serais volontiers passé. J'ai rédigé à leur intention trois lettres différentes mais d'une tonalité assez proche. Je n'ai pas conservé le double de ces lettres. C'est dommage. Aucun des trois ministres n'a manifesté du ressentiment à mon égard et je leur en sais gré. Quant à Michel Poniatowski, je m'étais soucié, devant Giscard, de ce qu'il allait pouvoir faire. Je n'imaginais pas Poniatowski en rentier ! J'ai suggéré qu'il devienne ce que les Américains appellent un *Ambassador at Large*. « C'est une bonne idée », a convenu le président, et j'en ai été heureux.

*En dehors du cas des « trois ministres d'État », la nomination d'Alain Peyrefitte comme successeur d'Olivier Guichard au ministère de la Justice se heurta, selon la presse, à des difficultés ?*

Que les tensions entre M. Peyrefitte et le RPR se soient un peu plus aggravées, c'est probable, mais la constitution de mon deuxième gouvernement se déroula dans une atmosphère aussi sereine que celle qui avait présidé à la formation du premier. Alain Peyrefitte me dira plus tard qu'il avait été courageux d'entrer dans un gouvernement que « les rats quittaient ». Mais il aimait beaucoup être ministre !

Pour remplacer Poniatowski au ministère de l'Intérieur, j'ai proposé Christian Bonnet, ministre de l'Agriculture depuis 1974. Je ne l'ai connu qu'en 1976, mais nous avons aussitôt sympathisé. J'appréciais sa sagesse, son calme, son habileté. Sur ma suggestion, Pierre Méhaignerie lui succèdera à l'Agriculture où il restera jusqu'en mai 1981. Ce fut un très bon ministre – le poste n'est pas facile ! –, soucieux des revendications des paysans, mais plus soucieux encore de moderniser notre politique agricole.

Michel Durafour, ministre délégué à l'Économie et aux Finances, battu à Saint-Étienne, ne pouvait, selon une règle tacite, rester au gouvernement, et c'est ainsi que je demandai à Robert Boulin de prendre le poste. Comme je cumulais toujours les fonctions de Premier ministre et ministre de l'Économie et des Finances, j'allais être amené à travailler régulièrement avec lui et à l'apprécier.

C'est également en 1977 que je proposai René Monory. Je l'avais découvert dans les débats au Sénat où il défendait toujours des amendements intelligents. Je savais que l'univers des petites entreprises lui était familier. Il est devenu ministre de l'Industrie, du Commerce et de l'Artisanat.

Par ailleurs, Jean-Pierre Fourcade, Christian Poncelet, Pierre-Christian Taittinger, élus au Sénat en septembre 1977, allaient quitter le gouvernement. Je proposerai au président le nom de leurs trois successeurs. Fernand Icart est nommé ministre de l'Équipement ; député des Alpes-Maritimes, ami fidèle de Giscard, je le connaissais très bien. Membre de la commission des finances à l'Assemblée nationale, je le croise en 1976 dans un couloir du Palais-Bourbon et il me dit : « Savez-vous pourquoi je suis content que vous soyez devenu Premier ministre de Valéry ? Parce que vous avez deux ans de plus que lui ! »... André Bord est chargé des relations avec le Parlement. Jean-François Deniau, alors ambassadeur de France en Espagne, devient secrétaire d'État auprès du ministre des Affaires étrangères. Quelques mois plus tard, Monique Pelletier deviendra secrétaire d'État auprès du garde des Sceaux.

Il n'y a pas eu, pour toutes ces nominations, l'ombre d'un différend entre l'Élysée et Matignon.

*Au lendemain de la formation de votre deuxième gouvernement, et pendant un an, la classe politique comme les commentateurs seront pénétrés d'un même sentiment : l'union de la gauche a toutes les chances de gagner les prochaines élections législatives[1]. Comment assume-t-on ses fonctions de Premier ministre quand, tous les matins, les sondages et les médias pronostiquent la victoire de ses adversaires ?*

Franchement, je n'ai jamais confondu l'opinion instantanée, telle qu'elle est reflétée par les sondages, et l'opinion réfléchie des Français, qui s'exprime dans les consultations électorales. Je n'ignorais pas les sondages. Je les prenais pour ce qu'ils sont : une consultation d'un échantillon de Français sur des questions relatives à l'actualité, le plus souvent orientées selon les convenances du moment.

---

1. Cela en dépit de la crise qui éclate en septembre 1977 au sein de l'union de la gauche, et qui va conduire à la rupture des négociations sur le Programme commun.

Je n'ai jamais voulu gouverner en fonction des sondages parce que – l'expérience me l'a confirmé – les Français savent souvent distinguer entre faire une réponse qui exprime une humeur, et émettre un vote qui tire à conséquence pour le pays et pour eux-mêmes.

Chez les Français régnaient l'incertitude, l'inquiétude, la mauvaise humeur : non seulement je le savais, mais je le comprenais très bien. Dans des circonstances difficiles, il est normal que l'action du gouvernement soit critiquée ; il est normal que celui qui incarne cette action – et, permettez-moi de le dire, je l'ai incarnée plus qu'aucun autre Premier ministre ! – essuie le feu des critiques. Comme le « microcosme » vivait les yeux rivés sur les législatives de mars 1978, la politique que je menais a donc servi de cible privilégiée.

Une donnée, je crois, a échappé aux sondeurs comme aux observateurs : les Français commençaient à me faire confiance. Au moment de ma nomination en août 1976, j'avais la confiance de 3 % des Français ! *Unknown quantity*, diraient les Anglo-Saxons. Je montai très vite à 20 %. Puis, en mai 1977, la télévision organisa un face-à-face avec François Mitterrand[1]. Je pense que, ce soir-là, beaucoup de Français ont découvert que je n'étais pas seulement un économiste. Toute la presse, une fois n'est pas coutume, dut reconnaître que je m'étais bien défendu, tandis que la prestation de Mitterrand fut jugée médiocre. Mon image de « meilleur économiste de France » se déplace alors sur le champ de la politique. Dans le *Journal de Genève*, le titre de l'éditorial me surprend agréablement : « En France, le vent tourne ».

---

1. Ce face-à-face a lieu sur Antenne 2, le 12 mai 1977.

*C'était, je pense, la première fois que vous rencontriez François Mitterrand en dehors des débats à l'Assemblée nationale ?*

Oui. Au cours de notre face-à-face il me demanda de ne pas aborder la politique intérieure qui devait faire l'objet d'un point de notre discussion. J'ai accepté. À la fin du débat il m'a remercié en ajoutant : « Je vous ai fait cette proposition parce que je savais ce que vous me diriez et que vous saviez ce que je vous dirais. Cela n'était digne ni de vous ni de moi. » Notre débat avait été digne ; je crois que c'est important en politique.

*Aux élections sénatoriales de septembre 1977, la majorité tient sur ses positions alors que tous les spécialistes pariaient sur une déculottée. Est-ce que ce scrutin conforte également votre image en termes politiques, à l'instar de votre face-à-face avec Mitterrand ?*

Si je ne me mêle pas directement de la bataille des sénatoriales, mon action économique et sociale est au cœur des débats. « Haro sur Barre ! » reste, pour les adversaires de la majorité, l'argument majeur. Or, selon les sondages, le taux de confiance qu'on m'accorde alors est de 25 à 30 %, contre 3 à 4 % un an plus tôt. « C'est important m'explique un spécialiste des sondages. Tous les dirigeants politiques ont un parti ou des partisans, donc un noyau d'opinions favorables. Vous, vous êtes seul. Les opinions favorables sont celles que vous avez acquises de votre fait. 25 %, pour vous, ce n'est pas la même chose que 45 % pour un chef de parti. »

C'est après les sénatoriales que M. Bongrand a convaincu mes collaborateurs – qui ont toujours été réticents à ce que j'entre dans la lice électorale – qu'il fallait jouer la « carte Barre » quand s'ouvrirait officiellement la bataille des législatives.

*Cette bonne tenue de la majorité aux sénatoriales ne va pas du tout atténuer l'acharnement du RPR en général et de Jacques Chirac en particulier contre l'Élysée et le gouvernement. Est-ce que, pour vous, dès ce moment-là, c'est-à-dire avant que ne démarre vraiment la campagne des législatives, la réconciliation était impossible ? Avez-vous eu des contacts officieux avec Chirac ou son entourage ?*

Nos relations personnelles, je vous l'ai dit, étaient cordiales. Vers la mi-août 1977, je l'ai invité à dîner avec Madame Chirac. Nous nous sommes retrouvés autour d'une sélection de plats hongrois qu'avait préparés ma femme. C'était une magnifique soirée d'été. Après le dîner j'ai discuté une bonne heure avec lui en marchant dans le parc de Matignon. Il était convaincu que nous allions perdre les législatives et il m'a dit : « Raymond, après la défaite, je veux que le RPR tire son épingle du jeu. Sachez que nous allons vous attaquer. Mais, comprenez bien, ce n'est pas Raymond Barre que nous attaquerons, c'est le Premier ministre de Valéry Giscard d'Estaing. » Pas plus que le gouvernement, je ne suis en cause !

Jacques Chirac croyait qu'il allait ébranler Giscard au point de provoquer une crise institutionnelle. Il le tenait pour un homme pusillanime, incapable d'assumer sa fonction de président. Il s'est trompé. Tout comme Giscard, au terme de son septennat, se trompera sur les intentions réelles et sur la capacité de nuisance de Chirac.

## Le redressement économique

*Le 22 septembre 1976, soit moins d'un mois après votre nomination, vous présentez devant la commission des finances de l'Assemblée nationale, devant la presse et à la télévision, votre plan de lutte contre l'inflation. Chez nous, l'inflation est alors de 11 %, contre 4 % en Allemagne, 5 % aux États-Unis ; le nombre de chômeurs frôle le million. Pourquoi avez-vous choisi comme priorité la lutte contre l'inflation ? Ne preniez-vous pas le risque d'un refroidissement de l'économie et, par conséquent, d'une nouvelle augmentation du chômage ?*

C'était l'analyse qui prévalait chez de nombreux « experts » de gauche comme de droite ! Ce n'était pas du tout la mienne. Quel était le problème français ? C'était d'absorber le premier choc pétrolier. Qu'avais-je à faire ? Remettre la France debout, en état de maîtriser les conséquences de ce coup dur. Cela passait par une remise en ordre de son économie.

L'expérience que j'avais acquise à Bruxelles et dans mes différentes activités internationales, y compris au ministère du Commerce extérieur, m'avait convaincu, je vous l'ai dit, qu'un pays qui compte est un pays dont la monnaie est forte et stable. En cela j'étais un disciple du général de Gaulle. Depuis 1958, je lui savais gré, comme citoyen, d'avoir rendu à la France un État, d'avoir pratiqué – en dépit d'immenses difficultés – une politique de décolonisation, et d'avoir conduit la France à « épouser son siècle ». Nul mieux que lui n'avait compris la nécessité pour notre pays d'une grande ambition économique fondée sur une monnaie solide.

Tout en mesurant l'étroitesse de mes marges de manœuvre, la lutte contre l'inflation était donc mon objectif prioritaire. Giscard, dans sa déclaration télévisée, m'avait qualifié de « meilleur économiste de France ». Ce compliment à double tranchant allait me poursuivre. Georges Séguy, leader de la CGT, me baptisera « l'invincible Zorro », à quoi je rétorquai : « Je ne suis pas Zorro, je serais plutôt Bernardo[1] ! »

En effet, nous subissions en plein les conséquences du plan de relance de 1975 qui contredisait le plan d'austérité de l'été

---

1. Zorro est aidé dans ses combats par Bernardo, qui prend souvent plus de coups qu'il n'en donne...

1974. Une contradiction que j'avais baptisée « la politique de l'escarpolette ! ». Résultat : au mois de mars 1976, le franc était sorti du Serpent monétaire européen et il était très faible ; nos réserves de change avaient été très sérieusement entamées ; la hausse des prix et des salaires était extrêmement rapide.

L'Allemagne fédérale, notre principal partenaire et concurrent, avait prouvé qu'un mark fort n'hypothéquait ni la puissance industrielle ni la capacité d'exporter dans le monde entier. Les capitaux affluaient, les dollars s'entassaient dans les caisses de la Bundesbank.

À l'inverse, la Banque de France n'avait devant elle que des réserves qui couvraient à peine trois mois d'importations !

Je considérais par conséquent que la stabilité monétaire était une nécessité absolue. Je n'en avais pas moins le choix entre trois politiques.

Ou poursuivre la « fuite en avant » : l'union de la gauche le proposait, l'UDR le souhaitait ; mais cette politique nous aurait conduit à l'abîme.

Deuxième possibilité : une politique déflationniste. Les consultations auxquelles j'ai procédé pendant dix jours m'ont montré que la France était à l'époque dans l'incapacité sociologique et psychologique de supporter une telle politique : on ne s'arrache pas rapidement à de longues années de facilité. À cela s'ajoutait d'ailleurs un élément à mes yeux capital : je savais que nous allions au-devant d'un accroissement inéluctable du chômage. De 1974 à 1976, les entreprises qui avaient des effectifs excédentaires les avaient conservés ; beaucoup d'entre elles étaient au bord de l'effondrement, et elles ne pouvaient l'éviter que par d'importants licenciements. Une politique déflationniste, c'était à brève échéance le chaos social.

Restait la troisième voie : une politique de « désinflation » progressive mais globale agissant simultanément sur la masse monétaire, le budget, les rémunérations, le taux de change, et qui devait nécessairement être une politique continue. On me disait : « Prenez des mesures qui vous donnent des résultats dans six mois, car il vous faut penser aux élections. » Ma réponse était : avec ces mesures-là, nous aurions peut-être des résultats rapides, mais à quel prix social ! De plus, nous n'obtiendrions pas l'assainissement en profondeur qui dépend d'une modification des comportements. À quoi bon, par exemple, faire une politique autoritaire des revenus si, un an après, l'explosion des revendications salariales entraîne à la fois rattrapage et dérapage ?

J'ai donc choisi délibérément ce que j'appellerai une « politique du chemin de crête » : éviter la déflation tout autant qu'une stimulation massive de l'économie, mais restaurer progressivement nos équilibres – et d'abord notre équilibre extérieur – tout en soutenant l'activité économique pour des raisons tenant à l'emploi. Je savais bien que ce serait difficile. Je savais surtout que les résultats ne pouvaient être rapides. Mais le fond comptait plus pour moi que les apparences. La politique que j'ai choisi de mener doit redresser lentement mais sûrement l'économie et éviter l'accroissement des déséquilibres.

Je ne crois vraiment pas qu'il y avait à l'époque une autre politique possible. Son seul défaut était qu'elle ne pouvait convenir aux esprits pressés : elle s'inscrivait dans la durée, notion qu'ignorent la plupart des politiques.

*Une fois que vous avez arrêté votre choix, cette « politique du chemin de crête », y avait-il des décisions concrètes que vous pouviez prendre sur-le-champ ?*

Oui, j'ai agi sur la masse monétaire. Celle-ci augmentait au rythme annuel de 16 %. À l'époque, la fixation d'un objectif de croissance de la masse monétaire pour lutter contre l'inflation était peu utilisée. J'ai proposé à Bernard Clappier de ramener son taux de croissance à 10 %. Mais, je viens de vous le dire, une telle baisse des liquidités aurait enclenché une déflation, une récession. Le Gouverneur m'a expliqué qu'il valait mieux fixer le taux de croissance de la masse monétaire à 13 %. Je l'ai accepté. Mais les crédits au logement et au financement du commerce extérieur – qui étaient hors encadrement – y seraient progressivement réintégrés.

J'ai demandé à M. Deroche, directeur du Budget, de bloquer les dépenses jusqu'à la fin de l'année 1976. Toute dépense nouvelle devait avoir mon autorisation.

*Il y a une autre mesure que vous avez prise très rapidement : l'impôt sécheresse...*

La mesure a été caricaturée. Nous venions de vivre un été d'une exceptionnelle sécheresse, et j'étais soumis à une pression inouïe des agriculteurs comme des élus de l'UDR. En raison des dépenses considérables sous forme d'aides, de subventions, etc., qu'allait engendrer cette sécheresse, il n'était pas question de creuser un peu plus le déficit budgétaire. L'impôt sécheresse avait d'ailleurs été prévu par Chirac au mois de juillet. Il me vaudra un hourvari de la part de nombreux députés et dans l'opinion. Personne ne voulait payer les impôts pour les agriculteurs. Édouard Bonnefous, président de la commission des finances du Sénat, me conseilla très habilement de proposer que la moitié de cet impôt puisse être souscrit sous la forme d'un emprunt à cinq ans au taux de la Caisse d'épargne. Ce que j'ai fait.

*Vous avez aussi gelé les prix et les tarifs publics. Ce « blocage des prix », comme on disait alors, n'était-il pas contraire à votre volonté de libéraliser notre économie ?*

Je pensais qu'il fallait libérer les prix : le contrôle des prix est source d'augmentations régulières et globales. La diversité des ajustements selon le marché est rejetée. Le directeur général des Prix et tous mes collaborateurs s'y sont opposés : les prix, m'ont-ils expliqué, vont exploser et anéantir la politique de stabilité que vous voulez faire. N'oubliez pas les élections législatives. Cette mesure économiquement fondée serait psychologiquement néfaste et politiquement suicidaire. Le président de la République me déconseillait, lui aussi, de prendre immédiatement cette mesure. Je me suis rangé à leur argument pour les raisons que j'ai évoquées – le « chemin de crête » –, tout en mettant en place un blocage temporaire des prix et en gardant l'idée de les libérer au lendemain des législatives de 1978. Jusqu'à cette date, je demandais que les contrôles tiennent compte de la situation des entreprises. Faute de pouvoir réduire davantage la croissance de la masse monétaire et libérer les prix. Il fallait être vigilant dans les autres domaines de l'action économique. Pour lutter contre l'inflation je limiterai la TVA – ce fut la seule fois en France – ce qui est avantageux pour les consommateurs. Mais j'augmenterai le prix de l'essence, maintenu artificiellement bas, et je rechercherai la vérité des tarifs publics.

Je voudrais, si vous le permettez, insister sur trois initiatives que j'ai prises dès la préparation du budget de 1977 – mon premier budget – et qui me tiennent à cœur. Elles allaient permettre d'accompagner la future libération des prix.

J'ai d'abord pris la décision de stimuler les investissements. Aussi incroyable que cela paraisse, l'investissement était alors considéré comme une source d'inflation, et, depuis 1969, les gouvernements freinaient l'investissement ! Celui-ci, bien entendu, n'avait cessé de baisser. En 1976, la baisse des investissements avait été de 12 %. En 1979, et, fin 1980, le niveau des investissements dépassait de 12,4 % celui de 1976.

J'ai eu des difficultés à propos de la taxation des plus-values. Giscard y tenait. Jean-Pierre Fourcade aussi, puisque c'est lui qui, dans le gouvernement Chirac, avait préparé les textes nécessaires. J'ai écouté beaucoup de chefs d'entreprise qui m'ont mis en garde : « Si vous taxez les plus-values, la Bourse va s'effondrer. » Je m'en suis expliqué avec Giscard, et il a accepté d'abandonner les taxes envisagées. Au Conseil des ministres, quand je l'ai annoncé, Fourcade a réagi, mais a compris ma décision. Ma chance, je vous l'ai déjà dit, a été la compréhension et la solidarité des ministres.

Ensuite, j'ai fait voter une loi sur l'information et la protection des consommateurs. J'estimais que les consommateurs allaient être de moins en moins malléables et indifférents au rapport qualité-prix des produits qu'ils achètent. J'ai voulu donner à leurs légitimes observations et revendications un cadre légal qui est toujours en vigueur.

Enfin, j'ai créé la Commission de la concurrence, m'inspirant des systèmes de contrôle mis en œuvre dans tous les grands pays industriels. Il existait une Commission technique des ententes et des positions dominantes qui s'était révélée, au fil des années, totalement inefficace. Nous lui avons substitué un organisme beaucoup plus léger, aux moyens renforcés. Composée de neuf membres d'une compétence économique et d'une indépendance indiscutables, la Commission a vite démontré qu'elle pouvait éclairer les pouvoirs publics sur toutes les entorses au libre jeu de la concurrence, notamment les ententes. Il ne s'agissait pas, pour le gouvernement, d'interdire ou de décourager par principe des opérations de concentration dont beaucoup étaient nécessaires, mais de faire obstacle à celles qui pouvaient être négatives pour notre économie comme aux ententes toujours néfastes.

L'opinion, très peu avertie de ces problèmes, n'a pas pris alors la mesure du changement structurel que ces réformes allaient susciter.

Vous me parliez de ma volonté de libéraliser l'économie : je vous dirai que j'ai ouvert l'économie française à la loi du marché à l'intérieur comme à l'extérieur. Trente ans plus tard, vous le constatez comme moi, notre pays a encore beaucoup de mal à accepter l'environnement économique dominé par la loi du marché et la concurrence internationale.

*Toutes ces décisions que vous venez d'évoquer suscitèrent peu de débats dans la population. En revanche, quand vous déclarez à plusieurs reprises, durant l'hiver 1976-1977, que vous entendez freiner sérieusement la hausse des salaires et des revenus – surtout des hauts revenus –, vous provoquez un tollé !*

Entre 1965 et 1967, j'avais été associé aux réflexions et aux études portant sur l'instauration d'une politique des revenus. Je faisais partie d'une commission présidée par M. Gruson, qui rédigea un rapport. Celui-ci fut détaillé et analysé à souhait. Le Premier ministre Georges Pompidou le mit, avec raison, dans un tiroir. J'avais compris pourquoi les tentatives d'une politique des revenus n'avaient jamais réussi et ne pouvaient réussir en France.

À cela il y avait, à mon sens, plusieurs raisons. La première était manifestement la division du mouvement syndical français qui alimentait les surenchères. La deuxième tenait au fait que le patronat lui-même était assez hétérogène et souhaitait que les entreprises puissent négocier avec les syndicats, sauf dans les cas où il réclamait une intervention de l'État pour empêcher les excès. La troisième était une profonde méfiance psychologique des Français envers toute mesure concernant leurs salaires.

À l'époque, j'avais souhaité que le premier effort soit celui d'une meilleure connaissance des revenus et des patrimoines, car il est difficile de faire une politique des revenus si cette connaissance est défectueuse. Celle-ci n'avait guère progressé.

En arrivant à Matignon, un de mes premiers actes fut de donner au CERC (Centre d'études sur les revenus et les coûts), créé en 1966 à l'initiative de Pierre Massé, Commissaire Général du Plan, une plus large compétence et les moyens de mener à bien ce type d'étude. Mais je me suis bien gardé de parler de « politique des revenus », l'expression étant absolument taboue ! Mieux valait essayer de mettre en œuvre une « politique contractuelle » prudente.

Comment, dès lors, réduire la hausse annuelle des salaires, un facteur puissant de l'inflation ? Je ne croyais pas que cette hausse atteignait les niveaux que j'allais découvrir ! André Bergeron m'a ouvert les yeux : « En réalité, m'a-t-il dit, la hausse des salaires est de 16, voire 17 % ! » Le pouvoir d'achat augmentait par conséquent de 5 à 6 % par an ! Le patronat non seulement se satisfaisait de cette situation, mais il y contribuait largement, effrayé par l'agitation sociale. Cette attitude patronale constitua une de mes principales difficultés. Surtout quand je demandai un effort particulier aux salariés les mieux nantis. J'ai déclaré que le niveau des hautes rémunérations était souvent excessif. Cela me valut d'être violemment attaqué, surtout par les cadres de la CGC.

En tout cas, j'ai donné des instructions pour stabiliser le pouvoir d'achat. Et nous avons réussi. Quelle aurait été l'évolution des prix chez nous si la hausse exagérée des rémunérations n'avait pas été ramenée, entre 1976 et 1981, à 11 et 12 % ?

Je n'ai pas pour autant institué un dirigisme des salaires, pas plus que des revenus. J'étais attaché au principe de la libre négociation des salaires. Mais il était de l'intérêt du pays qu'il y eût une remise en ordre de la structure des rémunérations, tout en veillant de près au maintien du pouvoir d'achat.

Plus j'examinais le problème des rémunérations en France, plus j'étais convaincu que la vraie distinction, contrairement à ce que l'on disait d'habitude, n'était pas entre revenus salariaux et revenus non salariaux, mais entre hautes rémunérations et basses rémunérations. Car il y avait déjà de très hauts salaires, alors que les petits et moyens salaires étaient comprimés...

*Si vous me permettez, oublions un instant les années 1970. En effet, ce phénomène des salaires extrêmement élevés, calqué sur le modèle américain, s'est depuis lors considérablement amplifié. Comment ressentez-vous cette évolution ?*

Il y a seulement quelques années, nous avions une conception relative de la valeur de l'argent, et nous connaissions tous le dicton : « L'argent ne fait pas le bonheur, mais il y contribue. » Façon de le relativiser. Aujourd'hui, l'argent est un absolu. Le traitement de certains grands patrons, les sommes qu'ils touchent quand ils quittent leurs fonctions, le montant des retraites qu'ils se garantissent, tout cela est profondément discutable dans un pays comme le nôtre.

En France, en effet, il existe très peu de grandes fortunes. On y rencontre de l'aisance. L'histoire de notre rapport à l'argent n'est pas du tout celle des États-Unis, de la Grande-Bretagne ou même de la Belgique. Dans ces pays, il existe depuis longtemps de nombreuses et colossales fortunes.

Or, avec l'émergence des grandes entreprises modernes, les patrons français se sont mis à imiter ce qui se passe dans l'univers anglo-saxon. Il s'agit d'une imitation dont on peut contester la justification économique. Le prétexte de la mondialisation est en tout cas invoqué.

L'ouverture de notre pays à la globalisation était inéluctable et nécessaire. Et elle se révèle positive. Comment nos dirigeants d'entreprise allaient-ils se comporter dans ce nouvel environnement ? Voilà la question. Eh bien, trop souvent, ils se sont alignés sur les mœurs américaines et anglaises. Ils ont vis-à-vis de leurs salariés un comportement difficile à justifier. Je regrette qu'ils ne comprennent pas que, dans un certain contexte, il ne faut pas être provocant. Il y a des manifestations sociales organisées par ces nouveaux fortunés, qui sont à mon avis des provocations. Nous n'en avons vraiment pas besoin. L'excès en ce domaine attise envies et rancœurs. Peut-être suis-je là encore un disciple de François Perroux qui redoutait le triomphe de l'argent ? Je précise cependant que je ne suis pas un partisan de l'égalité généralisée. Des inégalités de revenus et de patrimoines sont justifiées, mais il ne faut pas que les inégalités deviennent intolérables.

*Vous seriez favorable à une législation qui permettrait de mieux encadrer les traitements et les avantages des chefs d'entreprise ?*

La loi, je m'en méfie dans ce genre d'affaire. On la tourne facilement. De surcroît, le débat ne concerne qu'un petit nombre de chefs d'entreprise sur les centaines de milliers que compte notre pays. C'est un problème qui renvoie au comportement, à l'éthique qui doit inspirer les rapports entre les chefs d'entreprise, leurs cadres et leurs salariés. L'entreprise doit être conçue comme une communauté d'hommes. Le moment viendra où la situation de la France exigera, j'en suis convaincu, des mesures d'austérité sévères pour tous. Je vois mal, alors, que les chefs d'entreprise, les cadres dirigeants dont les revenus et les avantages sont très élevés, puissent échapper à cet effort. J'ose espérer qu'ils ne resteront pas dans l'état d'esprit qui est actuellement le leur.

*Vous ne pensez pas que la classe politique se devrait elle aussi de manifester plus de rigueur dans le domaine de l'argent ? Depuis bientôt vingt ans, les scandales financiers liés à des partis de tous bords alimentent l'actualité.*

Vous savez, les élus politiques, à droite comme à gauche, ne sont pas riches. Ils sont dévoués, généreux. Je les connais bien et je les apprécie. Tous ont une obsession quand approchent les échéances électorales : trouver de l'argent pour mener une bonne campagne. Si on leur propose quelques dizaines de milliers d'euros, ils acceptent. Il faut les comprendre. Les partis de leur côté s'efforcent de se constituer un trésor de guerre.

Les scandales financiers dont vous parlez, c'est tout autre chose ! Ils renvoient précisément à des manquements à l'éthique : dans le monde politique comme dans le monde économique, certains dirigeants ne montrent pas l'exemple. La collecte des fonds finit par déboucher sur la corruption. C'est cela qui est inadmissible !

Pour ma part, durant mon passage à Matignon, je n'ai pas été confronté, à titre personnel, à ce type de scandale. On a essayé, bien entendu, de me compromettre en prétendant que j'aurais acheté ma maison de Saint-Jean-Cap-Ferrat en puisant dans des fonds secrets. Georges Séguy, secrétaire général de la CGT, m'accusa à une autre occasion, de toucher neuf cent mille francs par mois, alors que cette somme était affectée à l'ensemble des services du Premier ministre ! J'ai immédiatement réagi en organisant une complète transparence sur les opérations qui m'étaient reprochées. Cela fit long feu. Mais j'ai pu observer la curiosité quelque peu malsaine de beaucoup de Français. Ayant souhaité que mon traitement puisse être connu de tous et consulté au secrétariat général du gouvernement, une longue queue se forma dans la cour de Matignon !

## LA POLITIQUE SOCIALE

*Pour résumer, votre action économique a concerné la lutte contre la hausse des prix, la solidité du franc et l'équilibre de notre commerce extérieur. Je voudrais évoquer maintenant le volet social. Vous avez en effet été confronté à une forte augmentation du chômage. Entre 1976 et 1981, le nombre des chômeurs est passé de 980 000 à 1 700 000. Or, notre croissance économique restait élevée, de l'ordre de 3 %, quand vous quittez Matignon. En d'autres termes, le postulat sous le règne duquel nous vivions depuis des décennies – « croissance économique = plein-emploi » – a été très sérieusement ébranlé. Comment réagissez-vous face à cette situation ?*

Comme je vous l'ai expliqué, nous étions dans une croissance inflationniste forte, nous pratiquions la fuite en avant. Cette évolution nous menait à la catastrophe, et c'est elle que j'ai voulu aussitôt contrarier. Il nous fallait une production saine et non pas une production née de l'inflation, d'une stimulation artificielle. La France devait produire davantage à des coûts et à des prix permettant d'exporter et de payer nos importations.

J'étais conscient, comme je vous l'ai également dit, que cette politique d'assainissement risquait d'accroître le chômage. D'autre part, depuis quelques années, le progrès technique avait entraîné des gains de productivité tels que les retombées de la croissance en termes de création d'emploi n'étaient plus aussi importantes.

Le chômage avait déjà atteint un niveau élevé en 1975. Si, à la fin de 1976, il a augmenté plus lentement, il aura été l'un des faits les plus marquants du premier trimestre de 1977. C'est alors, qu'avec Christian Beullac, ministre du Travail, et mon conseiller Raymond Soubie, nous avons décidé d'agir. Ainsi sont nés le « Pacte national pour l'emploi des jeunes » et le « contrat à durée déterminée », le CDD. Il convenait de mener en priorité une politique active en faveur des jeunes, et d'assouplir le marché du travail. « L'État, ai-je déclaré, doit faire par lui-même le moins possible. Il doit, quand il intervient, aider à faire et faire faire. » Enfin, je demandai à Christian Beullac de faciliter discrètement les licenciements face à certains blocages de l'Inspection du travail.

Beaucoup de ces mesures que nous avons prises ont été, depuis, force est de le constater, imitées, copiées, recopiées... Seule la terminologie, l'habillage ont changé. Rien, ou si peu, sur le fond.

J'ai présenté le « Pacte national pour l'emploi des jeunes » et le CDD fin avril, et ils ont été votés par le Parlement début juillet. Le Pacte pour l'emploi a pris effet immédiatement. Il prévoyait, entre autres, une exonération de la cotisation patronale sur le salaire des jeunes et des apprentis, le recrutement de vingt mille vacataires dans le secteur public, l'extension du régime de la préretraite, une prime de dix mille francs aux émigrés chômeurs retournant dans leur pays, la multiplication des stages de formation professionnelle.

La création du CDD, qui complétait ce dispositif, avait une portée beaucoup plus structurelle : mon ambition était d'assouplir le marché du travail. Je savais que nous ne pourrions pas améliorer la flexibilité, la fluidité du marché du travail en modifiant nos règles de licenciement. Celles-ci, qui remontent aux ordonnances de 1945, sont, chez nous, quasiment intouchables. Elles sont inscrites dans le marbre. On vient, pas plus tard que l'an dernier, de s'en rendre compte avec le CPE [1]... Combien de fois ai-je répété : la croissance ne crée des emplois que si le marché du travail est fluide ! Trente ans plus tard, en dépit de l'explosion du chômage, la mobilité, la flexibilité, la fluidité font toujours débat. Les syndicats continuent de les refuser et les pouvoirs publics proscrivent ces termes pour des raisons purement politiques.

J'ai donc pris le problème à l'envers et, sans toucher au droit de licenciement, j'ai réformé les règles de l'embauche. Sur ce plan, il n'y a également rien de très neuf depuis trente ans.

Le Pacte national pour l'emploi comme le CDD ne manquèrent pas d'être critiqués. Par la gauche, bien sûr. Par le RPR aussi, qui « accorda au gouvernement son vote sans lui accorder la confiance », selon la formule !

Quant aux syndicats, ils ripostèrent en lançant un mot d'ordre de grève générale de vingt-quatre heures dans le secteur nationalisé et dans la fonction publique. Ils s'en prenaient surtout à ma déclaration de politique générale devant les parlementaires. J'avais affirmé ma volonté de stabiliser le pouvoir d'achat. Le « blocage » du pouvoir d'achat, scandait l'opposition ! Je n'ai pas cédé.

---

1. CPE, le projet d'un « contrat première embauche » imaginé par le gouvernement de Dominique de Villepin et qui suscita une très vive opposition. Le CPE a été abandonné.

*Vous avez dû faire face à une grève générale le 24 mai 1977, et le débat à l'Assemblée nationale a été très dur. À l'époque, les journaux relataient que vous aviez été très choqué par l'attitude du RPR et de Jacques Chirac.*

Paradoxalement, durant cette période, j'ai bénéficié, en dépit de cette grève générale, d'une relative paix sociale. Si les leaders de la gauche m'attaquaient violemment – c'était le jeu –, je sentais bien qu'ils n'avaient aucune alternative à opposer à la politique que je menais.

Le soir de la grève générale, par exemple, j'ai été interpellé par le député communiste Guy Ducoloné : « Monsieur le Premier ministre, vous venez de voir la grande manifestation qui s'est déroulée dans les rues de Paris. Qu'attendez-vous pour changer de politique ? » Je lui ai répliqué : « Monsieur le député, la politique du gouvernement ne se détermine pas en fonction de la longueur d'un cortège. » Mes relations avec M. Ducoloné ont toujours été agréables...

En dépit des apparences, je n'ai pas non plus souffert d'une hostilité totale et franche des syndicats. Je dois ajouter que toute cette période fut dominée, à gauche, par les relations entre socialistes et communistes. Cette affaire mobilisait l'attention des politiques, mais également des dirigeants syndicaux. Ceux-ci se voyaient déjà au pouvoir, ils étaient, si j'ose dire, « ailleurs », et cela a dû m'assurer une certaine tranquillité.

Quant à l'attitude du RPR elle ne parvenait plus à me choquer. Je poursuivais mon bonhomme de chemin !

*À l'occasion d'une réunion, à Colmar, devant des artisans, vous vous êtes adressé aux chômeurs pour leur dire qu'ils devaient eux aussi créer leur propre emploi. Votre déclaration déclencha une fois de plus un énorme charivari.*

Il y eut en effet très peu de réactions positives ! On caricatura mes propos. La seule réponse constructive est venue d'un groupe de cadres lyonnais. M'appuyant sur l'exemple allemand, j'ai alors pris un décret afin d'aider les chômeurs qui voulaient créer leur propre entreprise. C'était là le sens de ma déclaration. Le principe était simple : plutôt que de percevoir mensuellement l'allocation chômage, le chômeur pouvait toucher une somme globale représentant plusieurs mois d'allocations, avec laquelle il démarrerait son entreprise. Il disposait également d'une ligne de crédit bancaire. Nous avions aussi créé l'Agence nationale pour la création d'entreprise, qui recevait les dossiers, donnait son aval et suivait pendant trois ans le projet.

Trois ans, c'est trop court. Ce fut, je crois, notre erreur. Une entreprise qui naît doit être aidée, stimulée, et il faut du temps pour l'asseoir et assurer sa pérennité. En Allemagne, les pouvoirs publics soutiennent pendant dix ans les créateurs d'entreprise, et nous aurions dû faire de même. Quoi qu'il en soit, on m'a raillé, mais, depuis lors, le système a été repris par tous les gouvernements, y compris ceux de gauche !

D'une manière plus générale, j'estimais que le montant des allocations chômage n'incitait pas à retrouver du travail. Depuis la réforme votée sous le gouvernement de Jacques Chirac, les personnes licenciées percevaient, pendant un an, 90 % de leur dernier salaire. À Colmar, j'avais lancé : « Les jeunes doivent comprendre qu'ils doivent aller vers les emplois disponibles, et non pas se borner à attendre, avec leurs indemnités, l'emploi qu'ils souhaitent. » De la CGT à la CGC, en passant par FO et la CFDT, ce fut un concert de critiques. J'ai malgré tout demandé à François Ceyrac, président du CNPF, d'ouvrir des négociations afin de s'orienter vers une réelle dégressivité de l'allocation chômage à partir du second semestre sans emploi. En fait, les discussions ont abouti à une mini-réforme : nous sommes passés de 90 % à 80 % du dernier salaire...

*L'année 1977 est aussi marquée par la montée en puissance des antinucléaires. Les manifestations s'étaient amplifiées des deux côtés du Rhin avant la mise en route de la centrale de Fessenheim. Sur le site du futur surgénérateur de Creys-Malville, le rassemblement de plusieurs milliers de manifestants tourna au drame, le 30 juillet 1977 : un mort, une centaine de blessés. Comment vivez-vous ces évènements ?*

J'ai été averti de la manifestation par le préfet. Les gens arrivaient d'Allemagne, du Luxembourg, de Belgique... Il n'y a eu ni provocation ni incident. Les forces de police ont dispersé la foule en utilisant des autopompes qui projetaient une eau d'une certaine couleur. L'effet fut très dissuasif et tout se déroula dans le calme, jusqu'à cette tragédie provoquée par des éléments incontrôlés.

L'opinion dans sa large majorité comprenait que notre indépendance énergétique passait par le nucléaire. Le lobby antinucléaire, j'en suis toujours convaincu, n'a jamais eu vraiment de prise sur les Français, en dehors du mouvement écologiste.

J'ai déclaré qu'il serait suicidaire d'abandonner le programme nucléaire décidé en 1973 par le gouvernement de Pierre Messmer. J'entendais l'appliquer avec rigueur et j'ai demandé à EDF d'accélérer la construction des centrales dont nous avions besoin. Le gouvernement lui en donnerait les moyens.

M. Hug, directeur chargé des centrales nucléaires à EDF, que je connaissais, voulut alors me voir. Je le reçois. Il débarque avec une mallette de documents qu'il étale sur le tapis de mon bureau. J'avais devant moi le circuit des décisions relatives à la construction d'une centrale, et le schéma synthétisant les pertes de temps qui s'accumulaient entre chaque décision. Je découvris notamment que la plupart des blocages étaient administratifs.

J'ai fait venir le secrétaire général du gouvernement et je lui ai demandé d'accélérer toutes ces procédures, notamment au Conseil d'État.

Ce programme d'équipement nucléaire assure aujourd'hui 80 % de notre électricité. Où en serait notre dépendance pétrolière – déjà très lourde à supporter – si nous n'avions pas réalisé la construction des centrales et imposé une politique d'économies d'énergie ? Ce que nous avons fait est sans équivalent dans aucun autre pays importateur de pétrole. Désormais, la plupart des grandes nations industrielles reviennent au nucléaire, tandis que la notion d'« économies d'énergie » est de plus en plus reconnue comme prioritaire. Dans le domaine nucléaire, nous avons plusieurs années d'avance, et je m'en réjouis.

Mais il faut, je crois, replacer cette action en faveur de l'énergie nucléaire dans un cadre plus large, celui de la modernisation de notre infrastructure industrielle qui sera la préoccupation du gouvernement jusqu'en 1981.

On m'interpellait sur le thème : « Quel est le grand dessein de votre action ? » Je répétais aux apôtres du « grand dessein » que le plus grand dessein pour la France était la survie ! On peut avoir un grand dessein verbal. On peut avoir un grand dessein que l'on s'efforce de réaliser par une action continue, patiente et méthodique : je n'avais pas d'autre grand dessein que celui-là. Comme je le disais souvent, la politique du gouvernement, c'est de mener une politique tous azimuts de manière à faire face à n'importe quelle éventualité. Et cela sans jamais renoncer aux principes d'équité et de justice sociale.

Tout le monde semble avoir oublié – ce qui m'a toujours paru très curieux – que les principales mesures d'aide aux plus défavorisés qui existent encore aujourd'hui ont été mises en place à ce moment-là : allocations aux titulaires de revenus modestes, doublement du minimum vieillesse, allocations aux handicapés, installation des Cotorep (Commissions techniques d'orientation et de reclassement professionnel)... Je dois dire que Giscard fut à l'origine de toutes ces initiatives qu'il appuya tout au long de son septennat. Il avait promis au moment de son élection un doublement du minimum vieillesse. En 1981, la promesse était tenue.

## LA BATAILLE DES LÉGISLATIVES

*La campagne électorale des législatives de mars 1978 s'engage vraiment au mois de janvier. D'une part, vous êtes cette fois en première ligne, puisque vous présentez à Blois le programme du gouvernement ; d'autre part, à l'occasion d'un voyage en Bourgogne, Valéry Giscard d'Estaing prononce son fameux discours de Verdun-sur-le-Doubs dans lequel il indique « le bon choix pour la France ». Surtout, il déclare en substance : « Si la gauche gagne, je resterai, mais je ne pourrai rien faire. » Comment réagissez-vous à ce discours ?*

Il me l'avait donné à lire avant de le prononcer. Il estimait que ce discours était la clef de la victoire, en raison de la position qu'il prendrait si la gauche l'emportait. « Si je perds, m'a-t-il confié, je reste. Mitterrand forme son gouvernement et je me retire à Rambouillet d'où je reviendrai uniquement pour présider le Conseil des ministres. Au bout d'un an, je dissous. » Quant à moi, comme ancien Premier ministre, il me reviendrait, me précisa-t-il, de faire la critique du gouvernement socialiste. Je me suis permis de lui manifester mon scepticisme. « Je veux bien, lui ai-je dit, mais attention ! Vous croyez que les socialistes et les communistes ne réagiront pas ? Je crains, si vous adoptez cette attitude, qu'ils vous fassent manger votre canne, votre parapluie et votre chapeau et vous forcent à partir ! »

Il a écrit dans ses Mémoires que je parus réservé.

Jamais, en effet, je n'ai rendu publiques mes réticences. C'eût été faillir au principe de loyauté qui était, dans mon esprit, le fondement des relations entre l'Élysée et Matignon. Personne d'ailleurs, ni au RPR ni à l'UDF, n'a désapprouvé le choix de Giscard. Chirac n'a rien dit.

J'ai mené toute la campagne des législatives sans dévier du postulat énoncé à Verdun-sur-le-Doubs, en essayant de le rendre moins fataliste et plus offensif. En substance : le président a dit qu'il resterait, mais qu'il serait impuissant ; il faut par conséquent empêcher à tout prix ce cas de figure, et tout faire pour que la majorité soit reconduite.

*Votre opinion a-t-elle été inspirée par la position qu'aurait adoptée de Gaulle aux législatives de 1967 si la gauche avait gagné ?*

C'est exact. En mars 1967, on s'attendait à un résultat très serré. Et il le fut, la majorité n'ayant qu'un seul député de plus que l'opposition à l'Assemblée nationale. À la veille du scrutin, de Gaulle laissa clairement entendre qu'il ne lui déplairait pas de constituer un gouvernement minoritaire et d'observer la manière dont les choses se passeraient.

De même, avant les législatives de mars 1973, alors que les sondages pronostiquaient une légère victoire de la gauche, Pompidou affirmait : « J'appellerai l'Edgar Faure du moment pour conduire un gouvernement minoritaire. Et on verra bien... » Il affirmait qu'il ne nommerait jamais un Premier ministre qui ne soit pas proche de ses idées : « Je ne laisserai jamais le pouvoir repasser la Seine[1] », disait-il. Sous-entendu : dans la conduite de l'action gouvernementale, le Premier ministre doit se conformer strictement aux grandes orientations décidées par le président de la République.

Ni de Gaulle ni Pompidou n'auraient donc accepté un Premier ministre dont les choix politiques eussent été contraires à leurs vues. Dans l'hypothèse d'une courte victoire de l'opposition, ils auraient nommé un gouvernement minoritaire dont la

---

1. L'Élysée est sur la rive droite de la Seine, Matignon sur la rive gauche.

mission aurait été de gérer les affaires courantes, de « tâter le terrain » pour apprécier sa marge de manœuvre, et de tenir un an. Passé ce délai d'un an, ils auraient dissous l'Assemblée nationale. Si, de nouveau, l'opposition l'emportait, alors ils auraient démissionné.

Avant 1986, je rappellerai souvent cette analyse du Général et de Georges Pompidou, ce qui agitera les partisans de la cohabitation. On en reparlera. L'analyse de Giscard, en 1978, était différente ; elle n'était pas celle d'un « cohabitationniste » dans la mesure où il n'entendait pas s'impliquer dans l'action d'un gouvernement de gauche, et voulait dissoudre au bout d'un an. Il m'avait aussi indiqué qu'ayant le choix du Premier ministre, il ferait appel à Gaston Defferre. Mais Mitterrand l'aurait-il accepté ?

*Pendant la campagne de 1978, le mot « cohabitation » n'est pas utilisé. Et votre stratégie, vous l'avez dit, a été de retourner l'argument de Giscard pour le rendre positif : puisque le président a déclaré qu'il serait impuissant si la gauche gagne, mettons tout en œuvre pour éviter ce cas de figure. Cette stratégie va s'appuyer sur l'UDF qui regroupe le CDS, le PR et les réformateurs de Jean-Jacques Servan-Schreiber. Avez-vous été étroitement associé à la création de l'UDF, baptisée le « parti giscardien » ?*

Dès le mois de novembre 1976 Jean Lecanuet, Michel Poniatowski et Jean Sérisé avaient lancé l'idée de structurer et d'organiser les diverses formations qui, à la différence du RPR, soutenaient l'action du président de la République. Cette initiative me paraissait nécessaire, compte tenu de l'attitude de Chirac et de son parti.

En février 1977, après un entretien avec Giscard, je donne instruction à Daniel Doustin et à Jean-Pierre Ronteix qui suit les affaires politiques à mon cabinet de préparer les législatives dans la perspective de « primaires » entre les candidats qui se réclameront de Jacques Chirac et ceux qui se réclameront du président.

En avril 1977 une « cellule de travail » est créée. Elle comprend le préfet Riolacci pour l'Élysée, Doustin et Ronteix pour Matignon, enfin Jean Paolini directeur du cabinet du ministre de l'Intérieur. En juillet Chirac m'adresse une lettre pour m'annoncer qu'il invitait tous les responsables des partis et des mouvements de la majorité à des réunions de concertation et qu'il souhaitait que j'y envoie un observateur. Ainsi veut-il se présenter comme chef de la majorité ! Je lui réponds – sans me presser – que je n'enverrai personne à ces réunions mais que je convoquerai, en septembre, les chefs des formations politiques de la majorité pour une étude des candidatures aux législatives.

À partir du mois d'octobre, c'est au « Pavillon de musique » au fond du parc de Matignon, que vont se réunir régulièrement les responsables des trois partis « giscardiens » – le CDS, le PR et les Réformateurs. Il convient de s'entendre sur une stratégie commune face au RPR. C'est ce que nous avons réussi en créant l'UDF : si le principe du désistement automatique en faveur du candidat RPR le mieux placé est admis, l'UDF décide de présenter ses propres candidats dans les circonscriptions où ceux-ci ont leur chance.

Le 13 janvier 1978 alors qu'est publiée une première liste de deux cent treize candidats, j'appelle de mes vœux une majorité qui soit fidèle, « sans équivoque », au président de la République et au gouvernement.

*On aurait pu imaginer une stratégie identique sans UDF, chaque candidat « giscardien » se lançant sous la bannière CDS, PR ou réformateurs ?*

Probablement, en effet. Mais les responsables de ces partis voulaient qu'après les législatives il y ait un groupe unique à l'Assemblée nationale, et ce fut le groupe UDF. Il est important de souligner que l'UDF n'est pas un parti, c'est une association très souple dont l'unité se réalise au sein du groupe parlementaire. Personne, à l'exception de M. Servan-Schreiber, n'a envisagé que le CDS, le PR et les réformateurs disparaissent en fusionnant au sein de l'UDF. Le véritable artisan de l'UDF, telle que je viens de la définir, a été Jean Lecanuet dont l'autorité et le sens de la diplomatie se sont imposés à tous. Et il m'apparaît évident que l'UDF a été déterminante dans la victoire de la majorité sortante en 1978. En la qualifiant de « magouille partisane et d'erreur politique manifeste », Jacques Chirac s'est lourdement trompé.

Contrairement à l'analyse de certains observateurs, je ne crois pas que l'UDF fut un élément supplémentaire de crispation entre le RPR et l'Élysée. Cette crispation – qui deviendra une véritable guerre – était, je m'en suis expliqué, inhérente à la stratégie de Jacques Chirac après août 1976.

*À la veille des élections législatives enregistrez-vous des résultats significatifs de la politique que vous menez depuis 1976 ?*

À la fin de l'année 1977 et au début de 1978 apparaissent les premiers fruits d'une politique cohérente, construite avec constance en dépit des difficultés. Le taux d'accroissement de la masse monétaire est de 13,9 % contre 16 % au début de 1976 ; le solde budgétaire s'élève à moins 1 % du PIB ; l'accroissement du taux de salaire horaire en cours d'année est de 12,1 % contre 15,1 % en 1976. C'est-à-dire que l'accroissement du pouvoir d'achat du salaire horaire est de 2,8 % contre 4,7 % en 1976. Le taux de croissance du PIB est de 3,1 % contre 4,9 % en 1976. La balance commerciale enregistre un déficit de 11,5 milliards de francs contre 20,9 en 1976. Celui de la balance des paiements est de 14,8 milliards de francs contre 28,4 en 1976. Les réserves en devises en décembre 1977 s'élèvent à 4,7 milliards de dollars. Enfin, malgré l'arrivée de six cent cinquante mille jeunes sur le marché du travail, on enregistre dans les derniers mois de 1977 une baisse des demandes d'emploi non satisfaites et une progression des offres non satisfaites. Le 16 janvier 1978, Christian Beullac, ministre du Travail, peut annoncer que le nombre des chômeurs est descendu au-dessous du million. Ainsi se manifestent les effets du Pacte pour l'Emploi des jeunes mis en œuvre en avril 1977. Le concours du patronat animé par MM. Ceyrac et Chotard a été particulièrement efficace : quatre cent soixante-quinze mille postes de travail offerts au 31 décembre 1977, dont cent quatre-vingt-dix mille embauches avec exonération des charges sociales et patronales.

L'indice des prix de détail s'établit à 9 % contre 9,9 % en 1976. Je ne m'attendais pas à mieux pour des raisons que j'ai déjà évoquées, mais je constate que la tendance inflationniste s'est renversée, que les anticipations inflationnistes sont calmées. Le ralentissement de la hausse du salaire horaire en est la confirmation.

En résumé les jalons d'une nouvelle politique économique globale de stabilité que j'avais posés entre août 1976 et la fin de 1977 commençaient à porter leurs fruits.

*Vous allez vous-même être élu député de Lyon. C'était la première fois que vous affrontiez le suffrage universel. Avez-vous hésité à vous engager sur un terrain qui, vous l'avez dit, n'est pas vraiment le vôtre ?*

J'étais face à deux problèmes : celui de ma candidature dans une circonscription, celui de ma participation à la campagne électorale. Sur le premier, je n'ai pas du tout hésité car j'étais décidé à me présenter aux législatives. Il eût été inconcevable, au milieu de l'agitation politique qui régnait dans le pays, que je ne m'expose pas au verdict des électeurs ! Je vais choisir la 4e circonscription de Lyon. Je n'avais aucune attache particulière avec Lyon. Nous autres universitaires, nous avions même une certaine réticence à nous installer à Lyon, car il était difficile de se faire accepter par les Lyonnais.

Deux circonstances, en 1976 et au début de 1977, m'avaient toutefois donné l'occasion de rencontrer de nombreuses personnalités locales. D'une part, quand Louis Pradel, maire de Lyon depuis 1957, décéda, le président de la République, en voyage à l'étranger, me demanda de le représenter et de prononcer l'éloge funèbre au nom du gouvernement. Une tâche assez difficile, car je ne connaissais pas M. Pradel. Je parlais dans la primatiale Saint-Jean. Madame Pradel et les Lyonnais furent touchés de mon hommage à un maire qu'ils aimaient tout particulièrement et le préfet me signala leur sentiment de sympathie. D'autre part, je suis allé présider au printemps 1977 la Foire de Lyon où j'ai de nouveau baigné dans les milieux politiques et économiques de la ville.

Le président de la République avait demandé au maire Francisque Collomb de voir s'il n'y avait pas une circonscription de libre dans sa ville. Accompagné de plusieurs personnalités, il vient à Paris en octobre 1977, me proposer d'être candidat dans la 4e circonscription. Louis Joxe, député depuis 1968 à la demande du général de Gaulle, avait décidé de se retirer. D'autres circonscriptions me furent proposées à la même époque. Quand il fallut, en octobre 1977, que je choisisse, Giscard m'a dit : « Vous êtes Premier ministre, un jour vous ne le serez plus, mais vous n'échapperez pas à la politique. En France, on ne fait pas de la politique sans une base solide, non pas à Paris mais en province. Je vous conseille Lyon. » C'est donc là que je décide, selon une expression qui surprit, « d'aller au charbon ».

La 4e circonscription, qui recouvre trois arrondissements – le IIIe, le VIe, le VIIIe –, avait la réputation d'être un « bourg pourri[1] », mais ses habitants étaient sociologiquement très diffé-

---

1. L'expression vient des circonscriptions anglaises à faible population et que l'on pouvait jadis « acheter ».

renciés. Le VI^e arrondissement est le quartier de la bourgeoisie riche ; le III^e est celui des petits industriels, des artisans, des commerçants, dont le cœur se trouve à Montchat, qui est resté un véritable village ; enfin le VIII^e est occupé par des salariés, du cadre à l'employé, et penche à gauche.

Les Lyonnais n'aiment pas les « parachutés » au moment des élections. Je ferai campagne sans interruption d'octobre 1977 à mars 1978. Dès l'instant où je me déclare, je serai tous les vendredis sur place. Il était absolument nécessaire que je me fasse connaître dans la ville et dans la circonscription. J'installe donc une permanence et multiplie les contacts dans tous les milieux. Louis Joxe, qui donna un cocktail d'adieu, eut la gentillesse de me présenter un maximum de gens.

Le RPR voulut être désagréable. Il considérait que la circonscription lui appartenait et qu'il me l'offrait. En accord avec Francisque Collomb, j'ai délibérément ignoré leur déclaration ; ce sont des Lyonnais qui m'avaient sollicité et accueilli. J'entretenais de bonnes relations avec les centristes, notamment avec M. Chaine, figure très respectée de la démocratie chrétienne et avec le représentant du Parti radical, le truculent M. Batailly. J'ai décidé de me présenter sous l'étiquette « Majorité présidentielle ». Alban Vistel créateur d'un des premiers mouvements de résistance, responsable politique et militaire de la région Rhône-Alpes, Compagnon de la Libération, me manifesta sa sympathie et accepta de présider mon comité de soutien ; son patronage m'honorait autant qu'il m'aida. Jusqu'à sa mort je garderai avec Alban Vistel des liens très étroits.

J'avais choisi pour suppléant M. Barridon, un médecin très connu et très apprécié à Montchat, qui avait été suppléant de Louis Joxe. Je ne manquerai pas de visiter les « bouchons » lyonnais et je dus absorber de nombreux « communards » — un kir au Beaujolais. Je suis élu au premier tour avec 55,95 % des voix. Résultat d'autant plus significatif que depuis 1962 il avait toujours fallu deux tours pour que le candidat de la majorité – Maurice Herzog puis Louis Joxe – l'emporte. Je serai reconduit à chacune des élections législatives suivantes, dès le premier tour, sauf en 1993 où je serai en ballottage favorable.

Je resterai député de Lyon jusqu'en 2002, date à laquelle j'ai annoncé mon retrait de la vie politique active.

*Tandis que vous êtes candidat à Lyon, vous participez activement à la campagne électorale nationale ?*

Pourquoi l'ai-je fait ? Pour une raison simple : j'étais le chef du gouvernement, je devais défendre une politique, je devais surtout éviter qu'un chef de parti, Jacques Chirac, apparaisse comme le chef et le leader de l'opposition. C'était indispensable à l'équilibre économique et politique du pays.

Dans cette campagne le slogan « Barre confiance » fut utilisé, ce qui agaça certains. C'est Michel Bongrand, spécialiste de la communication, qui avait suggéré et conseillé à mes collaborateurs de recourir à ce slogan. Je n'en étais pas partisan car je ne souhaitais pas donner l'impression que je conduisais une campagne « personnelle ». Je cédai cependant à l'insistance de mes collaborateurs et je pus constater sur le terrain, que ce n'était pas un artifice.

À partir de février 1978 je consacrerai mes après-midi et mes soirées à la campagne électorale. J'effectuerai quarante-cinq déplacements en province. Je soutiendrai directement soixante-sept candidats parmi lesquels une vingtaine de RPR. J'adresserai trente-trois lettres et huit télégrammes de soutien à des RPR. Je ne ferai preuve d'aucun sectarisme politique.

Partout où je me rends l'accueil est chaleureux. Des participants aux meetings viennent m'exprimer leur sympathie et leur confiance. Ce dernier mot revient souvent. Des candidats trouvent un soutien non négligeable dans mes propos.

Il y a eu quarante-huit élus sur les soixante-sept candidats que j'ai directement soutenus. Parmi eux, des jeunes qui se présentaient pour la première fois comme Charles Millon, Pascal Clément, François d'Aubert, Bernard Bosson pour ne citer que quelques-uns. Ils vont comme tous les autres, me manifester plus tard leur fidélité.

La victoire du 19 mars 1978 est pour moi une source de grande satisfaction. La majorité et le président de la République l'ont emporté sur une gauche dont on pouvait craindre la démagogie. Nous avons quatre-vingts sièges d'avance sur l'opposition. La politique économique et sociale du gouvernement n'a pas − selon les craintes et les dires − fait perdre les élections.

Je suis désormais un élu. Mon élection à Lyon et ma participation à la campagne électorale ont montré que je n'étais pas seulement un économiste mais un homme politique qui pouvait affronter les politiciens chevronnés. Et puis, si je ne me vanterai pas d'avoir gagné les élections législatives − bien que je sois depuis 1973 le seul Premier ministre dans ce cas − je me réjouirai de ne les avoir point perdues. Quel bouc émissaire aurais-je fait si nous les avions perdues ?

Quand on me demande quels sont les bons souvenirs de la période où j'ai été Premier ministre, je cite toujours le face-à-face avec François Mitterrand et les élections législatives de 1978.

*Au soir du second tour des législatives de 1978, c'est la « divine surprise » pour la majorité présidentielle, la « gueule de bois » pour la gauche. Trois jours après, Giscard déclare à la télévision qu'il veut « préparer la voie d'une large union nationale », et il appelle à « une cohabitation raisonnable » entre la majorité et l'opposition. Avant que vous ne démissionniez et que vous formiez un nouveau gouvernement, le président va recevoir tous les dirigeants politiques et syndicaux, Jacques Chirac, François Mitterrand, Georges Marchais, Edmond Maire, Georges Séguy, François Ceyrac... C'est une initiative sans précédent depuis le début de la Ve République. Giscard vous a-t-il consulté avant de prendre cette initiative ?*

Il m'en a bien entendu parlé, mais il n'avait pas à me consulter. Il avait cette idée depuis longtemps et sa volonté de décrisper les relations politiques dans le pays était très sincère. Il ne « faisait pas un coup ». Il espérait que son initiative serait suivie d'effet.

Pour ma part, j'ai observé de l'extérieur tous ces visiteurs qui se sont succédé à l'Élysée, et j'ai démissionné le 31 mars juste après que le président eut terminé ses consultations.

*Allait-il de soi que vous soyez reconduit dans vos fonctions ?*

Non, mais le président m'avait prévenu : « Si nous gagnons les élections, je vous reconduis. » Quand il procède à ma renomination comme Premier ministre, il me dit : « Vous êtes là pour trois ans. Au début de 1980 je changerai le gouvernement pour préparer les élections présidentielles. D'ici là vous savez de combien de temps vous disposez. »

J'en pris acte.

# CHAPITRE VI

# L'embellie et les orages
# avril 1978-janvier 1980

## LA STABILITÉ GOUVERNEMENTALE

*Au lendemain des élections législatives s'ouvre une longue période qui se termine par le scrutin présidentiel de mai 1981. Quels seront, de votre point de vue de Premier ministre, les traits majeurs qui caractériseront ces années ?*

J'en retiendrai trois qui, peut-être, vous surprendront : d'abord la stabilité gouvernementale ; ensuite une situation politique relativement calme en dépit d'une offensive du RPR, continue mais prudente ; enfin une action gouvernementale intense fondée sur deux orientations essentielles, la poursuite de la politique de stabilisation et l'adaptation de l'économie française au changement du monde.

Sur le premier point, après une phase de consultation très large avec diverses formations politiques à l'Assemblée nationale et au Sénat, j'ai entamé le processus de formation du gouvernement. La plupart des ministres en place garderont leurs fonctions. Il y aura cependant quelques modifications.

D'abord, en accord avec le président de la République, je décide de scinder le bastion de la rue de Rivoli. D'une part, je crée le ministère de l'Économie et des Finances, que je confie à René Monory avec lequel je veux engager la libération des prix. « Vous pensez qu'il fera le poids dans cette maison ? », m'interrogea Giscard. « Absolument », lui répondis-je. René Monory est probablement le ministre qui aura le plus étonné Giscard !

D'autre part, je crée le ministère du Budget, qui reviendra à Maurice Papon avec l'entière approbation du président. Moi-même, je n'aurai qu'à me réjouir des compétences de Papon. Il va, jusqu'en 1981, gérer le Budget avec rigueur et pragmatisme. Lorsqu'il fut, dans les années suivantes, poursuivi par une vindicte quasi générale dans une affaire où il apparaissait comme un bouc émissaire de choix, j'ai tenu à aller au tribunal de Bordeaux témoigner de l'action dévouée qu'il avait menée au service de la France.

Comme je n'entendais nullement abandonner la supervision des Affaires économiques, j'ai adressé à chacun, au moment de sa nomination, une lettre pour lui expliquer qu'il pourrait m'arriver de consulter directement les directeurs. Ce n'était pas dans les usages, mais comme il n'y avait de ma part aucun signe de défiance à leur égard, je leur demandai de ne pas s'en formaliser. Tout a merveilleusement fonctionné. Les directeurs de cabinet, Pébereau à l'Économie, Bilger au Budget, étaient de premier ordre.

Où mettre Robert Boulin qui était ministre délégué à l'Économie et aux Finances ? Il lui aurait été difficile, lui ai-je dit, de reprendre ou l'Économie ou le Budget, puisqu'il venait d'assumer ces deux fonctions. Il en a été attristé. Il a accepté le ministère du Travail et de la Participation, où il s'est révélé excellent. Après sa mort, j'appellerai Jean Mattéoli, président des Charbonnages de France, qui fut membre du réseau de résistance du chanoine Kir et déporté à Mauthausen.

Ensuite, la hiérarchie entre les ministres est légèrement modifiée. Alain Peyrefitte, toujours garde des Sceaux, reste numéro un, tandis que Simone Veil, ministre de la Santé, passe du treizième rang au deuxième. Elle est destinée à conduire une liste de la majorité aux élections européennes de juin 1979.

Autre changement important : comme René Haby s'en allait, j'ai proposé à Christian Beullac de prendre l'Éducation nationale, car j'estimais qu'il était urgent de mettre à la tête de ce ministère immense et peu transparent en raison des influences syndicales un organisateur, un chef d'entreprise. Il fallait diriger l'Éducation nationale avec un esprit très différent de celui d'un universitaire ou d'un spécialiste des problèmes de l'enseignement. Beullac fera un travail efficace, à tel point que son successeur, le socialiste Savary, viendra me le dire.

J'ai beaucoup apprécié Jean-Philippe Lecat, nouveau ministre de la Culture et de l'Environnement. Mme Alice Saunier-Séïté, promue ministre des Universités, n'avait pas un caractère commode. Mon ami et collègue Tabatoni son directeur de cabinet et mon conseiller Jean-Claude Casanova sauront heureusement arrondir les angles. Étant moi-même universitaire, je désirais, tous les six mois, organiser à Matignon un déjeuner avec les présidents d'université quand ceux-ci tenaient leurs « Conférences ». Comme je les invitais tous, y compris ceux de gauche qu'Alice Saunier-Séïté n'appréciait guère, notamment le président de Lyon II, elle ne se privait pas de montrer son mécontentement !

Enfin, j'ai proposé deux autres personnalités au président : André Giraud, polytechnicien du corps des Mines, expert en pétrole, pour l'Industrie, et le spécialiste de l'électronique Pierre Aigrain, directeur général de Thomson, comme secrétaire d'État auprès du Premier ministre chargé de la Recherche scientifique. Le président accepta ces trois éminents représentants de ce qu'on a depuis baptisé la « société civile ».

Dans les mois qui suivront, il y aura quelques changements. Giscard voulait promouvoir Jean François-Poncet[1], qui rempla-

---

1. Jean François-Poncet était alors secrétaire général de l'Élysée.

cera Guiringaud au Quai d'Orsay. Sur ma proposition, Joël Le Theule, un ami de Chaban-Delmas, avait été nommé ministre des Transports. J'avais mesuré son talent et sa pugnacité quand il était rapporteur de la loi sur la concurrence à l'Assemblée nationale. Il ira à la Défense après l'élection d'Yvon Bourges au Sénat. Deux mois plus tard, victime d'une crise cardiaque, il disparaîtra à l'âge de 58 ans. Robert Galley lui succédera.

Tout cela s'est passé dans un très bon climat : je parle ici de l'organisation et du fonctionnement du gouvernement. Le climat politique, lui, était inchangé. Comme avant les élections, chaque fois que le gouvernement agissait, présentait une réforme, un texte de loi, que sais-je, Labbé montait en première ligne pour nous accuser, avec la finesse qu'on lui connaissait, de tous les péchés et, derrière, Chirac assénait le coup de massue.

*Le RPR avait obtenu 153 députés – il en avait perdu vingt –, l'UDF, 130. Vous avez, Giscard et vous-même, revendiqué la victoire. Cela n'a-t-il pas aggravé l'affrontement avec Chirac ?*

Pas du tout ! Comme je vous l'ai dit, la stratégie de Chirac, arrêtée depuis son départ de Matignon, se résumait en deux mots : détruire Giscard. Le soir du second tour des législatives, le 19 mars, j'ai publié un communiqué dans lequel je faisais un double constat. D'une part, la majorité, démentant tous les pronostics, l'avait emporté. D'autre part, l'UDF, qui venait d'être créée, avait réalisé un magnifique score. Ce double constat n'était-il pas l'événement du scrutin ? Le RPR, que je n'avais pas cité, fulminait.

Rétrospectivement, je réalisai que M. Bongrand avait eu raison de nous imposer le slogan « Barre confiance ». Déjà, durant la campagne, j'avais été étonné du nombre de candidats qui sollicitaient mon soutien. Y compris des candidats du RPR ! À l'issue du scrutin, n'était-il pas légitime que je rappelle la place qui me revenait dans la victoire ? Dans l'ouvrage qu'il a publié à l'époque, Jacques Chirac raconte que les affiches « Barre confiance » l'amusaient. Elles l'amusèrent moins, les résultats connus. Bref, je n'avais aucune raison de m'incliner devant le RPR parce qu'il comptabilisait quelques sièges de plus que l'UDF.

Je ne regrette pas mon communiqué du 19 mars qui n'avait d'autre but que de mettre les choses au point. Je ne cherchais pas à provoquer le RPR. Avait-on d'ailleurs besoin de le provoquer ? En tout cas, pendant la constitution du gouvernement, je n'ai manifesté aucune raideur mais me suis montré respectueux des équilibres partisans et régionaux.

*Pour qualifier la période 1978-1980, vous retenez une deuxième caractéristique : « une situation politique relativement calme ». Or, comme vous venez de le rappeler, les tensions au sein de la majorité sont fortes, l'opposition de la gauche est violente et, selon les sondages, votre impopularité est constante. Comment pouvez-vous avoir cette impression de « calme » ?*

Je me suis toujours demandé pourquoi j'avais duré et je ne garantis pas la pertinence de mes réflexions ! J'illustrais le propos du général de Gaulle : « Le Premier ministre dure et endure. »

En dépit du nombre des ministres RPR, je savais que les ponts étaient définitivement coupés avec la direction de ce parti. Celle-ci savait que je serais inflexible sur les questions essentielles et, durant les trois années qui vont s'écouler, je vais être soumis aux critiques de ceux qui contestent ma politique, des commentateurs qui ne ménagent pas leurs sarcasmes envers le « professeur Barre », le « meilleur économiste de France », le « Premier ministre le plus impopulaire », le « Premier ministre en sursis »...

Comment vivre et accomplir sa mission dans un climat aussi délétère ? J'avais décidé de ne pas tenir compte de ce déferlement de propos plus ou moins amènes – si l'on peut dire –, pour plusieurs raisons.

J'avais le soutien et la confiance du chef de l'État. Ils me furent par deux fois renouvelés.

En septembre 1979, à la veille des Journées parlementaires de l'UDF qui se sont déroulées à Vittel, les attaques ont monté d'un cran. J'ai alors évoqué avec Giscard, ce que nous faisions assez rarement, l'état général de l'opinion et les commentaires que je lisais dans la presse. D'une part, je savais, depuis mon premier jour à Matignon, qu'il pouvait à tout moment me demander de démissionner. D'autre part, compte tenu de ce qu'il m'avait précisé en 1978, je m'attendais à la fin de 1979 et au début de 1980, à un changement de Premier ministre et de gouvernement. « S'il faut que je parte, lui ai-je dit, je partirai. » Si mon moral était intact, je reconnais que, passez-moi l'expression, « j'en avais marre ». Il m'a répondu : « Laissons, laissons tout cela. » Le soir de cette audience, nous dînions seuls, ma femme et moi – une intimité assez rare quand vous êtes Premier ministre ! –, le téléphone sonne et on me passe le président. La conversation sera brève : « Bien entendu, Monsieur le Premier ministre, vous continuez. Bonsoir. »

Le lendemain, j'étais à Vittel. Roger Chinaud, président du groupe UDF à l'Assemblée nationale, m'accueille et m'annonce : « Giscard m'a demandé de faire savoir à tous nos amis que vous restiez. » À peu près durant cette même période, le président fit un voyage à l'étranger. Il était accompagné de Jacques Wahl, secrétaire général de l'Élysée, et, au détour d'une phrase, il lui confia : « Monsieur Wahl, nous avons un bon gouvernement. »

Un mois plus tard, l'assaut contre moi s'est déchaîné. Quelques journaux, en particulier *Le Monde*, demandaient tout simplement que je m'en aille. Dans les rangs du RPR, comme dans ceux de l'UDF, beaucoup d'élus manifestaient leur inquiétude et jugeaient que je nuisais à l'image de la majorité. Jusqu'à certains ministres qui expliquaient à Giscard que mon impopularité devenait politiquement dangereuse et qu'il fallait me remplacer. Philippe Mestre m'informait de toutes ces rumeurs qui ne sont restées que des rumeurs.

Enfin, quand il s'envole au mois de janvier 1980 pour l'Inde, sur le tapis rouge qui conduit à l'avion, il m'interroge : « Combien de temps avez-vous passé à Matignon Monsieur le Premier ministre ? » Question typique de Giscard, qui le savait parfaitement. « Presque quatre ans, Monsieur le président ». Et il conclut : « Eh bien, soyez prêt, Monsieur le Premier ministre, à aller jusqu'au bout. » Et j'ai continué à porter le fardeau.

*Dans vos conversations, il vous disait toujours « Monsieur le Premier ministre » ?*

Oui, et de mon côté je lui ai toujours dit « Monsieur le président. » Nous ne nous sommes jamais appelés autrement. Si nos relations, pendant mon passage à Matignon, ont toujours été très franches, directes et courtoises, elles n'ont pas débordé les frontières de nos fonctions réciproques. Elles sont restées en quelque sorte professionnelles, mais confiantes.

*Ainsi, quand on ne cessait d'annoncer un changement de Premier ministre, vous étiez par conséquent très serein de ce côté-là ?*

Je ne voulais pas me laisser impressionner par des adversaires d'un microcosme que je ne tenais pas en grande estime. Je constatais leur ignorance des réalités, leur attachement prioritaire à leurs intérêts particuliers politiques ou autres, le faible niveau intellectuel dont ils faisaient preuve et souvent leur mauvaise foi. J'évoquais de temps à autre Chateaubriand : « Il y a des temps où l'on ne doit dépenser le mépris qu'avec parcimonie à cause du grand nombre de nécessiteux. »

Comme je n'aime mépriser personne, je me suis retranché dans la plus complète indifférence à l'égard de tous ceux qui m'assaillaient. Cela ne m'a pas été difficile, car je n'avais pas intrigué pour être à Matignon, je savais que ma fonction était par nature précaire et je ne vivais pas dans l'angoisse d'avoir à m'en aller. Enfin, je pensais que ce que je faisais était nécessaire à la France, que l'économie se redressait, que j'inspirais confiance à mes concitoyens et à l'étranger et qu'il fallait faire preuve d'une grande ténacité. Mon départ aurait signifié un changement de politique aux yeux de tous. Quel que soit mon intérêt personnel, il me fallait « endurer ».

C'est avec un certain amusement que j'entendais les rumeurs, que j'observais les manœuvres qui résultaient de l'idée que mes jours étaient comptés. Dès qu'un Premier ministre prend ses fonctions, on cherche qui sera son successeur ! On venait m'informer des consultations du président qui s'interrogeait – devait-il ou non me garder ? –, et des questions qu'il posait à ce sujet aux journalistes. On me citait des noms de possibles successeurs ou de prétendants. Je ne retiendrai que les plus notables. Jacques Chaban-Delmas, mais il pensait que je devais rester et me manifesta toujours beaucoup de sympathie. Alain Peyrefitte, mais il était évident qu'il préparait l'après-présidentielle où il serait le mieux placé comme Premier ministre appartenant au RPR non chiraquien. Robert Boulin, auquel le président avait rendu hommage lors d'un passage à Libourne et dont on ne connaissait pas encore la situation personnelle difficile. Les journalistes passaient aussi en revue les ministres susceptibles de me remplacer alors que je savais pertinemment qu'ils n'intriguaient pas.

Nous formions une équipe très solidaire et ce fut ma chance. Je n'ai pas le souvenir qu'un seul membre de mon gouvernement ait agi dans mon dos. Au demeurant, je ne l'aurais pas accepté. Ni le président ni moi n'aurions toléré une situation comme celle que l'on connaît actuellement : au sein même du gouvernement, des clans se battent entre eux ! C'est pitoyable.

Quel aurait été, par conséquent, l'intérêt de Giscard de venir bousculer une équipe gouvernementale qui montrait son unité dans l'action, en dépit des coups qu'elle prenait ? En réalité, si j'avais démissionné, j'entraînais le président dans une situation inextricable. Il eût fallu qu'il me trouve un successeur qui tienne face au RPR. Mais qui ? S'il avait choisi une personnalité RPR, celle-ci aurait été aussitôt désavouée par Chirac. Un Premier ministre RPR « aurait été flingué sur-le-champ » pour reprendre l'expression de Peyrefitte !

S'il avait cherché quelqu'un dans les rangs de l'UDF, il n'en aurait pas trouvé. Jean-François Deniau ? Savez-vous qu'en décembre 1980, Deniau demanda à Giscard de le nommer vice-Premier ministre ? Quand le président m'en parla, je m'y suis bien entendu opposé, ajoutant : « Donnez-lui tout ce qu'il veut mais ce poste de vice-Premier ministre n'a pas de sens. » C'est vous dire que, dans la classe politique, l'idée de me remplacer ou de me mettre sous tutelle a été entretenue jusqu'à la fin du septennat.

Mon maintien dans mes fonctions restait donc une interrogation sans réponse, mais toujours présente.

Je ne me suis cru à aucun moment indispensable, conscient que je resterais le temps où je serais utile. En revanche, si je durais, c'est que, me semblait-il, la situation économique de la France justifiait ma présence à Matignon et que je me montrais capable de résister à l'opposition larvée du RPR, sans ménagements excessifs. Je servais ainsi de bouclier au chef de l'État et il était difficile, pendant cette période, de répondre à la question : « À la place de Barre, qui voyez-vous ? »

Quelques semaines avant mai 1981, le président me demanda au cours d'une de nos conversations très libres, qui je voyais comme successeur possible après l'élection présidentielle et il me cita quelques noms. Ma réponse fut simple : Jean François-Poncet, en raison de son intelligence, de sa compétence, de son expérience et de son absolue loyauté à son égard.

Je formais moi-même le vœu qu'au lendemain de sa réélection il ne soit pas conduit à choisir un RPR comme Premier ministre. Celui-ci, même s'il ne l'avait pas voulu, aurait été progressivement amené à céder aux pressions d'un parti important, bien organisé, dédouané par l'élection présidentielle mais impatient de reconquérir un pouvoir qu'il avait longtemps exercé et, pendant un moment, perdu. Je craignais que ne se reconstitue patiemment et discrètement le « régime d'un parti ». Ce n'était pas l'esprit de la V<sup>e</sup> République à ses origines.

*Pour vous, par conséquent, rien n'aurait pu contrarier l'obstruction systématique du RPR à la politique du chef de l'État ? En d'autres termes, le scénario était écrit et se déroulera parfaitement jusqu'en mai 1981 ?*

Absolument, et dans mes relations avec les partis politiques de la majorité, j'ai eu à faire face, en plus des chocs pétroliers, au choc du RPR ! Si j'ai toujours bénéficié d'un soutien amical du groupe UDF à l'Assemblée nationale, de la sympathie de la majorité du Sénat présidé par Alain Poher – j'ai été le premier chef de gouvernement de la V<sup>e</sup> République à solliciter un vote de confiance du Sénat sur une déclaration gouvernementale –, j'ai toujours été en butte à une hostilité, la plupart du temps larvée, quelquefois explosive du RPR.

Je ferai une distinction entre les élus RPR que je rencontrais à l'Assemblée et au Sénat, et l'appareil du parti pris en main par Jacques Chirac. Un parti organisé de manière rigide, s'éloignant progressivement des pratiques des « barons » – Guichard, Frey – et décidé à reprendre le pouvoir à partir de la puissante base politique et financière que constituait la Mairie de Paris.

Après les élections de 1978 où, comme je vous l'ai dit, le succès de l'UDF fut légitimement perçu comme un contrepoids au RPR, Jacques Chirac développa une stratégie orientée vers un seul but : abattre Valéry Giscard d'Estaing – qu'il avait contribué à faire élire mais qui n'acceptait pas la prédominance du RPR.

Le gouvernement et moi-même fûmes l'objet d'attaques multiples au Parlement comme à travers des médias discrètement contrôlés. M. Labbé à l'Assemblée nationale déclarait avec solennité que son groupe n'accorderait pas de blanc-seing au gouvernement et qu'il examinerait avec vigilance ses divers projets. Je lui répliquerai sans ménagement. Michel Debré, pour lequel j'avais le plus grand respect, fit preuve d'un certain sectarisme alors qu'il était conscient des efforts que nous faisions.

L'opposition du RPR se manifesta de façon spectaculaire à diverses occasions : l'« appel de Cochin », les élections européennes, le vote du budget à la fin de 1979. Nous en parlerons. Il s'agissait de saisir toutes les opportunités pour affaiblir, au-delà du gouvernement, le président de la République.

Mais le RPR n'alla jamais jusqu'au bout de sa logique : il ne souhaitait pas censurer le gouvernement, ce qui aurait provoqué une dissolution. D'ailleurs, toutes les fois que j'ai dû utiliser le 49.3[1] sur un texte, le RPR n'a jamais déposé de motion de censure. En effet, dans l'hypothèse d'une dissolution, il n'était pas assuré de gagner les élections qui auraient suivi, car le président de la République jouissait d'une forte popularité dans le pays. J'avais fait savoir qu'en cas de dissolution, je mènerais personnellement une campagne virulente dans toute la France. La direction du RPR se souvenait des dernières législatives et elle me tenait, croyez-moi, pour quelqu'un de plus dangereux qu'un Premier ministre impopulaire, incapable de faire autre chose que de l'économie...

Tout au long de ces vicissitudes politiques, il m'est apparu comme une évidence que le RPR concentrerait tous ses efforts sur le scrutin présidentiel. Giscard ne pouvait ni ne voulait descendre dans la mêlée. Il n'avait pas abandonné l'espoir d'une

---

1. L'article 49.3 de la Constitution permet au gouvernement de poser la question de confiance sur un texte. Celui-ci est considéré comme adopté, à moins que l'opposition ne dépose une motion de censure et que cette dernière soit votée. Les élus qui appartiennent à la majorité prennent très rarement ce risque et s'abstiennent.

coopération avec le RPR et même d'une entente ultime avec Jacques Chirac. De mon côté, je pensais que les électeurs RPR, fidèles au gaullisme, ne pouvaient voter en faveur de François Mitterrand au second tour d'une élection présidentielle. Mais j'étais également de plus en plus convaincu de la détermination hostile de Chirac, qui préférait avoir en face de lui François Mitterrand : une victoire de celui-ci ne compromettait pas définitivement son avenir.

Ce qui advint en 1981 ne m'étonna pas. Une fois de plus il était prouvé qu'il n'y a pas de morale en politique, seul compte le succès. Cette recherche du succès peut engendrer d'incroyables manœuvres quand bien même l'avenir du pays est en jeu !

Jacques Chirac a fait battre Valéry Giscard d'Estaing alors qu'il savait n'avoir aucune chance de gagner. Cela nous vaudra quatorze ans de mitterrandisme et de socialisme. Mais Chirac sera élu en 1995 président de la République : son but était atteint. Il couronnait de la sorte une éclatante carrière politique.

## L'ADAPTATION DE L'ÉCONOMIE FRANÇAISE ET LA LIBÉRATION DES PRIX

*Venons-en à la troisième caractéristique de ces années 1978-1981 qui a été, dites-vous, la stabilisation et l'adaptation de l'économie française...*

La politique économique mise en œuvre en 1976 avait été, pour les raisons que j'ai déjà données, une politique de désinflation progressive sans déflation. Elle a débouché sur des résultats satisfaisants.

La progression de la masse monétaire est contrôlée et passe à 12,2 % en 1978, 14,4 % en 1979, mais à 9,7 % en 1980. Le taux des liquidités de l'économie a été stabilisé et diminue en 1980. En matière budgétaire, le déficit accepté pour des raisons conjoncturelles se maintient entre 1,5 et 1,1 % du PIB. L'évolution des rémunérations s'est modérée : l'accroissement du pouvoir d'achat du salaire horaire passe à 2,6 % en 1978, 1,7 % en 1979, 1,6 % en 1981. Le franc, à partir de mars 1979, a une tenue exemplaire au sein du SME. Les réserves de change de la Banque de France ont, en gros, quadruplé. Le taux de croissance du PIB marchand s'est maintenu à 3 % entre 1977 et 1979 ; il est de 1,1 % en 1980.

Si la balance commerciale de la France est équilibrée dès 1978 et au début de 1979, le deuxième choc pétrolier va provoquer un accroissement du déficit, qui passe à 60 milliards de francs. La balance des paiements courants excédentaire en 1978 et 1979 va aussi se détériorer en 1980 : le déficit est de l'ordre de 30 milliards de francs. En dépit de cette évolution, à aucun moment le gouvernement n'a cherché à introduire des mesures protectionnistes. C'est une forte mobilisation des entreprises qui a permis le développement des exportations qui augmenteront de plus de 30 %, en francs constants, sous mes cinq années à Matignon.

Certes, ces résultats ont été affectés en 1979 et 1980 par le fameux choc pétrolier ; l'inflation n'en a pas moins été contrôlée. L'effet peut-être le plus important de la politique engagée a été de réduire les anticipations inflationnistes et d'arrêter, au lendemain du deuxième choc pétrolier, le risque d'une accélération de la hausse des prix. En 1976, 1977 et 1978, il n'y a plus eu d'inflation à deux chiffres, comme on disait alors. En 1979, les facteurs internationaux ont entraîné une hausse des prix supérieure à 10 %, mais le gouvernement n'est pas revenu sur la libération des prix industriels décidée en 1978.

Si la politique de mon gouvernement n'a pas permis de faire passer le taux d'inflation en dessous de la barre des 9 %, c'est qu'elle fût limitée par deux facteurs : la volonté d'une part de ne pas amputer massivement le pouvoir d'achat des Français et d'éviter ainsi une explosion sociale ; les caractéristiques structurelles de l'économie française d'autre part, qui ont empêché les adaptations nécessaires.

C'est pourquoi le gouvernement s'attela à des actions structurelles. Elles étaient indispensables si nous voulions faire face à une concurrence internationale de plus en plus vive et à la brusque augmentation du prix de l'énergie.

À l'issue du Conseil des ministres du 11 juillet 1979, le président déclara : « La France doit consacrer ses forces à s'adapter au nouvel état du monde. » Nous étions tous conscients de la nécessité et de l'ampleur de la tâche.

*La libération des prix industriels que vous avez décidée en août 1978 était-elle un préalable à ces actions structurelles ?*

Les prix étaient encadrés par une ordonnance de 1945. J'ai décidé de ne plus l'appliquer. Il y a eu évidemment un concert de surenchères, certains beaux esprits, dont Jacques Chirac, réclamant que j'abolisse l'ordonnance. C'était stupide. Il eût fallu un vote à l'Assemblée, ce qui aurait, dans la situation où se trouvait la majorité, rallumé l'incendie entre l'UDF et le RPR.

J'étais convaincu que la libération des prix apparaîtrait, avec le recul du temps, comme une réforme de structure fondamentale qui aurait assuré la survie, la modernisation et l'adaptation de notre pays aux nouvelles conditions économiques mondiales. L'avenir ne m'a pas démenti. Rappelez-vous : même le Parti socialiste reconnaîtra, en 1981, le bien-fondé de cette politique !

Si j'avais continué d'appliquer l'ordonnance de 1945, nous n'aurions pas pu, j'en suis sûr, faire face au deuxième choc pétrolier qui allait suivre, en 1979, la chute du chah d'Iran et la victoire de l'ayatollah Khomeyni. L'augmentation du prix du pétrole décidée par Téhéran, puis par l'ensemble des pays de l'OPEP – 58 % au premier semestre 1979 ! – allait, moins de cinq ans après le premier choc, bousculer de façon considérable le paysage économique.

Je crois qu'au-delà de ces conséquences économiques, la libération des prix a eu des vertus pédagogiques. Nos concitoyens ont compris que la réglementation administrative des prix était très peu efficace face à d'autres réalités, dont la concurrence intérieure et internationale. Une entreprise ne fixe pas impunément ses prix sans se heurter à la concurrence d'une autre entreprise française ou étrangère. Cela semble aujourd'hui une évidence. Ça ne l'était pas du tout à l'époque.

On mesurait mal à quel point le contrôle des prix était inflationniste. Cela peut paraître paradoxal mais c'est certainement ce qui avait le plus contribué à l'inflation française depuis 1945.

En dépit des pressions multiples, je ne suis jamais revenu sur la liberté des prix industriels. Dans le même temps, j'ai fait jouer la concurrence et je me suis vigoureusement opposé à toute mesure protectionniste. Vous n'imaginez pas le déluge de démagogie sous lequel on a voulu me noyer ! On venait me supplier : « Mais vous êtes fou, n'ouvrez pas les frontières, les prix agricoles vont s'effondrer ! » La CGT brandissait la menace des produits étrangers et comptabilisait les usines qui devraient fermer ! Ah, j'en ai entendu ! André Bergeron de FO était le plus raisonnable.

En réalité, au-delà de la libération des prix, l'objectif du gouvernement était de libérer les forces de productivité par la restauration de l'esprit de responsabilité et de risque et par la suppression des contrôles étatiques. Liberté donnée aux entreprises de procéder aux allègements d'effectifs indispensables à leur redressement et souvent à leur survie. Développement des contrats qui assurent aux dirigeants d'entreprises publiques une pleine liberté d'action dans le cadre d'objectifs clairement définis. Modernisation des circuits financiers. Enfin allègement du contrôle des changes.

J'attachais une importance majeure à l'investissement. De 1977 à 1980, l'investissement global a progressé grâce à une augmentation sensible des investissements publics. Les investissements des entreprises privées, cassés au cours de la période 1974-1975 – moins 12,9 % en volume –, ont repris dès que leur situation s'est assainie. Ces investissements se sont d'abord effectués sous forme d'investissements de productivité, puis de capacité.

Dès le budget 1977, nous avions mis en œuvre diverses incitations à l'investissement. Après un travail approfondi mené par Jean-Louis Descours, chef d'entreprise et membre du CNPF, il fut prévu par une loi d'accorder dès 1981 une incitation fiscale à l'investissement représentant 25 milliards de francs en cinq ans.

Les résultats furent patents : redressement de l'industrie, brillante croissance des exportations et maintien du pouvoir d'achat des Français. Grâce à quoi, notre économie fut mieux armée pour faire face au deuxième choc pétrolier.

Depuis 1981, l'investissement n'a pas été une préoccupation prioritaire. Ainsi s'explique le retard actuel de l'investissement dans notre économie, ce qui affecte à la fois le taux de croissance et l'emploi. La vie économique ne bénéficie jamais de regrets tardifs.

L'adaptation de l'économie française comportait aussi la réorganisation de notre agriculture afin de l'engager sur la voie d'une « seconde révolution agricole » qui permettrait à notre pays de bénéficier du « pouvoir vert ». Une loi d'orientation agricole est votée en 1980, accompagnée de vingt-cinq décrets d'application. L'aide aux jeunes agriculteurs bénéficie d'un effort particulier. Création d'un secrétariat d'État confié à M. Debatisse ; d'un Institut de développement des industries agricoles et alimentaires (IDIA) ; d'un fonds de promotion des produits agricoles.

Il me paraît également légitime de rappeler que nous avons systématiquement encouragé l'industrie aéronautique, créé la société Ariane Espace, développé considérablement le téléphone et l'informatique. Un plan pour les applications de l'informatique fut doté de 2,25 milliards de francs et une agence pour leur diffusion mise en place, en même temps qu'un programme de développement de la biologie et des sciences de la vie.

En mai 1980, après l'installation d'un Comité d'orientation pour le développement des industries stratégiques, le Conseil des ministres choisira les six secteurs qu'il juge primordiaux : bureautique, électronique grand public, robotique, bio-industries, travaux sous-marins, équipements pour économiser l'énergie. Le textile viendra s'y ajouter. Enfin, sur la base d'un rapport de l'Académie des sciences, un programme de développement des industries mécaniques est adopté en mars 1981. La liste peut paraître fastidieuse, et pourtant je n'ai retenu que l'essentiel pour donner une idée du travail accompli. Que de problèmes, aujourd'hui discutés, ont été abordés et ont commencé à être traités dans cette période 1978-1981 ! Si les efforts initiaux avaient été poursuivis sans interruption depuis lors, peut-être serait-on moins préoccupé par certains des retards qui freinent en 2007 l'évolution de la France.

*Ne pensez-vous pas que votre gouvernement a trop privilégié l'action économique aux dépens de la politique sociale ?*

Cette critique, je le sais, a été souvent formulée. En fait, la stabilisation et l'adaptation de l'économie étaient la base nécessaire d'une politique sociale. De plus, des actions spécifiques ont été menées à ce titre. Je retiendrai quelques exemples des plus notables.

L'emploi : sujet préoccupant puisque le nombre des demandeurs d'emploi est passé de 950 000 à 1 500 000 fin 1980. L'arrivée chaque année sur le marché du travail de 250 000 personnes et la nécessité pour les entreprises de réduire leurs effectifs afin de survivre en sont la cause principale. Pour y remédier, le gouvernement a maintenu la croissance à un taux de 3 % par an ; il a créé trois pactes nationaux pour l'emploi des jeunes – nous en avons parlé – qui ont permis l'insertion de

1 500 000 jeunes ; il a intensifié la formation professionnelle, réformé l'Agence nationale pour l'emploi et mené une vigoureuse politique d'aménagement du territoire qui a permis de créer 1 400 000 emplois.

Quant à la progression du pouvoir d'achat, il a été maintenu au profit des catégories sociales les moins favorisées : les bénéficiaires du SMIC et du minimum vieillesse, comme les familles de trois enfants et plus recevant un complément familial.

Je n'entrerai pas dans le détail des mesures fiscales qui ont permis une répartition plus équitable du coût financier du redressement.

*Quelle fut dans votre action la place du Plan qui existait encore à l'époque ?*

J'ai toujours attaché une grande importance au Plan. S'il fut au départ un instrument de dirigisme très utile pour la reconstruction de la France dans les années 1950 et 1960, il a évolué vers une planification souple : le V$^e$ Plan établi sous l'autorité de Pierre Massé tendait à devenir l'instrument d'une stratégie à long terme.

Je me suis expliqué à ce sujet devant le Conseil économique et social en novembre 1980. J'ai rappelé la formule de Pierre Massé : « Repenser le Plan, oui. Renoncer au Plan, non », et je précisai les trois principes de la planification rénovée, tels qu'ils avaient été retenus pour le projet du VIII$^e$ Plan : une conception stratégique de la planification, c'est-à-dire moins s'attacher à définir des objectifs quantitatifs qu'à identifier les conditions nécessaires du développement et à définir les actions cohérentes pour les satisfaire ; un projet pour la Nation et non, comme auparavant, un projet pour l'État ; une planification permanente pour éviter le conformisme et la sclérose.

C'est dans ce discours que je formulai un avertissement dû à un dérapage des salaires depuis le premier trimestre 1980 :

« Pour les années à venir je manquerais à mon devoir le plus élémentaire, si je ne disais pas clairement que le maintien du pouvoir d'achat est un objectif très ambitieux plus qu'une quasi-certitude. Il est essentiel, au cours des prochaines années, que l'augmentation de la masse salariale dans les entreprises n'excède pas la hausse des prix : cette hausse doit être considérée comme un plafond, non comme un plancher. »

Ce propos ne fut pas apprécié par Giscard qui me fit observer que ce n'était pas le moment politique pour le dire. Je lui répondis que c'était la vérité et qu'il fallait à mes yeux traiter les Français en adultes. Ils devaient admettre qu'ils ne pouvaient indéfiniment vivre au-dessus de leurs moyens.

J'ai beaucoup regretté qu'à partir de 1981 le Plan ait été frappé d'obsolescence et qu'il ait été aujourd'hui abandonné. Dans le cadre d'une politique économique libérale, une stratégie reste indispensable.

## LA CRISE DE LA SIDÉRURGIE ET LES DIFFICULTÉS DE LA SÉCURITÉ SOCIALE

*En 1978, après la formation de votre troisième gouvernement, vous avez à régler un dossier très difficile, celui de la sidérurgie. Depuis trois ans, les conflits sociaux en Lorraine et dans le Nord se sont multipliés et il y a eu parfois des manifestations très violentes. Est-ce que la solution que vous avez retenue – étatisation des entreprises sidérurgiques – était la seule possible ?*

Le dossier de la sidérurgie, ce que l'on appela la nationalisation des Wendel, est le dossier le plus grave auquel je me sois trouvé confronté. Ce fut également l'affaire la plus douloureuse que j'eus à traiter avec, en toile de fond, la détresse de deux régions, le Nord et la Lorraine, auxquelles les Français sont attachés et qui vivaient de la sidérurgie, pour la sidérurgie.

Mais je vous répondrai d'abord ceci : on est toujours puni quand on n'a pas de courage. Pourquoi vous dire cela ? Avant que je ne sois nommé vice-président de la Commission européenne, la CECA, en 1965, m'avait demandé une étude sur la situation mondiale de la sidérurgie. Aidé d'un de mes jeunes assistants à l'université, j'ai remis, début 1967, un rapport dont les conclusions étaient précises : d'une part, la sidérurgie européenne affichait un excédent de capacité productive qu'il était urgent de réduire, d'autre part, il fallait davantage spécialiser la production, car le Japon, déjà un redoutable concurrent, serait vite suivi par d'autres pays.

En dépit de ce double constat, notre gouvernement – Georges Pompidou était Premier ministre – va préparer un nouveau plan de développement de la sidérurgie. C'est à ce moment-là que je prends mes fonctions à la Commission européenne. Or celle-ci reçoit le plan français pour approbation. J'étais évidemment convaincu qu'il était mauvais. Que pouvais-je faire ? Alerter mes collègues et les inciter à réclamer des corrections amendant ce plan beaucoup trop ambitieux ? Ce n'était pas possible, d'autant que nous étions au lendemain de la crise entre Bruxelles et de Gaulle, crise qui s'était soldée par la « politique de la chaise vide ». Aurais-je dû aller voir Michel Debré, alors notre ministre de l'Économie et des Finances, pour lui dire : « Ne faites pas ça » ? Il n'aurait jamais accepté. Jacques Ferry, du CNPF, était l'homme de la sidérurgie. Lié à Debré, il l'avait convaincu que la production de l'acier était indissociable de la Défense nationale – on l'avait vu durant les guerres précédentes – et qu'il fallait la développer.

Quand j'arrive à Matignon et que l'on m'expose la situation dramatique de la sidérurgie, j'ai pensé : je paie mon silence de 1967. Selon un rapport qui m'avait été remis, la situation se résumait ainsi : pour une capacité de production d'acier atteignant 34 millions de tonnes, la demande était de l'ordre de 20 millions de tonnes. Avec la moitié des salariés, la capacité de production restait inchangée. Nous étions face à un problème social, technique, économique et financier. La crise atteignait son point culminant en raison de l'entêtement de certains dirigeants, notamment Jacques Ferry, dont la politique consistait à emprunter, avec la garantie de l'État, pour investir de façon permanente. De leur côté, les syndicats se battaient pour le maintien des effectifs. Comme les salaires dans les aciéries ne cessaient d'augmenter, les sureffectifs creusaient de plus en plus le déficit des entreprises. Par ailleurs, le prix de l'acier était bloqué. Or il eût fallu le libérer, ce qui aurait obligé les sidérurgistes à s'adapter au marché mondial et à gérer convenablement leurs entreprises.

*Mais quel a été le déclic qui vous a obligé à agir très vite et à ce moment-là ?*

L'endettement des groupes sidérurgiques, qui atteignait quelque 25 milliards de francs ! À Matignon comme aux Finances, on ne voulait plus garantir leurs prêts. Jacques de Fouchier, président de Paribas, m'avait averti : « Dans une situation pareille, je ne peux plus accorder de crédits sans la garantie de l'État. » Voilà où nous en étions et, pour gagner du temps, j'ai décidé de lui donner cette garantie.

En concertation avec les directeurs du ministère de l'Industrie, la direction du Trésor, les représentants syndicaux, les industriels, nous avons alors conçu le « Plan acier ». C'est toute l'administration française qui allait y travailler de façon solidaire. Moi-même, je m'y investis totalement, épaulé par Michel d'Ornano, ministre de l'Industrie. Ce fut une affaire très complexe où il fallut se battre sur plusieurs fronts.

D'abord, j'ai dû inviter M. Ferry à quitter son poste au CNPF, démarche qui n'était pas facile. C'était un préalable.

Ensuite, j'ai demandé au groupe Wendel d'assumer ses responsabilités. Le groupe était ruiné et il pouvait disparaître. C'est à ce moment-là que j'ai rencontré Pierre Celier et Jean Droulers, les représentants de Wendel. Des hommes d'une très grande dignité à qui j'ai fait comprendre qu'il leur faudrait participer au règlement de la situation. Je voulais que la sidérurgie française soit enfin gérée avec efficacité. Une remise en ordre radicale, sans toutefois recourir à des opérations trop brutales. Je ne demandai aucune mise à mort et certains des dirigeants du groupe Wendel m'en sont restés reconnaissants. Mon conseiller pour les Affaires industrielles, Albert Costa de Beauregard, se serait volontiers montré plus radical. Plus modéré, j'ai décrété que la famille Wendel conserverait une partie de l'ancien groupe, partie qui fut, à l'époque, évaluée à 350 millions de francs et qui deviendra la CGIP. Mais je ne me suis absolument pas mêlé de la manière dont s'est faite la répartition. J'ai simplement refusé qu'il y ait expropriation ou spoliation totale. J'ai pris ce parti parce que François Ceyrac – un ami personnel – m'avait révélé la situation de détresse des dirigeants de la maison Wendel. « Pierre Celier et Jean Droulers sont des hommes remarquables, m'avait-il dit. Ils ont l'impression qu'on veut les détruire, et je vous demande, monsieur le Premier ministre, de traiter cette affaire humainement. »

Enfin, j'avais pris soin d'expliquer aux parlementaires de la majorité la réalité des enjeux. Beaucoup d'entre eux paniquaient. Je n'ai pas eu de démêlés avec des députés RPR ; ils ont eu l'attitude de Ponce Pilate, me laissant seul sur le champ de bataille. L'opposition de gauche, bien sûr, se déchaînait, mais en paroles. Si Pierre Mauroy protestait pour « son » Nord, il n'a jamais été à l'origine de mouvements séditieux.

En conclusion, les décisions que nous avons prises eurent pour objectifs de changer les responsables, puis de créer une société sidérurgique dans le Nord, Sacilor, et une autre en Lorraine, la Sollac.

J'ai affronté des grèves très dures. Les mesures sociales que nous avons prises – aide aux chômeurs, préretraites, reclassements, etc. – ont toutefois permis de calmer les tensions. Les préfets ont été parfaits. Les médias ne retenaient que l'ampleur des manifestations. Nous avons, heureusement, franchi la passe, sinon la sidérurgie française aurait couru à la catastrophe.

*Pendant que vous réglez le dossier sidérurgique, vous affirmez votre volonté d'assainir la Sécurité sociale, « tonneau des Danaïdes ». Vous n'y parviendrez pas.*

Je voulais prendre des mesures durables tendant à ramener la croissance des dépenses de santé au rythme de la croissance de la production intérieure. Je n'en ai pas eu le temps.

En effet, quand j'arrive à Matignon, Simone Veil, ministre de la Santé, a un plan que j'approuve. Un an plus tard, elle m'annonce que son plan a échoué. Elle s'est mise à dos tous les médecins. Elle avait lancé l'idée de la carte des hôpitaux, la gauche avait hurlé.

J'avoue que nous tâtonnerons jusqu'aux élections européennes de juin 1979. Simone Veil va alors conduire la liste UDF-Majorité présidentielle. Après le scrutin, dont elle sort largement en tête, elle démissionnera du gouvernement pour aller siéger à Strasbourg, et deviendra la première présidente du Parlement européen.

Pour la remplacer, j'ai pris Jacques Barrot, auprès duquel j'ai fait venir comme secrétaire d'État Jean Farge, ancien directeur de la Comptabilité publique. J'avais toujours admiré les statistiques qu'il m'adressait sur les dépenses de la France. Or nous ne savions quasiment rien sur les dépenses de la Sécurité sociale. Il fallait qu'il fasse pour la Sécurité sociale le travail qu'il accomplissait pour les dépenses publiques : une mise à plat du système comptable à partir de quoi nous pourrions agir.

Il m'a remis un travail magnifique, un véritable audit, avec un suivi mensuel. J'avais tous les mois une photographie de la situation de la Sécurité sociale. Son travail démontrait que nous n'étions jamais sortis, face aux dépenses de santé, d'une gamme de mesures ponctuelles. En réalité, il n'y avait qu'une mesure générale, toujours la même, l'ajustement des cotisations.

Cet ajustement se faisait selon un principe immuable : on augmentait conjointement la part salariale et la part patronale. Compte tenu des difficultés que traversaient alors nos entreprises, et des risques de récession, j'ai décidé d'augmenter uniquement la part salariale avant d'engager une réforme en profondeur. Que n'avais-je osé faire ! Ambroise Roux, sinistre personnage, me dit : « Je ne vous cache pas que j'ai augmenté de un pour cent mon personnel pour qu'il n'ait pas à subir la hausse de cotisation que vous avez décidée. » C'était la voix du patronat !

Nous avons également créé le forfait hospitalier.

Mais en réalité, le problème essentiel était celui de la modernisation des statuts et de la gestion des hôpitaux publics. Comment obtenir la maîtrise des gestions et donc des dépenses hospitalières, maîtrise qui constitue la clef de l'équilibre durable des finances de l'assurance-maladie ? Cela était vrai hier, c'est toujours vrai en 2007.

Il s'agit d'un sujet difficile, d'un sujet tabou. J'ai demandé à Jean Farge de me préparer un projet en ce sens. Il s'est fixé comme objectif : transformer les hôpitaux – notamment les plus importants d'entre eux – en organismes autonomes et responsables, assurant les meilleurs soins aux meilleurs coûts, et dont la surveillance se fonderait sur la transparence de leurs activités et de leurs résultats.

En introduisant cette idée d'autonomie et de transparence, Jean Farge engageait une révision systématique des structures de l'organisation hospitalière, et il risquait d'ouvrir les hostilités avec le milieu médical. Il allait se heurter, il en était conscient, à d'énormes difficultés, dont deux principalement : premièrement, l'état d'esprit des médecins, c'est-à-dire leur individualisme prononcé, leur vigilante confraternité et l'aisance avec laquelle ils organisent la conservation de leurs « droits acquis » ; deuxièmement, le comportement sclérosé d'une administration qui n'avait pas encore vraiment entamé sa mutation, si tant est qu'elle l'ait jamais fait.

Au Conseil des ministres de février 1981, Jean Farge a fait une communication extrêmement élaborée et précise qui présentait les principales réformes à entreprendre. Une note d'une vingtaine de pages qui n'a jamais été rendue publique. Elle mériterait, j'en suis sûr, d'être méditée encore aujourd'hui. Si Valéry Giscard d'Estaing s'était succédé à lui-même, Jean Farge aurait été l'homme qu'il eût fallu garder cinq ans comme ministre chargé de la Sécurité sociale.

Un de mes grands regrets aura été de n'avoir pas pu amorcer une réforme de la Sécurité sociale.

*L'étude de Jean Farge est toujours, dites-vous, d'actualité ?*

Oui, il faudra une action massive sur l'hospitalisation. Quant au financement des dépenses, ma position a toujours été la même : c'est un domaine dans lequel la gratuité n'est pas possible. « La santé n'a pas de prix », avait déclaré Georgina Dufoix, qui fut ministre sous Mitterrand. *Le Monde* avait titré : « Elle n'a pas de prix, mais elle a un coût. » Il faut rendre les gens responsables, il faut une franchise qui soit déterminée pour chacun des assurés sociaux en fonction de ses revenus. Nos compatriotes ne veulent rien entendre. Ils sont pour la gratuité.

Dans les années à venir, nous serons confrontés à des problèmes considérables. Les Français semblent ignorer les charges qui affectent la médecine et les hôpitaux : la recherche, les nouvelles technologies de plus en plus performantes et de plus en plus onéreuses, le vieillissement de la population, les problèmes de personnel. Comment peut-on accepter que de jeunes agrégés ou internes des hôpitaux, après dix ans d'études, commencent au salaire de 1 700 euros par mois ! Tout cela est fou. Et tient à cette « gratuité ». Nous sommes d'ores et déjà obligés de recruter des médecins étrangers, souvent très compétents au demeurant, mais qui se contentent d'un tel revenu.

Je suis également pour qu'un accord soit trouvé avec les assurances privées. Il y a la Sécurité sociale, il y a les mutuelles, pourquoi ne pas introduire la concurrence des assurances privées ? Jouannet vient d'inaugurer le projet « Santé et excellence ». Si des Français veulent et peuvent s'assurer en payant 12 000 euros par an, n'est-ce pas leur droit ? J'avais moi-même, en 1978, créé le double secteur, conventionnel et libéral. Des médecins de Lyon m'avaient expliqué qu'ils ne voulaient pas de remboursement. Mais ils réclamaient la liberté de fixer leurs tarifs. Au citoyen de choisir. Beaucoup de médecins avaient opté pour le secteur libéral, mais celui-ci, en 1981, a été repris en main par la Sécurité sociale et à nouveau encadré.

Je crains, hélas, que les futurs candidats à l'élection présidentielle n'escamotent ce problème fondamental. Pour l'instant, je n'ai entendu aucune proposition sérieuse.

## LA PREMIÈRE ÉLECTION AU SUFFRAGE UNIVERSEL DU PARLEMENT EUROPÉEN

*Le scrutin européen du 10 juin 1979 était le premier du genre. Les dirigeants du RPR vont multiplier les déclarations contre le fonctionnement des institutions de la CEE et contre votre politique européenne. Leur hostilité connaît une montée en puissance, jusqu'à l'« appel de Cochin [1] » où Chirac condamne « le parti de l'étranger et la politique de supranationalité », et annonce qu'il mènera une liste pour les européennes. Comment réagissez-vous ?*

---

1. Jacques Chirac, à la suite d'un accident de la route, est hospitalisé à l'hôpital Cochin à Paris au début de 1978. L'« Appel de Cochin » est lancé le 8 décembre.

Sur le fond, cet « appel » est irresponsable ; dans sa forme, il est enflé. Mais j'ai déclaré que je ne souhaitais pas polémiquer sur l'Europe. M. Chirac ne l'entendait pas ainsi.

À l'Assemblée nationale, il m'avait, en 1977, interpellé avec un aplomb incroyable : « Monsieur le Premier ministre, vous savez que le président de la République ne m'a pas consulté à propos de l'élection au suffrage universel du Parlement de Strasbourg. Vous savez que j'étais contre. » Couve de Murville, président de la commission des Affaires étrangères, était à côté de moi et me murmurait, dodelinant de la tête : « Surtout ne répondez pas ! » J'ai fait comme si l'intervention de Chirac n'avait pas eu lieu, y compris dans mon discours de conclusion. Et pourtant !

Jacques Chirac, en effet, était Premier ministre lorsque le gouvernement avait approuvé l'élection de l'Assemblée européenne au suffrage universel. J'étais moi-même ministre du Commerce extérieur. Il y avait eu un tour de table. M. Chirac expliqua qu'il surmonterait les réticences de son parti – l'UDR, à l'époque –, et qu'il s'arrangerait pour faire passer le texte. Il était dans la logique de sa déclaration de janvier 1976 au *Midi libre*, qui mérite d'être citée : « Le président de la République continue de pratiquer la politique étrangère que le gouvernement français a menée depuis le début de la V<sup>e</sup> République. C'est tout particulièrement vrai en matière d'indépendance nationale, où M. Valéry Giscard d'Estaing a réaffirmé les principes de notre Défense. Il en est de même pour la politique européenne... Je sais que l'on voudrait susciter des tensions à l'intérieur de la majorité à propos de l'élection du Parlement au suffrage universel. Je crois que c'est, en fait, un faux problème. Le traité de Rome a prévu expressément cette procédure et il ne m'apparaît pas, dans ces conditions, que nous transgressions sur ce point les principes essentiels de notre politique étrangère. » On ne saurait mieux dire !

*Est-ce pour cette raison que vous avez décidé, alors que vous étiez le Premier ministre d'un gouvernement de coalition, de soutenir uniquement la liste que conduisait Simone Veil ?*

Il y a deux raisons pour lesquelles j'ai soutenu la liste dirigée par Mme Veil : une exigence de clarté politique et un souci de dignité. Je n'ai jamais été partisan, en politique, de clair-obscur, de faux-semblant, et, disons-le tout net, d'hypocrisie. C'est pourquoi j'ai soutenu la liste qui défendait la politique européenne définie par le président de la République et mise en œuvre par le gouvernement.

Rien ne s'opposait à ce qu'il y eût une liste commune des formations de la majorité. Je l'avais souhaité, peut-être avec trop d'optimisme. Mais je ne trouvais rien de choquant à ce que chaque formation de la majorité présentât sa propre liste. Chacune d'elles pouvait, à bon droit, désirer faire valoir ses conceptions et sa sensibilité particulières. Si chacune d'elles, tout en exprimant ses vues propres, avait manifesté clairement son soutien à l'action européenne que nous menions, j'aurais adopté la même attitude qu'aux élections législatives de 1978 : je n'aurais pas indiqué de préférence pour l'une ou l'autre liste, celle du RPR, celle de l'UDF.

Mais un Premier ministre pouvait-il rester absent ou indifférent dans la situation politique qui était la nôtre ? De bonnes âmes, dont on percevait mal l'inspiration, voulaient que je me comportasse en sourd-muet. Pouvais-je feindre de ne rien entendre, de ne rien dire, de ne rien comprendre, alors que chaque recherche de convergence était immédiatement suivie de l'affirmation spectaculaire des divergences ? Alors que les dirigeants du RPR répétaient à l'envi que les intérêts de la France n'étaient pas défendus et que notre politique européenne était une politique d'abaissement et de décadence nationale ?

Je n'ai pas pris position en faveur de la liste Veil par préférence partisane, je n'appartenais pas à l'UDF, quelle que fût l'estime que je lui portais. Je ne soutenais pas la liste de l'UDF : je soutenais la liste de l'Union pour la France en Europe, conduite par un ministre de mon gouvernement, rassemblant des personnalités de provenances très diverses, et qui se prononçait sans équivoque pour notre politique européenne.

La deuxième raison de mon attitude, c'était un souci de dignité. J'avais été nommé en 1967 par le général de Gaulle vice-président de la Commission unique des Communautés européennes ; j'avais passé près de cinq années à Bruxelles sans qu'à aucun moment ma loyauté à l'égard des institutions européennes et mon attachement au service de mon pays eussent été mis en cause. Comment aurais-je pu laisser dire sans réagir que mon gouvernement « préparait l'inféodation de la France », qu'il « consentait à l'idée de son abaissement » ?

Des experts en politique ont prétendu que mon attitude était fort malencontreuse, qu'elle était agressive et qu'elle était préjudiciable au pacte majoritaire. Je les laisse à leur foi – bonne ou mauvaise – et à la subtilité de leurs analyses. Tout compte fait, et avec le recul du temps, je persiste et signe.

*Parmi les arguments qu'agitaient les dirigeants du RPR, il en est un qui revenait en boucle : ils vous soupçonnaient d'œuvrer à la construction d'une Europe supranationale. Quand vous étiez à Bruxelles, vous étiez sur la position défendue par le général de Gaulle qui voulait une « Europe confédérale », comme on disait. En 1979, vous étiez toujours sur la même position ?*

Bien entendu. L'Europe qui se construit, aujourd'hui comme il y a trente ans, est celle, je vous l'ai dit, du « compromis de Luxembourg », sur lequel aucun pays ne reviendra. L'Europe est une confédération d'États. Voilà la réalité.

La notion de confédération est, je vous l'accorde, susceptible d'interprétations diverses. Nous autres Français, suivant en cela de Gaulle, nous utilisons le mot de « confédération » pour indiquer que notre approche de la construction européenne n'est pas l'approche « fédéraliste », laquelle est supranationale. Nous voulons fonder l'organisation de l'Europe sur l'accord des États, seuls détenteurs de la souveraineté et de la légitimité.

La construction de l'Europe ne me paraît pas pouvoir s'inspirer d'exemples tirés du passé, ni se loger facilement dans un moule juridique préétabli. En effet, nous ne construisons pas l'Europe sur une table rase : nous cherchons à unir des peuples qui ont leur histoire, leur culture, leur personnalité propres ou leurs traditions et leurs susceptibilités.

Aujourd'hui, dans l'Europe des Vingt-Cinq, ce constat me paraît encore plus pertinent. Qu'est-ce que les Européens s'efforcent, depuis cinquante ans, de réaliser ? Eh bien, ils tissent entre les États d'Europe un réseau de plus en plus dense de relations qui leur permet de jouer ensemble dans le monde le rôle que justifient leurs aptitudes et leur passé, et qu'ils ne pourraient plus jouer isolément à l'ère des États-continents dans laquelle nous sommes entrés.

Pour atteindre ce but, la confédération est la forme la plus avancée d'une coopération organisée qui soit compatible avec la sauvegarde de l'indépendance des États membres de l'Union européenne.

*Les élections européennes de juin 1979 vont se solder par une victoire éclatante de la liste de Simone Veil, 27,5 %, tandis que la liste RPR conduite par Jacques Chirac subit une défaite cuisante : 16,2 %. Les relations entre RPR et UDF en général et entre le RPR et l'Élysée en particulier vont se détériorer encore un peu plus. Quelques ministres et responsables de l'UDF estimaient à l'époque que Giscard aurait dû dissoudre l'Assemblée nationale, d'autant plus que la crise entre le PCF et le PS était alors à son paroxysme. Était-ce aussi votre point de vue ?*

Il est certain que la conjoncture était favorable à une dissolution. Surtout que notre situation économique, confrontée au deuxième choc pétrolier, allait brusquement s'aggraver. Face aux nuages qui s'accumulaient, le président pouvait très bien déclarer aux Français : « J'ai besoin de savoir si vous me soutenez pour continuer la politique de redressement que je mène avec mon gouvernement. J'ai donc décidé de dissoudre. » C'eût été un choix que j'aurais compris.

Des responsables politiques ont évoqué avec lui ce scénario. Pour ma part, je n'ai pas souhaité le faire, toujours pour la même raison : éviter les sujets électoraux. Une seule fois, après un comportement calamiteux du RPR, je lui ai dit : « Écoutez, si ça continue, il faudra bien dissoudre ! » Il a aussitôt écarté l'hypothèse : « Je ne veux pas que le pays connaisse une vie politique agitée. Respectons les échéances institutionnelles. » C'était en juin 1977. Le RPR avait refusé de voter la loi instituant l'élection au suffrage universel du Parlement européen. Les attaques furent d'une rare violence et je dus utiliser le 49.3.

En tout cas, je ne pouvais que saluer ce respect que Giscard a toujours montré envers le fonctionnement de nos institutions. De surcroît, son idée d'une « démocratie apaisée » répond à sa nature profonde.

*En réalité, à l'issue du scrutin européen, cette idée de « démocratie apaisée » a totalement échoué, tout comme sa « politique d'ouverture ». Le président vous a-t-il associé à cette « politique d'ouverture » ?*

J'y suis bien sûr associé, mais celui qui suit à Matignon cette initiative présidentielle est Philippe Mestre, un excellent préfet, qui devient mon nouveau directeur de cabinet. Mestre avait été chez Chaban-Delmas. Il connaissait très bien le milieu politique. Il allait être en liaison constante avec toutes les formations partisanes. Il avait la main ferme et il renseignait l'Élysée.

Quant à moi, je continuais de m'en tenir à la règle que je m'étais fixé depuis ma nomination : recevoir et discuter, dans le cadre du travail gouvernemental, avec les présidents des groupes parlementaires RPR et UDF.

Les initiatives concernant l'« ouverture » se terminaient toujours par la fureur de Giscard à l'égard des dirigeants du RPR qui ne voulaient rien entendre. Ils ne visaient pas directement le gouvernement, ils l'ignoraient. Les barons du gaullisme qui étaient encore ministres n'avaient plus de pouvoir dans le parti. « Raymond, m'avait dit Chirac, les barons, c'est fini. Ils ne comptent plus. Mais nous ne voulons pas rompre avec votre gouvernement. Nous ne voterons pas la censure. » Bien sûr, je prenais les contrecoups et je ripostais en utilisant le 49.3. Mais pas plus que mes successeurs à Matignon ! Savez-vous que les *recordmen* du 49.3 sont MM. Mauroy et Fabius ?

Le 49.3 est indispensable si l'on veut éviter les frondes conduites par sa propre majorité. Moi-même, entre 1976 et 1981, je n'ai jamais utilisé le 49.3 contre l'opposition de gauche mais toujours contre mes alliés, en fait contre le RPR. J'avais été très clair, déclarant que j'aurais recours au 49.3 pour tous les textes importants dont le vote par la majorité ne serait pas assuré. Ce fut en fait la guéguerre permanente.

Fin 1979, pour l'approbation du budget de 1980, le RPR m'obligea à utiliser par trois fois le 49.3 : pour le vote des recettes, pour celui des dépenses, enfin pour le vote définitif du budget. Même le président de la commission des finances à l'Assemblée nationale, le RPR Robert-André Vivien, dut convenir qu'il ne comprenait pas cette obstruction de ses amis et déclara : « Tous nos amendements ont été acceptés et se trouvent dans le projet de budget, alors qu'attendez-vous de plus ? » Si le RPR avait voté contre, cela aurait eu un sens. Mais il s'abstenait dans le seul but de miner le gouvernement. Ce fut une bataille grotesque.

## LE DEUXIÈME CHOC PÉTROLIER

*Donc, en dépit d'un climat de plus en plus malsain à l'intérieur de la majorité, le chef de l'État, habité par son idée de « démocratie apaisée », ne veut rien changer au déroulement régulier de son septennat. Vous affrontez un Parlement de plus en plus hostile, vous utilisez le 49.3, et la victoire de l'UDF au scrutin européen n'améliore pas les choses. Or, survient à ce moment-là le deuxième choc pétrolier. Pour y faire face, vous allez mener une politique économique qui sera vivement attaquée par le RPR et la gauche. Vous devenez l'« homme de la rigueur ». Comment Giscard, qui se devait de penser à la bataille présidentielle de 1981, a réagi quand vous lui avez présenté ce qu'on appellera le « deuxième Plan Barre » ?*

En 1979, le deuxième choc pétrolier n'a pas été immédiatement ressenti par les Français. Or, dès les premiers mois de l'année, les marchés pétroliers furent très agités avant de flamber durant l'été. Un lundi matin, j'arrive à Matignon et Albert Costa de Beauregard me dit : « Vous avez vu ce qui se passe ? Le baril de pétrole est à 34 dollars. »

J'ai pris la nouvelle en pleine figure et, croyez-moi, ce fut un coup dur ! J'étais alors en passe d'atteindre mon objectif prioritaire : la baisse du taux d'inflation dont le rythme annuel était tombé autour de 8 %. Et voilà que tout l'édifice risquait d'être ébranlé, tous les efforts brusquement anéantis. Je vous rappelle qu'entre janvier 1979 et février 1980, le prix du pétrole brut augmentera de 130 %. Si, aujourd'hui, nous étions confrontés à une hausse aussi forte, le baril, qui oscille entre 60 et 70 dollars, serait à 100 dollars ! Vous imaginez les conséquences sur notre politique énergétique... J'ajoute que, durant cette même année 1979, le prix des matières premières industrielles que nous importions augmentera de 67 %.

J'ai demandé à Costa de Beauregard de me présenter un tableau des retombées de ces hausses spectaculaires du pétrole. Il me l'a remis en fin de matinée. Nous étions à dix-huit mois de l'échéance présidentielle de mai 1981 et il nous fallait trancher : ou bien on laisse filer mais la situation va considérablement se dégrader ; ou bien on bloque tout de suite les risques inflationnistes et nous pouvons éviter un dérapage d'ici à 1981. Nous devrons prendre des mesures sévères, il y aura un ralentissement de l'activité économique sans toutefois tomber dans la récession.

Le choix entre ces deux voies était évidemment de nature politique, c'est-à-dire qu'il appartenait au président de la République de décider.

J'avais, ce lundi-là à 18 heures, mon audience habituelle avec Giscard et je lui ai présenté l'alternative. Je souhaitais, bien sûr, poursuivre la remise en ordre entamée en 1976 et j'ai soutenu devant lui la voie de la rigueur. J'estimais, lui ai-je dit en substance, que tous les grands équilibres pouvaient être maintenus : monnaie, taux de change, balance des paiements. Quant au chômage, j'admettais qu'il s'aggraverait mais à un rythme ralenti. C'est à ce moment-là que Mitterrand déclarait : « J'éviterai à la France les deux millions de chômeurs »...

Mes propositions ne remettaient pas en question la libération des prix qui était, dans mon esprit, irréversible. Il s'agissait, pour maintenir la stabilité du franc, de ralentir la progression du crédit, de maîtriser le déficit des finances publiques et de la Sécurité sociale. Il n'était pas non plus question de renoncer au rétablissement de notre équilibre extérieur. Je n'acceptais pas que le pays s'accommode durablement d'un déficit qui le conduirait à un endettement massif.

Notre économie avait les moyens de surmonter ce deuxième choc pétrolier en poursuivant d'une part notre effort en matière de maîtrise des coûts de production et d'exportation, en réduisant d'autre part comme nous le faisions depuis trois ans, notre dépendance énergétique grâce aux économies d'énergie et au développement de l'électronucléaire. Je comptais sur le sens des responsabilités des chefs d'entreprise en ce qui concernait la fixation de leurs prix. Je soulignais enfin, comme une impérieuse nécessité, que la progression des rémunérations n'excède pas la hausse des prix. Maintien du pouvoir d'achat, mais pas de dérapage : en ce domaine, tout dérapage serait grave pour l'économie, et d'abord pour l'emploi.

« C'est à ces conditions, ai-je conclu, que nous pouvons ralentir notre inflation qui ne sera tributaire que des seuls contrecoups de l'inflation mondiale. Dans cette hypothèse, vous disposerez au lendemain du scrutin présidentiel d'une base solide pour aborder votre second septennat et pour relancer l'économie comme cela sera souhaitable.

« Vous pouvez aussi estimer que nous devons relâcher l'effort ; dans ce cas vous serez contraint, en 1981, de faire un plan de refroidissement. À vous de me dire où va votre préférence. »

Le président m'a écouté avec une attention soutenue, conscient de la gravité de la situation, et il m'a répondu : « Continuez de votre côté l'étude du dossier. Moi-même, je vais y penser et nous en reparlerons. »

Je me souviens de mon retour à Matignon, de l'impatience de mes collaborateurs qui m'interrogeaient : « Alors, quelle est la décision de Giscard ? » Ils connaissaient ma façon d'agir avec le président : si nécessaire, nous nous donnions toujours un peu de temps pour réfléchir.

Trois jours après, à mon audience du jeudi, je lui ai exposé de nouveau mon analyse, en ajoutant une série de précisions sur les mesures à prendre. Il était encore hésitant et n'a pas voulu se décider. « S'il faut conduire une politique rigoureuse, lui ai-je redit, je le ferai. Mais l'enjeu vous concerne directement et non moi. »

C'est le lundi suivant qu'il a tranché : « Vous avez raison, allez-y. » Je retrouvai là une caractéristique de Giscard : sur les grands problèmes, il était un chef d'État au-dessus des petits intérêts politiciens. Conscient des faiblesses de la France, il savait que nous n'étions plus une grande nation, mais une nation moyenne dont le rôle et l'influence ne pouvaient être maintenus qu'au prix d'une politique économique rigoureuse. Je devinai son inquiétude, craignant que j'aille trop loin dans la rigueur, mais jamais il ne m'empêchera d'agir dans la direction que je m'étais fixée. Je n'ai jamais eu les ennuis que mes successeurs à Matignon ont eus avec leurs présidents. D'ailleurs, je ne serais pas resté.

*Giscard a-t-il consulté des personnalités politiques ou des experts avant de prendre sa décision ?*

Il ne m'en a rien dit. Alors qu'il prenait un grand risque en choisissant la voie de l'austérité, il n'a proposé aucun aménagement au plan que je lui ai soumis. Dans nos conversations, la franchise était la règle. Nous utilisions, de part et d'autre, tous nos arguments. C'était très agréable sur le plan intellectuel et personnel de travailler avec lui.

*Le deuxième choc pétrolier, dont nous parlons, est lié en partie à la crise iranienne. Mi-janvier 1979, le chah et l'impératrice quittent l'Iran, des millions de manifestants déferlent pour la énième fois dans les rues de Téhéran, criant « A mort le chah ! » et exigeant l'instauration d'une « république islamique ». À Neauphle-le-Château, l'ayatollah Khomeyni déclare qu'il tient ces manifestations pour un référendum populaire contre l'ancienne dynastie. De fait, Khomeyni arrivera à Téhéran le 1<sup>er</sup> février en triomphateur. Est-ce que la France n'aurait pas dû expulser Khomeyni dès les premières émeutes de Téhéran en avril 1978 ?*

Nous étions depuis le début régulièrement informés de la crise iranienne. Alexandre de Marenches, responsable du SDECE, avait, à l'occasion d'un voyage dans plusieurs pays du Moyen-Orient, rencontré le chah. Il m'avait alerté : « Préparez-vous à des événements graves. Le chah est malade. Il n'est plus en mesure de décider, et c'est d'ailleurs pourquoi il a refusé d'utiliser les forces américaines qui étaient sur place pour bloquer les manifestations pro-khomeynistes. »

En laïcisant le pays, en retirant aux mollahs leurs pouvoirs et leurs biens, il était entré en guerre ouverte avec les religieux. Or il n'avait plus la force, la santé pour affronter un tel conflit. Nous savions également que la chute du chah pouvait entraîner des tensions sur le marché pétrolier. À Jean Boissonnat qui m'interrogeait pour *L'Expansion* en septembre 1978, et qui estimait que le prix du pétrole s'était stabilisé, j'avais répondu : « Nous ne sommes nullement certains qu'à l'avenir le prix du pétrole n'augmentera pas. Il y a même de bonnes raisons de penser le contraire. » Mais nous pouvions difficilement imaginer l'ampleur de la hausse, comme les réactions de la Libye, de l'Irak, de l'OPEP...

Quant à la présence de Khomeyni en France, sur laquelle vous m'interrogez, c'est un problème très différent auquel j'ai été directement mêlé. Nous étions parfaitement conscients que ses gesticulations avaient atteint un degré inacceptable. Notamment il utilisait les médias – qui l'accueillaient avec plaisir – de façon inconvenante.

Giscard avait de bonnes relations avec le chah et ne voulait pas le desservir. Dès l'été 1978, la question s'est posée : comment mettre un terme aux déclarations intempestives de Khomeyni ? Lors d'une de mes audiences hebdomadaires, le président me dit : « Il faut empêcher Khomeyni de poursuivre sa campagne. Nous allons l'expulser demain matin à sept heures vers l'Algérie. Voyez Christian Bonnet[1] pour toutes les mesures qui doivent être prises. » J'ai invité mes collaborateurs à veiller à ce que tout se passe dans les meilleures conditions.

Le lendemain en arrivant à Matignon, je m'informe du départ de l'ayatollah et on m'annonce qu'il n'a pas eu lieu sur instruc-

---

1. Christian Bonnet était alors ministre de l'Intérieur.

tion de l'Élysée. J'appelle aussitôt le président. « Après notre entretien, m'explique Giscard, j'ai téléphoné au chah pour l'avertir de ma décision. Il m'a demandé de la suspendre, m'expliquant que Khomeyni disposerait, en Algérie, de moyens d'action encore plus puissants. Il préfère que nous le gardions en France. »

Après que le chah eut quitté son pays, Giscard a peut-être eu tort de mettre un avion à la disposition de Khomeyni quand celui-ci a voulu regagner l'Iran. Mais son intention était bel et bien de l'expulser.

Si, comme vous le dites, le deuxième choc pétrolier est lié à la crise iranienne, l'affaire Khomeyni elle-même est une tout autre histoire que nous avons gérée d'une manière parfaitement honorable.

*Alors que le pays subit de plein fouet les conséquences du choc pétrolier, votre plan économique va subir les foudres de la gauche comme celles du RPR. Comment réagissiez-vous à ces salves ?*

Durant toute l'année 1979 et au début de 1980, mes préoccupations étaient très éloignées des manigances politiciennes.

Je n'avais, je vous l'avoue, qu'une crainte : que le franc s'effondre à nouveau alors que nous venions de consolider le Système monétaire européen (SME). Comme je vous l'ai dit, nous ne pouvions rien contre l'inflation mondiale. Il y avait une inflation importée. Même l'Allemagne était alors à 8 % et les États-Unis, on l'a oublié, monteront jusqu'à 20 % ! Cet emballement inflationniste ne changera qu'à partir de 1981 et 1982, quand Paul Volcker, nouveau président de la Réserve fédérale, a décidé de stopper la chute libre du dollar et de briser l'inflation. Il a été suivi par les banques centrales européennes.

En 1979, nous n'en étions pas là, et la seule protection de notre économie, c'était la solidité de notre monnaie. De ce point de vue, le SME constituait un atout important car il permettait d'éviter que les conséquences du deuxième choc pétrolier ne soient aggravées par de nouvelles perturbations monétaires en Europe. Depuis que les accords de Bretton Woods[1] avaient été remplacés, en 1976, par les accords de la Jamaïque, qui supprimaient toute référence à l'étalon-or ainsi que la fixité des parités de change, le SME assurait une relative stabilité dans un environnement monétaire mondial alors très instable.

*Votre politique de rigueur était liée à votre volonté de rester dans le SME, de redresser notre commerce extérieur, de stabiliser le franc. Est-ce que vous ne pensez pas que les Français étaient relativement indifférents au redressement de notre commerce extérieur comme à la solidité du franc, et qu'ils ne retenaient de votre politique que sa rigueur ?*

Je n'en suis pas aussi sûr. En tout cas, votre question est encore d'actualité. C'est pourquoi j'ai toujours souhaité que ceux qui informent et, par conséquent, contribuent à forger l'opinion publique expliquent aux Français que le « front extérieur », comme je disais entre 1976 et 1981, commande tout le reste, et d'abord l'emploi. Celui-ci n'est jamais durablement assuré quand l'équilibre extérieur et la monnaie sont sacrifiés. C'est le cas de dire, ici comme ailleurs, que l'enfer est pavé de bonnes intentions !

Un pays qui est importateur de matières premières et d'énergie, un pays qui est en fait une immense usine de transformations, un pays qui s'est largement engagé dans les échanges

---

1. Les accords de Bretton Woods, du nom d'une ville des États-Unis, ont été signés en juillet 1944 par quarante-quatre pays. Afin de relancer après la guerre les échanges internationaux, ces accords instituèrent le système de l'étalon-or et firent du dollar (seule monnaie convertible en or) une véritable unité de compte internationale jouant un rôle monétaire comparable à celui de l'or. C'est le président Nixon qui, en 1975, a mis fin aux accords de Bretton Woods.

internationaux et où deux emplois industriels sur cinq sont dus à l'exportation, doit assurer en priorité son équilibre extérieur. Bien entendu, l'équilibre se définit sur la moyenne période, non pas sur un an ou deux, et il ne se dissocie pas de l'activité économique intérieure.

Or cet équilibre, au-delà de la vitalité et de la capacité d'adaptation de nos entreprises, passe nécessairement par la défense de notre monnaie.

*Vous qui étiez justement un partisan très ferme des taux de change fixes sur le plan international, comment avez-vous vécu le passage au régime des changes flottants ?*

J'étais, c'est exact, un partisan des changes fixes. Je me suis efforcé – nous en avons parlé – entre 1969 et 1973, lorsque j'étais à Bruxelles, de promouvoir l'organisation d'une zone de stabilité monétaire entre les pays de la Communauté. Cependant, à partir de 1973, après l'échec du *Smithsonian Agreement*[1], je suis arrivé à la conclusion que le maintien des changes fixes n'était plus possible sur le plan international. Cela pour trois raisons :

• en premier lieu, les déséquilibres très profonds qui affectaient les pays membres du système de Bretton Woods. Pour qu'un système monétaire fonctionne, il faut que tous les pays qui y participent respectent un certain nombre de disciplines : or ce n'était plus le cas ;

• en deuxième lieu, l'excès de liquidités internationales, c'est-à-dire de dollars, qu'il n'était pas possible de maîtriser ;

• en troisième lieu, la hausse du prix du pétrole, qui a provoqué des déséquilibres supplémentaires et massifs des balances des paiements.

---

1. Cet accord, signé en décembre 1971 au Smithsonian Institute de Washington, établissait un système dans lequel le dollar pouvait fluctuer de 2,25 %. Il n'a pas fonctionné et a été abandonné en 1973.

L'avènement d'un régime de changes flottants était inéluctable. Il a permis des ajustements plus souples des balances des paiements. Il a aussi montré les dangers qu'il comportait si les monnaies étaient abandonnées à elles-mêmes et si certaines règles du jeu n'étaient pas respectées sur le plan international.

Devant ces dangers, et alors que je conduisais mon programme de redressement après le deuxième choc pétrolier, j'avais fait un certain nombre de propositions pour introduire une plus grande stabilité monétaire dans le monde. Renforcer la coordination et la convergence des politiques économiques conduites dans les grands pays industrialisés ; mettre en œuvre des interventions conjointes des banques centrales ; surveiller le marché des eurodevises par une action coordonnée des autorités monétaires ; accroître le rôle du FMI dans le financement des déficits des balances des paiements ; enfin, offrir aux pays pétroliers qui bénéficiaient d'excédents structurels de devises un instrument financier international qui, à côté des grandes monnaies, aurait assuré à leurs avoirs une valeur stable.

Tout cela, je ne l'ignorais pas, nécessiterait une action patiente et tenace, mais c'est bien dans ce sens que nous avançons depuis des années.

*Ces questions qui touchent à la monnaie, au taux de change, à la balance extérieure sont complexes et n'ont rien pour passionner ou séduire les foules. Les Français réagissaient – c'est toujours vrai trente ans plus tard – à la contraction du pouvoir d'achat, aux chiffres du chômage, à la hausse du prix de l'essence, aux économies d'énergie, à la majoration des cotisations sociales... C'était cela, la source de votre impopularité, et on avait l'impression qu'il ne vous déplaisait pas d'être impopulaire ?*

Les problèmes monétaires ou ceux du commerce international, je vous l'accorde, ne mobilisent pas l'opinion ! En revanche, personne n'aime être impopulaire, pas plus moi qu'un autre.

Mais peut-être mon cas était-il quelque peu spécial. J'avais été appelé et renouvelé aux fonctions de Premier ministre dans des circonstances politiques et économiques, chacun en conviendra, assez exceptionnelles. Fin 1979, on semblait avoir oublié août 1976 et les mois qui avaient suivi. Moi, je ne l'avais pas oublié !

Je n'étais pas Premier ministre par ma propre décision, ni par l'effet d'une action savamment conduite au fil des années. En tout cas, croyez-vous un seul instant que je serais resté à Matignon s'il n'y avait pas eu, de la part des Français – quoi qu'aient pu refléter les sondages –, une compréhension de la politique que je conduisais et une certaine confiance en moi ?

Il y avait, certes, de la grogne contre les mesures que j'avais prises. Dans les derniers mois de 1979, les revendications sociales ont débouché sur des conflits très durs. Souvenez-vous : les arsenaux de l'État, Alsthom-Atlantique, EDF, la SNCF, la grève des médecins, des contrôleurs aériens, de certains magistrats... Mais le sens des responsabilités collectives n'était pas dévoyé, et j'avais le sentiment de toujours bénéficier, dans l'opinion, de cette « nappe de confiance » que M. Bongrand avait perçue avant les législatives de mars 1978.

*Le 18 octobre 1979, vous êtes hospitalisé au Val-de-Grâce. Avez-vous « craqué » ?*

En octobre 1979 mon activité est très chargée. C'est le début du débat budgétaire à l'Assemblée nationale. Le RPR ne cache pas son hostilité. Le Premier ministre chinois, Hua Guofeng, qui m'avait reçu en 1978 à Pékin, est en visite officielle à Paris. En quittant une représentation offerte à notre hôte à l'Opéra, je sens une grande fatigue. Au petit matin, je subis une forte crise d'hypertension et je me rends au Val-de-Grâce. J'y resterai une bonne semaine. Je demande à mon médecin de me dire en toute franchise si je suis en mesure de rester à Matignon car 1980 est une année très importante et si je ne peux pas faire face, j'ai l'intention de démissionner. « Dans huit jours, me répond-il, vous serez de nouveau sur pied ! » Le président de la République me rend visite, mon cabinet me tient au courant des affaires.

Cette péripétie de santé a évidemment suscité quelque agitation politique, car les prétendants pensent que leur heure est arrivée. Mais elle entraîne une réaction de l'opinion qui surprend.

Le lendemain de mon hospitalisation, Jacques Alexandre, mon conseiller de presse, m'apporte *Le Parisien libéré*. « Regardez, me dit-il, le titre vous concernant : "La France inquiète". C'est intéressant et significatif de l'opinion populaire. » À la fin du mois d'octobre 1979, les sondages apportent des résultats inattendus : 58 % des Français, selon la Sofres, jugent que « Raymond Barre est un très bon ou un assez bon Premier ministre ». 40 % des personnes interrogées souhaitent que je reste à Matignon jusqu'aux élections présidentielles, contre 35 % d'opinion contraire. Quelques jours plus tard, le 16 novembre, un sondage IFOP-*France Soir* indique que 41 % des Français sont « satisfaits de Raymond Barre » contre 28 % le 12 octobre précédent. Cela ne s'était jamais vu pour un Premier ministre sous la Ve République, écrira Michèle Cotta.

Dans un contexte politique hostile, cette réaction de l'opinion me touche. Elle me confirme dans l'opinion que, si la politique que je mène est impopulaire — comment ne le comprendrais-je pas en plein second choc pétrolier ? —, il y a derrière les réactions superficielles un sentiment de confiance qui se manifeste dans certaines circonstances et c'est ce qui fait ma force. Un sondage de la Sofres du 7 novembre 1979 montre que les Français n'imaginent pas, dans la majorité ni dans l'opposition, que quelqu'un « puisse faire mieux que Raymond Barre ». Je vais donc continuer dans la même direction avec une impassible obstination.

Vous savez, et je l'ai déclaré à l'époque, on n'est pas appelé à Matignon pour faire le joli cœur. Les protestations ne m'ont jamais empêché de freiner la hausse des salaires, d'augmenter le prix de l'essence ou les cotisations sociales quand ces mesures me sont apparues nécessaires. Soyez sûr, cependant, que j'aurais préféré n'avoir pas à les prendre et que je n'avais pas un goût morbide du sacrifice ! Mon séjour à Matignon a duré près de cinq ans, plus longtemps que certains ne le souhaitaient et que d'autres ne l'avaient annoncé. Je ne vous dirai pas que ce fut une partie de plaisir. Mais enfin, les Français, je crois, devinaient que j'accomplissais ma mission en étant et en restant tel que je suis.

Je n'étais découragé ni par les événements, ni par les campagnes de dénigrement, ni par les sondages. Lorsque vous avez une responsabilité majeure, qu'elle concerne votre pays et que vous observez tout ce qui se passe autour de vous, eh bien, que vous le vouliez ou non vous êtes obligé d'être inflexible. Dans ces derniers mois tourmentés de 1979, je répétais souvent à mes amis : « Ne me félicitez pas d'être courageux. Je suis courageux parce que je me bats le dos au mur et que je ne peux pas reculer. Il faut prendre tout cela avec philosophie ! »

*Dans la soirée du vendredi 3 octobre 1979, un attentat contre la synagogue de la rue Copernic fait trois morts et vingt blessés. À la suite de vos déclarations, vous faites l'objet de vives critiques. Comment y faites-vous face ?*

Ce vendredi 3 octobre, je participais à Lyon à un dîner-débat lorsqu'on m'informe de l'attentat. Je regagne Paris sur-le-champ. J'y arrive à minuit trente et vais directement rue Copernic. On me rend compte de la situation : trois morts. Je déclare à la télévision, qui est sur place, « mon indignation devant cet attentat odieux qui voulait frapper les Juifs se trouvant dans cette synagogue et qui a frappé des Français innocents qui traversaient la rue Copernic ». Sur-le-champ, les milieux juifs l'opposition socialiste m'accusent violemment d'antisémitisme. Les victimes juives devraient-elles être distinguées des Français innocents ? En quoi sont-elles coupables, sinon d'être juives ? Mes amis juifs, et en tête Raymond Aron, me défendent vigoureusement : je n'ai jamais été antisémite. Les accusateurs passent sous silence la dernière phrase de mon intervention télévisée : « La communauté juive est une communauté française qui est respectée par tous les Français. »

L'exploitation politique à laquelle les Juifs favorables à la gauche apporteront leur concours se calmera progressivement. Mais l'incident de la rue Copernic laissera des traces. J'ai souvent entendu depuis lors des Juifs murmurer sur mon passage « Copernic ». Personne ne m'a jamais accusé d'antisémitisme. Mais je n'ignore pas que la distinction que j'ai toujours faite entre la communauté juive de France et l'État d'Israël, mon refus d'approuver de façon inconditionnelle la politique de cet État et les actions de Tsahal, ma sympathie à l'égard du malheureux peuple palestinien ne plaisent pas à certains milieux juifs. De là à considérer que je suis « contre les Juifs » me paraît inadmissible et ne me fera pas changer !


## LES « AFFAIRES »


*Vous parlez de ces derniers mois tourmentés de 1979. Deux événements vont pourrir un peu plus l'atmosphère politique : l'« affaire des diamants » et la mort de Robert Boulin. Il y avait eu déjà, en décembre 1976, l'assassinat de Jean de Broglie, qui prit, dans les médias, la dimension d'un scandale politique et financier. Dans les articles de presse — et Dieu sait s'ils sont nombreux ! — concernant ces trois affaires, vous apparaissez rarement, comme si vous étiez très peu concerné...*

Elles étaient, en effet, totalement étrangères à mon histoire et à mon environnement personnel. En quelque sorte, je les ai subies et j'ai dû, si j'ose dire, faire avec !

Je savais que Giscard, en 1974, n'avait pas voulu que Jean de Broglie entre au gouvernement de Chirac, ni qu'il devienne président de la commission des finances de l'Assemblée nationale. Son assassinat, selon les informations que m'ont données les services de Matignon, était un règlement de comptes. Mêlé à des trafics d'armes, il a été exécuté par des truands. Il n'y avait, derrière ce meurtre, rien de politique. Bien entendu, certains l'ont transformé en « affaire politique ».

Il en alla de même dans le cas de Robert Boulin. Lorsqu'il était ministre délégué à l'Économie et aux Finances, j'avais avec lui des relations très suivies et il avait toute ma confiance. Devenu en 1978 ministre du Travail et de la Participation, il la conservera. Puis, un jour, Philippe Mestre m'avertit : d'une part, Boulin se trouverait, selon Peyrefitte, mêlé à une affaire embêtante ; d'autre part, Boulin serait convaincu que Peyrefitte voulait sa destitution. La situation familiale de Boulin était très confuse. « Gardons le silence là-dessus », telle fut notre conclusion, à Mestre et moi-même. Quant au président, il ne m'a pas parlé des démêlés de son ministre, que l'Élysée n'ignorait pas.

Je voyais Robert Boulin en tête à tête une heure toutes les semaines. Nos rapports étaient très cordiaux. Jamais il n'a fait la moindre allusion à ses soucis. Parfois, il me disait, de façon un peu appuyée, qu'il avait été ministre du général de Gaulle et qu'il n'accepterait pas que l'on puisse porter atteinte à son honneur. Ces quelques phrases m'intriguaient, mais il n'allait pas plus loin.

Lorsque le président fit un voyage dans le Sud-Ouest, début octobre 1979, il s'arrêta à Libourne, la ville de Boulin, et lui rendit un hommage appuyé. La presse, immédiatement, en tira la conclusion que Robert Boulin serait mon successeur ! Il a eu la correction de me téléphoner. « Tout cela, me dit-il, n'est que spéculation gratuite, et jamais je n'ai convoité votre poste. »

Là-dessus, j'apprends que le juge d'instruction Van Ruymbeke, magistrat à Caen, a découvert un chèque de 50 000 francs que Boulin a fait encaisser par son chauffeur. Le juge s'interrogeait sur l'achat d'un terrain à Ramatuelle. La presse s'empare du dossier. Au cœur de l'affaire, un forban, M. Tournet.

Juste à ce moment-là, je suis hospitalisé au Val-de-Grâce. J'en sors le 27 octobre et je vois Robert Boulin le 29. Il ne me dit rien. Mestre, qui disposait des dernières informations sur l'enquête de Van Ruymbeke, était évidemment très ennuyé : que pouvions-nous faire si Boulin lui-même choisissait le mutisme ? Le lendemain, vers trois heures du matin, on me réveille pour m'annoncer que l'on a retrouvé le corps de Boulin dans un étang de la forêt de Rambouillet. Il s'est donné la mort en se jetant à l'eau après avoir avalé des barbituriques.

Je me suis rendu à son appartement pour saluer sa dépouille. J'ai vu sa femme. Et voilà que dans une lettre postée avant son suicide et adressée à l'AFP, à *Minute,* à *Sud-Ouest* et à M. Chaban-Delmas, Boulin accuse Tournet, critique le juge d'instruction, dénonce l'attitude de certains de ses amis politiques, en particulier Alain Peyrefitte. C'est là que les esprits se sont enflammés. La famille a fait monter les enchères, et la rumeur d'un assassinat a commencé de courir.

Giscard a demandé au Conseil supérieur de la magistrature de diligenter une enquête. C'était la seule décision à prendre et jamais nous n'avons cherché à escamoter ce drame. L'enquête a conclu que Boulin s'était bien suicidé et qu'il n'y avait rien à reprocher au parquet de Versailles en charge de l'affaire. Dix ans après, l'avocat Jacques Vergès, mon compatriote de la Réunion, a voulu rouvrir le dossier, mais l'« affaire » est retombée. Pour moi, il n'y a pas de mystère Boulin, il s'est suicidé.

En tout cas, de près ou de loin, le gouvernement n'a aucune responsabilité dans ce que l'on a appelé l'« affaire Boulin ». Les allégations à ce propos sont insultantes.

*Venons-en à l'« affaire », celle des diamants. Le 9 octobre 1979, Le Canard* enchaîné *titrait en une : « Quand Giscard empochait les diamants de Bokassa. » L'hebdomadaire satirique est aussitôt relayé par* Le Monde. *Jusqu'au scrutin de mai 1981, il ne se passera pas un seul jour sans qu'un quotidien, un hebdomadaire, une radio ou une chaîne de télévision n'évoque l'« affaire des diamants ». En avez-vous parlé avec le président ?*

Il ne m'en a parlé, et cela va sans doute vous surprendre, que deux fois. La semaine où l'affaire a été lancée, il m'a dit : « Vous avez vu cette campagne ? Je ne répondrai pas. C'est indigne. » Une seconde fois, il m'a informé d'une conversation téléphonique avec M. Fauvet, alors directeur du *Monde*. Le quotidien venait de mettre en cause, sur une pleine page, l'ensemble de sa famille. Il avait joint Fauvet pour lui manifester son indignation, précisant que la presse se devait un minimum de respect envers la fonction présidentielle. Je n'ai pas eu, de sa part, un mot de plus.

Ses collaborateurs ne m'en parlaient pas davantage. Début 1981, M. Polge de Combret[1] fut le seul à m'avouer : « Nous avons eu tort de ne pas réagir immédiatement, comme vous l'avez fait quand on vous a accusé d'avoir puisé dans les fonds secrets pour vous constituer un patrimoine. »

Giscard s'estimait au-dessus de ces calomnies et il était convaincu que les Français ne pouvaient lui imputer de tels agissements. C'était en dehors de son champ de pensée et d'action. Il est indéniable qu'il n'a jamais été mêlé à des affaires de corruption. Comment, néanmoins, a-t-il pu tolérer ce jeu de ping-pong entre *Le Canard enchaîné* et *Le Monde* sur un thème d'une portée aussi symbolique que les diamants ? Il fallait réagir très vite et de façon très forte.

---

1. François Polge de Combret était alors secrétaire général adjoint de l'Élysée.

Pour ma part, cette affaire me paraissait secondaire. Giscard était au-dessus de tout soupçon. Elle a eu cependant dans l'opinion un effet diffus auquel les spectacles de Thierry Le Luron ont malheureusement contribué. On s'en rendra compte en 1981.

*Un projet de loi « Sécurité et liberté » est déposé en juin 1980 sur le bureau de l'Assemblée nationale. Il est l'aboutissement d'une profonde réflexion engagée par le garde des Sceaux, Alain Peyrefitte, sur le « mal judiciaire » qui atteint le monde de la justice.*

Dès que le projet fut connu, il déchaîna une violente offensive de l'opposition de gauche et la critique systématique et souvent de mauvaise foi d'une presse qui lui reprochait d'attenter aux libertés et d'être anticonstitutionnel.

Alain Peyrefitte s'attachera avec patience à préciser les motifs de l'initiative gouvernementale, les mesures destinées à assurer la sécurité, celles envisagées pour mieux protéger les personnes. Son action marqua une rupture avec les idées qui, depuis 1945, avaient été soutenues par certains juristes et qui constitueront, dans les années 1970 et 1980, la conception dominante, qui considère que l'individu qui commet un crime ou un délit n'est qu'une victime de la société et, tout au plus, un malade qu'il faut soigner.

Un revirement commença à se produire dans beaucoup de pays qui avaient adopté cette doctrine, contre les principes de « l'individualisation et de la resocialisation » poussés au-delà du raisonnable.

La loi « Sécurité et liberté » a été un élément central de l'opposition de gauche jusqu'à l'élection présidentielle de 1981. Le garde des Sceaux ne fut pas épargné, même s'il fut soutenu par la majorité de la commission des lois, présidée par Jean Foyer. Le projet de loi fut voté à l'Assemblée nationale. Au Sénat, critiques subtiles, intrigues et manœuvres se déployèrent contre lui. Une rumeur se répandant que le gouvernement retirerait le projet de l'ordre du jour du Sénat, j'y mis fin par un bref communiqué de Matignon annonçant que le débat serait poursuivi jusqu'à son terme. Le texte fut définitivement adopté.

La sécurité des citoyens, la paix civile qui assure leur liberté ne peuvent être obtenues dans une société sans obligation ni sanction. Alain Peyrefitte avait pressenti les dérives ultérieures et avait voulu y faire face. Il voyait juste et loin.

*Toutes les « affaires » furent inlassablement relancées et décortiquées durant les deux dernières années du septennat. Vous avez été vous-même assez malmené par les médias. Comment analysez-vous cette attitude de la presse à votre égard ?*

Dans l'exercice de mes fonctions, mes relations avec la presse n'ont pas été bonnes. Les difficultés économiques, les tensions politiques, mon désir de ne pas admettre les critiques souvent médiocres et peu fondées, mon tempérament qui me poussait à la provocation, tout cela créa un climat, disons variable. J'eus des relations plus calmes avec les journalistes économiques qu'avec les journalistes politiques, notamment ceux que je qualifierais de « scribouillards » dans les moments de forte tension.

Je ne peux manquer d'évoquer une occasion qui me fût donnée d'expliquer mon comportement avec la presse. C'était le 13 janvier 1981. Je recevais les vœux de l'Association de la Presse ministérielle présidée par un journaliste plein de finesse, que j'appréciais particulièrement, Jean-Claude Vajou. « Les journalistes, me déclara-t-il, parfois vous agacent ! Vous agacez parfois les journalistes ! Les économistes diraient que ce sont là les termes de l'échange, mais l'essentiel est bien qu'il y ait échange. » J'avais préparé avec soin ma réponse puisque c'était la dernière fois que je m'adressais à eux comme Premier ministre. Pourquoi, leur ai-je expliqué, ai-je pu déconcerter mes interlocuteurs ? D'abord je suis peu enclin aux confidences ou aux « fuites organisées » à des fins particulières, ce qui donne peu de piquant à ma fréquentation. Ensuite, au moment de ma nomination peu attendue comme Premier ministre, j'ai pris trois résolutions : observer strictement la lettre et l'esprit des institutions de la Ve République, ce qui déjouerait les efforts pour pousser un coin entre l'Élysée et Matignon, sujet privilégié de la chronique politique ; me tenir à l'écart du jeu des partis ce qui est très décevant pour tous ceux qui ne s'intéressent qu'à ce jeu-là ; me conformer à une observation de François Mauriac dans son *Bloc-Notes* : « Toutes les équipes que j'ai vues se succéder au pouvoir ont eu ce trait commun d'une extrême sensibilité au moindre commentaire du moindre journaliste. Mais le président de la République et le Premier ministre doivent s'établir dans un état d'indifférence, oppposer une surface lisse et ne retenir des attaques subies que ce qui peut les aider à voir plus clair ! »

L'indifférence, je ne cesserai de l'acquérir au cours de mes années de fonction. À côté de la « surface lisse », on m'avait aussi conseillé la « peau de crocodile ». J'en ai eu besoin... Et j'ai su souvent mettre, dirais-je, des boules Quiès dans mes oreilles.

Cela dit, j'ai toujours attaché la plus grande importance au rôle de la presse, j'ai toujours été attentif aux jugements, aux avis, aux critiques des journalistes et je remercie ceux d'entre eux qui n'ont pas hésité dans ces années difficiles, à me prodiguer leurs encouragements.

Comment ne rendrais-je pas hommage aux caricaturistes qui font preuve d'une imagination sans cesse renouvelée, trouvent des légendes pleines d'esprit mais aussi des remarques justifiées ? Ma femme a fait collection de tous ces dessins : nous avons, elle et moi, plaisir à lire l'histoire de mon mandat par la caricature.

En janvier 1980, après le tumulte des mois précédents, Faizant m'a adressé, pour le Nouvel An, un dessin simple mais émouvant. Marianne me dépose un baiser sur la joue. Je l'ai mis sur un mur de mon bureau à Saint-Jean-Cap-Ferrat. Pour tout ce que l'on a pu subir, il n'y a pas de meilleure consolation.

# CHAPITRE VII

# La bataille perdue
# de 1981

*Dès la rentrée de septembre 1980, les milieux politiques et la
presse ne vivront plus que dans la perspective du scrutin présidentiel
de mai 1981. Est-ce que vous allez vous-même évoquer de plus en
plus cette échéance avec Giscard ?*

Le président me parlait très peu de la prochaine élection présidentielle. Je précise d'ailleurs que je prendrai, jusqu'au début de
1981 et sous son autorité, un certain nombre de mesures qui
n'étaient pas destinées à flatter l'opinion, mais à prolonger la
politique menée depuis 1976.

Parfois, Giscard s'interrogeait à haute voix : serait-il candidat
ou non ? Je l'encourageais à l'être. Franchement, j'étais
convaincu qu'il serait réélu. Il avait accompli un septennat efficace et fructueux, n'en déplaise à ses détracteurs. Je souhaitais
qu'il puisse poursuivre, sept ans encore, le travail que nous
avions amorcé : moderniser la France, renforcer sa position sur
les plans national et international. Comme je vous l'ai dit, j'ai
voulu agir en sorte qu'il dispose, après sa réélection, d'une économie singulièrement assainie. Et ce fut bien le cas. Même
Ambroise Roux – qui n'était pas de mes amis ! – dut en convenir

et déclara devant son conseil d'administration quand il quitta la CGE : « J'ai fait comme M. Barre à l'égard de la France : je laisse les caisses pleines. »

La classe politico-médiatique, obnubilée par les « affaires », par les divisions dans la majorité et par l'arrogance de la gauche, ne s'intéressait pas à l'amélioration de notre situation économique et financière. Si notre inflation était encore trop élevée, depuis mars 1979 le franc avait une excellente tenue au sein du SME, et cela sans intervention de la Banque de France. Si nos taux d'intérêt étaient hauts, ils n'ont jamais atteint les niveaux extrêmes des taux américains et anglais de l'époque.

Grâce à cette solidité du franc due aussi à la grande modération de la hausse des revenus, les capitaux n'ont jamais cessé d'affluer. « Nous avons beaucoup d'argent, me confia Jean-Yves Haberer, directeur du Trésor, mais nous devrons faire face à une sortie d'au moins 5 milliards de dollars le jour où on estimera que Mitterrand risque de l'emporter. » Il faisait là étrangement écho à un ami allemand, mon collègue à Bruxelles, qui m'avait dit : « En Allemagne, on vous appelle Monsieur Cinq milliards de dollars » ! Ça n'a pas raté : quand Giscard, déjà fragilisé, a annoncé, le 2 mars 1981, qu'il sollicitait un second mandat, nous avons perdu dans la journée suivante 5 milliards de dollars. Je tiens à préciser qu'en dépit de cette hémorragie, nos caisses étaient toujours pleines quand M. Mitterrand s'est installé à l'Élysée...

Je considérais que notre bilan était relativement satisfaisant, compte tenu des circonstances. Nous avions affronté le deuxième choc pétrolier et la France se redressait à nouveau à la fin de 1980.

Dans ses rares allusions à la future bataille présidentielle, Giscard revenait régulièrement sur une question : comment faire en sorte de n'être pas accusé par les socialistes d'utiliser l'Élysée pour mener sa campagne ? C'est ainsi qu'il me dit : « Je me demande si je ne vais pas démissionner pour me présenter, si jamais je me présente... » J'étais abasourdi. « Monsieur le président, ai-je répondu, ne démissionnez pas. Il n'y a absolument aucune raison ! Ne faites pas ça, vous avez un gouvernement qui mène une politique difficile, et votre départ ne ferait qu'alourdir sa tâche. Si, malgré tout, vous décidiez de quitter l'Élysée, prévenez-moi en temps opportun. Alain Poher assurera l'intérim [1] et il me reviendra, avec le gouvernement, de gérer les affaires jusqu'à l'élection du nouveau président. »

Il abandonna heureusement cette idée. Tout cela révélait néanmoins son hésitation. Il s'interrogeait sur la manière d'aborder le combat. N'oubliez pas qu'il était seul, avec au Parlement une majorité qui se déchirait, un RPR qui se déchaînait, et une gauche vent debout contre lui.

Puis survient la désignation de François Mitterrand comme candidat du Parti socialiste. Le président n'est pas surpris : il n'a jamais cru à la candidature de Michel Rocard, il savait que Mitterrand serait son principal adversaire. Jacques Chirac se déclare à son tour, ce qui bien sûr ne m'a pas étonné. Pour le RPR et son leader, le scrutin présidentiel allait être l'heure des règlements de comptes avec Giscard. Une heure que Chirac et le RPR attendaient depuis 1976.

Quelques semaines plus tard, le président m'annonce au début d'une audience : « J'ai décidé de me présenter et voici comment je vais m'organiser. De votre côté, avec le gouvernement, vous conduirez les affaires du pays. De mon côté, je prendrai de la distance et, pour bien montrer que j'entends que ma campagne soit indépendante de ma fonction présidentielle, je vais m'entourer d'une équipe et je demanderai à trois ministres de démissionner : Jean-François Deniau, Jean-Philippe Lecat et Monique Pelletier [2]. »

---

1. Alain Poher était alors président du Sénat et, selon la Constitution, c'est à lui qu'il revenait d'assurer l'intérim si le président de la République démissionnait.

2. Deniau était ministre de la Réforme administrative, Lecat ministre de la Culture et de la Communication, Mme Pelletier ministre de la Condition féminine et de la Famille.

C'est après cet entretien qu'il intervient, le 2 mars. Il ne sera pas, déclare-t-il, un « président-candidat », mais un « candidat-citoyen », ajoutant qu'il veut inaugurer un « septennat nouveau », et non pas un « nouveau septennat ».

Le lendemain, j'étais à Lyon et le préfet, comme tous ceux qui l'avaient entendu, me pose les mêmes questions : « Quelle est la différence entre un nouveau septennat et un septennat nouveau ? Veut-il prendre ses distances avec les sept ans qu'il vient d'accomplir pour apparaître sous un jour complètement nouveau ? Ne veut-il pas assumer totalement la politique qu'il a menée ? » Mes interlocuteurs sont troublés par son attitude, qu'ils jugent défensive plutôt qu'offensive. Je partage leur sentiment et sa stratégie électorale me déconcerte quelque peu.

Il installe son état-major de campagne rue de Marignan. Deniau s'occupe des thèmes centraux de la bataille, Lecat est le porte-parole officiel du candidat, Mme Pelletier anime les comités de soutien. Deniau est, depuis Bruxelles, un vieux camarade extrêmement brillant et papillonnant. En revanche, Jean Serisé, le plus proche des conseillers de l'Élysée, ne participe pas à l'équipe de campagne.

Bref, la campagne démarrait étrangement. N'eût-il pas fallu se battre en disant tout simplement : « Voilà ce que j'ai fait » ? Je m'en suis entretenu avec Jean Serisé. L'idée du « septennat nouveau », lui ai-je dit, embrouillait nos concitoyens, alors que la campagne de presse sur le « président-monarque » les impressionnait. Combien de fois, dans ma circonscription lyonnaise, ne m'a-t-on interrogé sur la fameuse couverture du *Nouvel Observateur* où Giscard est caricaturé en Louis XV !

Enfin, il y avait des fautes de goût qui pouvaient choquer et qu'il fallait éviter. Par exemple, dans les premiers meetings, le président et Mme Giscard d'Estaing s'installaient sur le podium dans deux fauteuils rouges... Une autre fois, comme il était absent, Giscard fit recevoir par son fils une délégation d'agriculteurs... Tous ces petits faits ne pouvaient qu'alimenter le penchant monarchique que ses adversaires lui prêtaient. À Lyon en particulier, ville radicale et centriste, les gens étaient à cet égard sur la réserve.

*Que pensiez-vous précisément de certaines de ses initiatives – par exemple, ses dîners chez les Français – qui furent mal perçues ?*

Je me suis beaucoup interrogé sur toutes les attaques, souvent injustes, contre la personne du président, même si certains aspects de son comportement pouvaient susciter la critique ou l'ironie. Je disais à mes proches collaborateurs que Giscard, c'était « Narcisse homme d'État ». Lorsqu'il s'agissait des affaires de la France, c'était un homme d'État de premier plan ; quand il s'agissait de lui-même, c'était Narcisse, trop attentif à son image, aux sentiments que l'on pouvait avoir envers lui. Sa sensibilité le conduisait à composer des scénarios qui avaient pour but de donner de lui une meilleure opinion dans certains milieux. En réalité, les initiatives qu'il a prises vont se retourner contre lui. Ainsi, quand il va dîner chez les Français, parce qu'on l'accuse d'être un grand bourgeois ; ou quand il reçoit les vendeurs de muguet ; ou quand il associe de temps à autre Mme Giscard d'Estaing à ses interventions télévisées...

Vous savez, Giscard réfléchit beaucoup sur lui-même, sur les comportements qu'il doit adopter dans diverses circonstances. Alors cet homme simple devient compliqué. Ce qui l'entraîne parfois à prendre des décisions curieuses, à organiser des mises en scène pour le moins inattendues.

Rétrospectivement, l'explication que donnera Jean d'Ormesson de sa défaite me paraît très juste : « Giscard a fait battre nos idées sur sa personne. » Et Rouart ajoutera dans son discours à l'Académie française : « C'est la caricature de votre personne et non votre politique, qui vous a valu votre défaite. »

*Vous serez rarement en première ligne durant la campagne.
Était-ce le souhait du candidat-citoyen ?*

Les conseillers du président à l'Élysée, comme l'équipe de la
rue de Marignan, estimaient que ma participation à la campagne
ferait perdre des voix au candidat-citoyen et qu'il convenait de
me tenir à distance. Là-dessus, mon directeur de cabinet m'ap-
prend qu'une enquête d'opinion indique que si j'étais tenu à
l'écart de la campagne, ce serait un élément négatif. J'écoutais
tout cela avec calme, et, de son côté, le président ne changeait
pas d'attitude à mon égard.

C'est à ce moment-là qu'il a entamé un tour de France, et
programmé son meeting pour le jeudi 23 avril à Lyon. Ce sera
sa dernière grande réunion avant le premier tour, et elle doit être
un temps fort de sa campagne. La rue de Marignan m'invite à
le rejoindre en me précisant que je n'aurai pas à prendre la
parole. Dont acte.

Je me rends à mon audience habituelle et il se produit alors
un dialogue singulier.

« Vous savez que je vais à Lyon ?, me dit Giscard.

— Bien sûr... et je serai là.

— Vous parlerez, évidemment ?

— Non, monsieur le président. On m'a prévenu qu'il n'y
aurait que deux discours, celui du maire de Lyon [1] et le vôtre.

— Mais c'est impossible, monsieur le Premier ministre, qu'à
Lyon vous ne preniez pas la parole ! Je vais m'occuper de cela. »

J'apprends dès le lendemain qu'on m'accorde dix minutes. Je
revois le président pour l'en informer. « C'est inconcevable, me
dit-il. Il vous faut parler au moins vingt minutes ! » Je lui
réponds que je ferai évidemment ce qu'il souhaite. Il fut donc
décidé que je parlerais après le maire et avant lui pendant un
temps qui me permettrait d'être consistant.

---

1. Francisque Collomb, très proche de Valéry Giscard d'Estaing, est alors
maire de Lyon.

Tout cela était tout de même assez comique ! Il est également curieux que le texte de mon discours, qui devait être distribué, a disparu pendant quarante-huit heures, de telle sorte qu'il a été impossible d'y faire référence, la campagne électorale étant close le vendredi soir à minuit. Il y avait, chez certains collaborateurs de Giscard, le souci très net de m'écarter.

Le premier tour du scrutin se déroule le dimanche 26 avril. À Lyon, le président arrive devant Mitterrand. Si je suis content de ce résultat, le leader socialiste n'est qu'à deux points derrière lui. Ce qui m'amène à m'interroger sur le comportement de l'électorat RPR. Que celui-ci vote au premier tour pour Jacques Chirac – qui obtient 18 % des voix – est tout à fait normal. Comment s'effectuera le report des voix pour le second tour ? C'est le point essentiel.

Je pensais que l'électorat RPR, ayant une tradition gaulliste, et connaissant le mépris du Général comme celui de Pompidou envers Mitterrand, ne voterait jamais pour ce dernier. Je commettais là une erreur d'analyse. En réalité, beaucoup d'électeurs gaullistes n'avaient pas pardonné à Giscard de s'être prononcé pour le « non » au référendum d'avril 1969 qui entraîna le départ du Général. Ces électeurs-là se laissèrent convaincre par l'antigiscardisme des dirigeants du RPR, et ils firent la différence. M. Pasqua, de son côté, organisa dans tous les comités de soutien qu'il animait le vote contre Giscard.

Jacques Chirac a parié sur cette défection. Dès le lundi 27, il s'est rendu à l'Élysée et a annoncé, en sortant, qu'il ne donnait aucune consigne de vote, mais qu'il voterait « à titre personnel » pour le président sortant. Il s'efforçait de jouer sur deux tableaux : d'une part, il ne voulait pas être accusé d'opposition formelle à Giscard ; d'autre part, il démobilisait son électorat, allant jusqu'à lui permettre de voter contre le président.

*Vous saviez à ce moment-là que Jacques Chirac avait, dès octobre 1980, rencontré François Mitterrand chez Édith Cresson, et qu'il lui aurait dit qu'une réélection de Giscard serait une catastrophe ?*

Je l'ai su, en effet. Certaines informations avaient filtré. Depuis, cette entrevue a été racontée par Giscard, qui a recueilli le témoignage de Mitterrand, et par Édith Cresson. Déjà, en novembre 1979, lors d'une réception organisée par le groupe socialiste du conseil municipal de Paris, Chirac s'était entretenu en aparté avec Mitterrand. Je ne sais ce qu'ils se sont dit, mais certainement pas du bien de Giscard !

Un an plus tard, après son dîner chez Mme Cresson, il fit une très curieuse déclaration que tout le monde semble avoir oubliée : il lança un appel du pied aux socialistes. Louis Mermaz et Charles Hernu lui ont répondu qu'ils n'étaient pas hostiles à un rapprochement avec les gaullistes, estimant toutefois que c'étaient à ceux-ci de se détacher de la majorité pour « se prononcer » sur le projet politique du PS. Jean-Pierre Chevènement, de son côté, considéra qu'il y avait « effectivement une sensibilité nationale » ayant « sa place dans un vaste rassemblement populaire ».

Il s'agit là de faits qui illustrent les intentions réelles de Chirac, même si ce rapprochement gaullistes-socialistes n'avait aucune crédibilité. Au fond, il m'importait peu de savoir ce que MM. Chirac et Mitterrand s'étaient vraiment dit, puisque la volonté du RPR d'abattre Giscard transparaissait au travers de nombreux signaux. Il eût fallu être aveugle pour ne pas les voir ! Dès 1978, je ne doutais pas que le but de Chirac était de faire battre Giscard en 1981 ; c'était sa seule façon d'avoir la voie libre pour l'avenir.

En tout cas, aussitôt après le premier tour, je suis informé du travail de sape que menaient le RPR et le comité de soutien de Jacques Chirac auprès de leurs électeurs : on les invitait à s'abste-

nir et parfois même à voter pour Mitterrand. Des préfets m'annonçaient que plusieurs maires RPR avaient démissionné du
parti parce qu'ils avaient reçu l'ordre de voter Mitterrand ou de
s'abstenir. Tout cela devenait inquiétant. Une inquiétude qui
sera confirmée par un sondage sur les reports de voix, que Matignon attendait. Le mercredi matin 29 avril, Philippe Mestre est
venu m'apporter les chiffres et m'a dit : « Le président ne passera
pas. » Le sondage indiquait nettement que le report des voix
RPR était insuffisant pour permettre à Giscard de l'emporter.

Nous avons gardé ces résultats pour nous. Nous ne voulions
pas démoraliser le président de la République, et nous pensions
qu'il devait être soutenu fermement.

*Giscard, à cette date-là, croyait qu'il pouvait être réélu ?*

Oui, et jusqu'à son meeting du dimanche 3 mai à la porte de
Pantin. Ce soir-là, jusqu'à la dernière minute, il a espéré que
Chirac ferait le geste de la réconciliation et qu'il viendrait à ce
meeting très symbolique, puisqu'il réunissait plus de cent mille
personnes. Giscard ne s'est pas rendu compte de la détermination de Chirac à vouloir l'abattre. Il pensait que son autorité
finirait par vaincre les sentiments de Chirac et ceux du RPR. Le
RPR aurait peut-être pu soutenir Giscard pour ne pas faire le
jeu des socialistes. Mais, en vérité, les membres du RPR n'avaient
pas de sympathie pour Giscard. C'est cela, le fond de l'affaire.

*Vous avez, entre les deux tours, discuté de cette atmosphère poli*
*tique avec Giscard ?*

Bien que l'activité du gouvernement se soit ralentie pendant
la campagne électorale, j'avais toujours mes audiences habituelles. Je l'encourageais par conséquent du mieux que je pouvais, mais je n'interférais pas directement dans sa stratégie de
campagne. C'était *son* affaire. Il en parlait très peu. Je sais qu'il

a demandé, avant son face-à-face avec Mitterrand, qu'on lui repasse celui auquel j'avais participé en mai 1977 et qui avait été déstabilisant pour le leader socialiste.

Giscard, je vous l'ai dit, est un homme sensible et complexe. Pendant cette période, il se protégeait et livrait rarement ses sentiments ou ses impressions. Il a mené seul sa bataille, son QG de la rue de Marignan ne lui ayant pas apporté grand-chose.

Le soir du second tour, je ne l'ai pas vu et je lui ai fait porter une lettre personnelle pour lui exprimer mon profond regret et ma déception. Je n'en ai pas gardé le double. Je l'avais servi, lui ai-je écrit, du mieux que je pouvais, et j'espérais n'avoir pas été un facteur ayant pu nuire à sa réélection. Je tenais à le lui dire, dans la mesure où beaucoup de ses collaborateurs avaient pris la facile habitude de me montrer du doigt. Je m'étais bien sûr interrogé sur ma part de responsabilité dans cet échec. J'avais une opinion mélangée. Les Français, je le savais, n'aiment pas qu'on leur impose un effort durable, et je leur avais imposé cet effort. J'étais bien conscient que cela avait pu entraîner des réactions négatives.

J'ajoute cependant qu'en mars 1981, Giscard publie un livre sur *L'État de la France*. Il m'en adresse un exemplaire avec la dédicace suivante : « À Monsieur Raymond Barre qui, en tant que Premier ministre, a fait davantage que quiconque pour améliorer l'état de la France. » Que pouvais-je souhaiter de mieux ?

Au demeurant, les spécialistes en communication me le disaient : « Un mot revient trop souvent dans vos déclarations, le mot "effort". Évitez-le ! » Je leur répondais que ce n'était pas possible. Quand on gouverne son pays, que l'on est accablé de revendications de toutes sortes, que l'on est pris au piège de toutes les intrigues politiciennes, il est indispensable d'être inflexible. Si j'ai senti que Giscard avait parfois des réticences politiciennes à prendre certaines décisions, je lui dois de vous dire qu'au dernier moment, en homme d'État, il ne reculait pas.

Mais, par delà toutes ces considérations, j'avais abouti, au terme de mes années à Matignon, à ce constat politique qui m'apparaissait autrement plus important et que j'exposerai quelques mois plus tard à Giscard : son élection en 1974 n'avait jamais été acceptée par l'establishment politique de droite ni par l'establishment politique de gauche. Il l'avait emporté, avec un écart de 0,5 %. Chirac ne cessera jamais de rappeler qu'il n'aurait pas été élu sans lui ; Mitterrand, qui pensait gagner, n'a jamais digéré d'être battu de si peu. Dès lors, ils ont considéré l'un et l'autre que Giscard était une sorte d'usurpateur.

Ce constat politique s'est inscrit, en 1981, dans les faits : le RPR n'a lésiné sur rien, comme on sait, pour convaincre son électorat de voter contre le président sortant. De surcroît, Giscard ayant obtenu 48 % des voix et Mitterrand 52 %, je ne pouvais évidemment pas être responsable à moi seul d'un tel écart ! D'autant que j'ai eu tout de suite des indications très précises sur le report des voix de l'électorat RPR. Il était conforme aux prévisions du fameux sondage d'entre les deux tours.

Cet échec ne m'en affectait pas moins. D'abord parce qu'il atteignait le président de la République dont j'avais pu apprécier la compétence et les qualités d'homme d'État et avec lequel j'avais travaillé quotidiennement pendant près de cinq ans. Ensuite, cet échec m'inquiétait parce que je savais que les socialistes étaient disposés à conduire une politique contraire à la mienne et dangereuse pour le pays. Certes, une majorité de Français avaient voté le changement, mais j'étais convaincu qu'il était impossible, en raison du deuxième choc pétrolier, de modifier le cap que nous avions choisi.

C'est pourquoi, le lundi matin, j'ai remis à la presse un communiqué qui a été largement repris et commenté. D'une part, je précisais mes intentions immédiates : j'entendais veiller à ce que la transition se déroule dans des conditions conformes aux intérêts du pays. Après quoi, je rejoindrais le camp de tous ceux qui entendaient demeurer fidèles aux principes de la

Vᵉ République tels qu'ils nous avaient été légués par le général de Gaulle. D'autre part, je donnais mon opinion sur les lendemains qui nous attendaient : « Alors que tous les pays du monde sont aux prises avec des difficultés profondes et durables, déclarais-je, beaucoup de promesses ont été faites aux Français au cours de cette campagne. Ils ont pu, de bonne foi, croire qu'ils pourraient vivre mieux ; je crains qu'ils ne constatent rapidement la détérioration de la situation intérieure et internationale de notre pays à la suite du changement qui leur a été proposé. Le jour viendra alors où, tirant les leçons de l'expérience, ils se détourneront des illusions et des chimères pour reprendre avec courage et confiance la voie du réalisme et du progrès. »

Ce n'est pas là un texte de Cassandre, et je m'honore de l'avoir écrit. Deux ans, hélas, suffiront pour qu'il devienne l'expression d'une réalité.

### Quand reverrez-vous Giscard ?

Je ne le reverrai pas avant le mercredi où je viendrai, à l'Élysée, lui remettre ma démission et celle du gouvernement. Notre entretien, comme d'habitude, fut très confiant, mais il ne laissa percer aucune émotion. Pourtant, je sentais qu'il était profondément blessé. Il ne s'attendait pas à un tel dénouement. Il n'avait jamais subi d'échec, et maintenant, au sommet d'une carrière exceptionnelle, le voici battu. C'était pour lui un choc très dur. J'étais en moi-même plein de compassion pour lui.

Il me charge d'expédier les affaires courantes ; il me demande de présenter au dernier Conseil des ministres, qui se tiendra une semaine plus tard, un rapport sur l'état économique et social de la France. Je l'ai établi, aussi sobre et précis que possible.

S'est posé alors, pour le gouvernement et pour moi, un grave problème : la fuite des capitaux amorcée quelques semaines auparavant, comme je vous l'ai dit, s'est accélérée avec le succès de Mitterrand. Que pouvais-je faire ? Le Trésor me demandait de rétablir le contrôle des changes. À quoi j'ai opposé trois arguments. D'une part, une telle décision n'était plus de ma compétence, puisque mon gouvernement n'avait d'autre rôle que d'expédier les affaires courantes. D'autre part, cette décision était absolument contraire à l'action que j'avais conduite depuis cinq ans. Enfin, je considérais que le contrôle des changes ne serait d'aucun effet tant que le futur gouvernement de gauche n'aurait pas clairement défini la politique qu'il entendait mener. Si, en effet, le nouveau pouvoir décidait d'appliquer le « Programme commun », rien n'arrêterait l'exode des capitaux.

Si le nouveau président voulait que je signe un décret rétablissant le contrôle des changes, il lui fallait m'adresser une lettre dans ce sens, et je m'exécuterais sur-le-champ. J'ai fait passer le message à ses collaborateurs par l'intermédiaire du Trésor.

*Vous parlez d'« intermédiaires ». Vous n'avez eu aucun contact direct avec l'équipe qui entourait Mitterrand sur un sujet aussi important ?*

Aucun. Ces questions relevaient de Jacques Delors, qui devait être ministre de l'Économie et des Finances, mais je ne l'ai pas vu. Tous les ponts étaient coupés. Comment eût-il pu en être autrement, puisque M. Lang avait déclaré que la France était passée de la nuit à la lumière... ? Et puis, n'étais-je pas un libéral dangereux... ?

Quoi qu'il en soit, je n'ai pas eu de réponse de l'équipe de M. Mitterrand. Celui-ci demanda à Pierre Mauroy, son futur Premier ministre, de ne pas s'occuper de ce problème et de laisser mon gouvernement aux prises avec les difficultés monétaires. Dès le soir de sa nomination, Mauroy allait prendre un décret rétablissant le contrôle des changes. Comme je l'avais prévu, la fuite des capitaux continua et aboutit aux dévaluations du franc d'octobre 1981 et de juin 1982. En un an, notre monnaie perdra près de 20 % de sa valeur par rapport au mark.

En plus de l'hémorragie qui affectait les réserves de la Banque de France, j'étais devant un second problème : Giscard avait dit qu'il ne quitterait l'Élysée que le jour correspondant exactement à ses sept années de mandat, soit le 27 mai. Il fallait donc tenir jusque-là, et je ne vous cacherai pas que, dans les conditions où je me trouvais, c'était difficile. Voilà pourquoi nous sommes intervenus, René Monory, de façon pressante, et moi-même, auprès du président pour qu'il décide d'avancer son départ. Ce qu'il a accepté. La passation des pouvoirs avec M. Mitterrand aura lieu le jeudi 21 mai, au lendemain de mon dernier Conseil des ministres.

*Pendant ces onze jours qui vont du 10 au 21 mai, avez-vous encore vos audiences habituelles avec le président ?*

Non, tout était suspendu. Je voyais uniquement les fonctionnaires ou les ministres qui avaient besoin de me parler de certains problèmes. S'il s'était produit un événement inquiétant pour le pays, j'aurais agi. Mais il ne s'est rien passé, et ceux qui se préparaient à me succéder ne se sont jamais manifestés.

*De son côté, Giscard vous a-t-il parlé de la manière dont il organiserait son départ ?*

Non. Lors de ses adieux aux Français à la télévision, personne, je crois, ni dans son entourage ni au gouvernement, n'avait été prévenu de la façon dont il a alors choisi de se lever et de quitter son bureau, tournant le dos à la caméra. J'en ai été surpris, mais cela nous renvoie à cette complexité du personnage que nous évoquions plus haut. La mise en scène ne fut pas appréciée.

De même, le jour de la passation des pouvoirs, je me trouvais à l'Élysée dans le salon qui précède le bureau du président. Mitterrand est arrivé, je l'ai salué et il m'a dit : « J'aurai l'occasion de vous revoir bientôt. » C'était assez cocasse ! Je ne le reverrai pas pendant sept ans... Ensuite je suis parti.

En traversant la cour de l'Élysée, j'ai croisé Mendès France. Il arrivait avec sa femme, je l'ai salué et il a eu un sourire d'une gentillesse qui m'a touché. Je sais qu'il appréciait mon action au gouvernement.

*Puisque vous évoquez Mendès France, l'avez-vous connu ?*

J'ai rencontré pour la première fois Mendès France durant l'hiver 1964, à l'occasion d'un colloque à l'université de Caen où on me demanda de l'accueillir. Après sa conférence, je l'ai raccompagné et il m'interrogea : « Je n'ai pas été trop dur à l'égard du gouvernement de Pompidou ? » Je lui ai dit qu'il était dans l'opposition depuis 1958 et qu'on ne pouvait s'attendre à moins, avant d'ajouter : « En vous écoutant, je pensais que vous étiez le seul successeur possible du Général. » Il m'a répliqué : « Je n'accepterai jamais de me présenter à l'Élysée. » J'ai senti qu'il refusait totalement l'élection du président au suffrage universel.

Ensuite, pendant mon mandat de vice-président de la Commission européenne, entre 1967 et 1972, Mendès m'invita plusieurs fois chez lui, rue du Conseiller-Collignon, pour que je lui parle de mon travail à Bruxelles. Nous avons eu quelques échanges amusants. Un moment, je me battais avec l'Allemagne fédérale sur les perspectives des taux d'inflation à moyen terme. Je proposais 3 %, car je ne voyais pas comment nous pouvions être en dessous. Mes collègues allemands voulaient 2 %, et n'en démordaient pas. Mendès me regarde : « Ce n'est pas deux ni trois qu'il faut, monsieur Barre, c'est zéro. »

À mes yeux, Mendès incarnait l'homme d'État. J'ai soutenu de Gaulle au lendemain de la guerre, j'ai soutenu Mendès France en 1954, et j'ai soutenu de Gaulle en 1958. D'ailleurs, en 1958,

195

comme vous le savez, le Général a proposé par trois fois à Mendès d'entrer au gouvernement.

C'était un intellectuel, un homme de conviction égaré en politique. Ce n'était pas un politicien superficiel ; il réfléchissait aux problèmes de la France. Si je tenais de Gaulle pour un personnage historique, j'éprouvais de l'admiration pour Mendès.

*Revenons à la passation des pouvoirs à l'Élysée...*

Après avoir salué Mendès, j'ai pris ma voiture. En passant le portail, j'ai vu une centaine de personnes qui se rassemblaient rue du Faubourg-Saint-Honoré. On sentait leur hostilité. Giscard n'aurait jamais dû sortir à pied de l'Élysée pour rejoindre son fils qui l'attendait dans sa voiture. Mitterrand l'aurait mis en garde. Il ne l'a pas écouté et il est parti sous les huées de la foule. Ce fut une erreur majeure, car ce moment filmé par toutes les télévisions laissera de son septennat une dernière image négative.

*Vous-même, vous avez dû aussi procéder à la passation des pouvoirs à Pierre Mauroy ?*

Ce fut très correct. « Je n'oublie pas, me dit-il, que vous m'avez toujours reçu aimablement, notamment pendant la crise de la sidérurgie. » Puis il me reconduit sur le perron, nous prenons congé, et, au moment où j'entre dans ma voiture, tout le personnel de Matignon massé dans la cour m'a chaleureusement applaudi. J'étais très ému de ce témoignage que me donnaient celles et ceux avec lesquels j'avais travaillé pendant cinq ans.

Mauroy s'est plaint d'avoir trouvé les tiroirs vides. Il ne connaissait pas la règle : tous les Premiers ministres qui s'en vont confient la totalité de leurs dossiers au Secrétariat général du gouvernement, à l'époque sous l'autorité de Marceau Long. Ensuite ces dossiers sont archivés.

Le septennat socialiste a démarré dans une certaine improvisation qui était compréhensible, aucun des ministres n'ayant eu une expérience du pouvoir au niveau gouvernemental. Beaucoup d'entre eux avaient une longue pratique du pouvoir municipal, mais pas de l'appareil de l'État.

*Vous quittez Matignon, mais vous êtes de nouveau candidat à Lyon après la dissolution de l'Assemblée nationale. Vous n'avez pas été tenté d'abandonner la scène politique ?*

Non, car j'estimais qu'après l'échec de Valéry Giscard d'Estaing, son Premier ministre devait se soumettre au jugement du peuple. J'ai été réélu très confortablement et j'ai consacré mon activité politique à ma circonscription, à la ville de Lyon et à mon mandat parlementaire. Mais je désirais aussi retrouver un poste de professeur. Mes étudiants et l'environnement universitaire m'avaient manqué. J'ai attendu les six mois pendant lesquels un ancien Premier ministre continue de percevoir son traitement, et ensuite j'ai pris une chaire qui venait d'être créée à l'Institut d'études politiques de Paris. J'y enseignerai jusqu'à ma retraite d'universitaire, c'est-à-dire jusqu'en 1992.

Le destin m'avait apporté de grands moments dans mon existence. Mais je ne regrettai pas de revenir à l'Alma Mater.

# Le rôle du Premier ministre
# en politique étrangère

*Nous n'avons pas abordé la politique étrangère de la France. Celle-ci est, en effet, le « domaine réservé du président de la République », selon la formule consacrée. Pourtant, dès votre nomination, Giscard vous a dit qu'il entendait vous associer à son action diplomatique. Comment cette association s'est-elle organisée et concrétisée ? Gardiez-vous, à chacune de vos audiences des lundis et jeudis, un moment pour aborder la politique étrangère ?*

Nous n'avions pas, dans ces audiences, d'ordre du jour fixé à l'avance. J'apportais au président les dossiers que je voulais lui exposer et sur lesquels je souhaitais avoir son avis. Ensuite, nous discutions régulièrement des affaires européennes et internationales. Giscard savait que j'étais européen, que je m'étais beaucoup investi dans les questions d'aide aux pays en voie de développement, enfin que j'avais l'habitude des réunions internationales et des contacts avec les experts étrangers. Je n'étais donc pas en terre inconnue. J'ai eu avec le président des discussions aussi approfondies et franches sur les problèmes diplomatiques que celles que nous avions sur la politique intérieure. Si, comme je vous l'ai dit, j'évitais le plus possible d'aborder les questions politiciennes ou partisanes, jamais je n'ai hésité à lui donner mon point de vue sur les événements internationaux ou sur la position de la France.

Le président de la République avait un sens aigu de l'évolution internationale, et une longue expérience des problèmes extérieurs. Je me suis toujours senti en communion de pensée avec lui : l'intérêt de la France était son seul souci.

La question du « domaine réservé », que vous soulevez, est plus complexe qu'il y paraît. Le président conduit la politique étrangère du pays. Il détermine le choix du ministre des Affaires étrangères, qui travaille directement avec lui. Le secrétaire général de la présidence de la République est aussi un acteur important dans ce domaine. Ces trois hommes sont au cœur de l'action diplomatique de la France.

Le Premier ministre ne peut ignorer ce qui se passe dans le « domaine réservé », il en est tenu régulièrement informé, et au Conseil des ministres, le ministre des Affaires étrangères fait systématiquement une communication. Mais il ne participe pas au Conseil européen où le président est assisté par le ministre des Affaires étrangères et celui de l'Économie et des Finances, ni au sommet du G7 ou du G8. En revanche, il est imbriqué dans la conduite des Affaires européennes, qui, aujourd'hui, ne peuvent être différenciées des Affaires intérieures, et il suit les travaux du Secrétariat général pour les Affaires européennes, qui coordonne les actions des départements ministériels à Bruxelles. Le conseiller du Premier ministre est le responsable de ce secrétariat. Deux brillants diplomates, Jean-Claude Paye et Hubert de La Fortelle, ont détenu ce poste auprès de moi.

En ce qui concerne le « domaine réservé », je prendrai deux exemples significatifs : le Conseil de défense et le Conseil des affaires étrangères.

M. Giscard d'Estaing réunissait le Conseil de défense au moins tous les six mois. Autour de lui, le Premier ministre, le ministre de la Défense, le ministre des Affaires étrangères, le chef d'état-major des armées, les chefs d'état-major de l'armée de terre, de l'aviation, de la marine, enfin, si besoin était, le ministre du Budget. Le Conseil a pour mission d'examiner la politique menée à l'égard des forces françaises de terre, de mer ou de l'air. Des projets, soumis par les états-majors, sont discutés, approuvés ou repoussés. La réalisation des projets acceptés est du ressort du Premier ministre et du gouvernement, qui disposent des moyens permettant de les mettre en œuvre. Le président, qui est le chef des armées, a ce que j'appelle le « pouvoir éminent » en matière de Défense ; l'action de concrétiser son pouvoir revient au Premier ministre et aux ministres concernés.

Pendant la cohabitation, entre 1997 et 2002, M. Jospin, à la suite d'une déclaration de M. Chirac sur notre programme de Défense, fit remarquer que les intentions du président étaient certes intéressantes, mais que la réalisation de tout projet militaire dépendait de lui-même et de son gouvernement. Il avait raison. Dans une période de cohabitation, les choses sont moins simples qu'en période de fonctionnement normal des institutions. D'une manière générale, l'unité de vue entre l'Élysée et Matignon est complète sur la défense de la France.

Un Premier ministre ne pourrait pas, sur les questions de Défense, contrecarrer une décision importante du président de la République, sauf à provoquer une crise institutionnelle. En revanche, dans ce domaine, le président agit, selon la formule, comme « le roi en son Conseil [1] ».

Valéry Giscard d'Estaing avait ses idées et ses intentions, mais il s'entourait d'avis, écoutait, tenait compte des conseils exprimés par les responsables militaires, mais aussi civils, car il y avait nécessairement les problèmes budgétaires à régler.

J'ajoute que le secrétaire général de la Défense nationale est rattaché au Premier ministre. De mon temps, un brillant aviateur, le général Renther, occupait cette fonction. Avant chaque

---

1. Cette formule signifiait que le pouvoir royal était contenu dans certaines limites par le biais de l'influence que pouvaient exercer ses conseillers.

Conseil de défense, il m'exposait en détail les points qui seraient à l'ordre du jour. Après le Conseil, il rédigeait un compte-rendu des décisions qui avaient été prises, le faisait approuver par le président, me le communiquait et en assurait la diffusion aux services compétents.

La guerre entre l'Irak et l'Iran qui éclata en septembre 1981 fut une bonne illustration de ce rôle du Premier ministre. Toutes les puissances occidentales décidèrent de soutenir militairement l'Irak. Comme nous entretenions, à l'époque, d'excellentes relations avec Saddam Hussein, nous avons été – avec les États-Unis – un des pays qui ont le plus contribué à ce soutien, et il m'est revenu de prendre toutes les décisions en la matière.

L'« opération Kolwezi », en mai 1978, fut décidée par le président de la République, chef des armées, sans que je sois préalablement informé. La ville de Kolwezi, centre minier de la province du Shaba, au Zaïre, avait été attaquée par des rebelles katangais. Pour protéger nos compatriotes qui vivaient à Kolwezi, Valéry Giscard d'Estaing ordonna de lancer les parachutistes du 2e REP, et la ville fut occupée sans coup férir. L'opération était risquée, mais fut un succès sur toute la ligne. C'est alors, l'opération étant en cours, que le président m'en informa lors d'une audience. En réalité, j'avais déjà été prévenu par les services de renseignement. L'opposition protesta violemment contre cette opération, M. Mitterrand nous reprochant d'avoir engagé des troupes au Zaïre sans consulter le Parlement. Il m'appartint d'aller lui répondre à l'Assemblée nationale : on voit le rôle, dans un tel cas, du Premier ministre... Quand la gauche s'est aperçue, à travers les sondages, que l'opinion approuvait massivement l'opération, elle s'est vite calmée !

Autre cas significatif du rôle du Premier ministre en politique de défense et en politique extérieure : le 20 décembre 1979, un débat eut lieu à l'Assemblée nationale sur une motion de censure déposée par le groupe communiste. Les pays membres de l'OTAN avaient en effet décidé d'installer de nouveaux missiles sur le territoire de certains d'entre eux. Face à la situation ainsi créée, quelle serait l'attitude de la France et de son gouvernement ? C'était la question que posaient les communistes, et le débat était par conséquent important. Après les interventions de MM. Marchais et Mitterrand, il m'est revenu d'expliquer la politique de la France en matière de désarmement et de sécurité en Europe. Le discours que j'ai prononcé avait été préparé par un éminent diplomate du Quai d'Orsay, M. Robin. Les conceptions françaises y étaient exposées avec précision et force.

J'ai évoqué également, à propos du « domaine réservé », le Conseil des affaires étrangères. Giscard réunissait un Conseil restreint en fonction des dossiers internationaux en cours. Par exemple, toutes les fois qu'il y avait un Conseil européen, un sommet, le Premier ministre, le ministre des Affaires étrangères, un ou deux ministres concernés par les sujets traités, et les principaux directeurs du Quai d'Orsay discutaient de la position que devait adopter la France. Les orientations diplomatiques qui étaient prises engageaient notre pays et le président était très attentif aux points de vue des uns et des autres.

Le rôle du Premier ministre, à travers ces diverses instances du « domaine réservé », peut ainsi s'exercer en conformité avec ses responsabilités propres. Valéry Giscard d'Estaing était très attaché à ses prérogatives constitutionnelles, mais tenait grand compte des diverses institutions. Ainsi s'était établi un climat de libre discussion et de grande confiance.

*Est-ce que l'image que vous renvoyiez auprès de nos partenaires étrangers pouvait également sinon influencer, en tout cas induire certaines décisions internationales ?*

Nos partenaires ne sont évidemment pas indifférents à la personnalité du Premier ministre français ! En 1978, M. Giscard d'Estaing et M. Schmidt proposèrent la création du Système monétaire européen. Le président désigna comme son représentant personnel Bernard Clappier. J'en fus bien sûr informé, mais je n'ai pas eu, en tant que Premier ministre, à suivre les discussions européennes. C'est un Conseil européen qui fixera le SME. Je m'en suis réjoui, d'autant plus que des journalistes français qui rencontrèrent Helmut Schmidt m'informèrent que le Chancelier leur avait confié qu'il ne se serait pas lancé dans cette opération si le « barrisme » ne lui avait pas semblé implanté en France... Jean Boissonnat écrira en décembre 1978 dans *L'Expansion* : « C'est bien parce que l'expérience Barre semble aujourd'hui avoir quelques chances en France que Paris prend le risque de lier le franc au mark avec un écart maximal de 2,25 %. Sans Barre, pas de Système monétaire européen, mais sans SME, pas de barrisme après Barre... »

*En dehors de ces instances où vous intervenez de facto sur les questions touchant au « domaine réservé », je suppose que le président vous consultait sur des décisions plus conjoncturelles. Je pense en particulier à sa rencontre avec Leonid Brejnev, en mai 1980, à Varsovie, qui fit couler beaucoup d'encre. C'était la première fois, depuis l'invasion de l'Afghanistan par les troupes soviétiques, qu'un chef d'État occidental s'entretenait avec Brejnev. Cette initiative va déclencher un tollé. Mitterrand brocarde « la rencontre de Varsovie », le RPR parle d'un « dialogue de sourds »... Giscard vous en a-t-il parlé ?*

Bien sûr ! Il faut se souvenir du contexte. À l'époque, les projecteurs de l'actualité étaient braqués sur l'Afghanistan qu'occupait l'Union soviétique. Ce dont on parlait moins, mais que nous redoutions par-dessus tout, c'était une intervention des Russes en Pologne. Lors de mon audience régulière, le président m'informe qu'il va rencontrer Brejnev, qu'il n'accepte de le voir qu'en dehors de l'URSS, et me demande mon avis sur l'opportunité de cette rencontre. Je venais de recevoir les dernières dépêches selon lesquelles Helmut Schmidt se préparait à partir pour Moscou. Je lui donne l'information, ajoutant : « Si le chancelier allemand s'en va à Moscou, je vois mal que la France ne puisse pas, d'une manière ou d'une autre, avoir des contacts avec l'Union soviétique, d"autant plus que tous les gouvernements n'ont pas rompu avec Moscou. »

Il me répond qu'il est en relation avec le Kremlin, que Brejnev accepte de le voir, et précise : « Je ne veux pas aller à Moscou, je ne veux le rencontrer que s'il se déplace en dehors de l'Union soviétique. Nous sommes tombés d'accord sur la Pologne. Mon intention est de dire très fermement deux choses à Brejnev : réaffirmer ma désapprobation à propos de l'invasion de l'Afghanistan, et surtout le prévenir que si jamais il intervenait militairement en Pologne, ce serait la rupture avec la France. » Sa position étant aussi claire que légitime, je l'ai par conséquent encouragé à se rendre à Varsovie. Jean François-Poncet, ministre des Affaires étrangères, nous a alors rejoints. Le président lui a fait part de notre conversation. François-Poncet s'est interrogé : fallait-il ou non annoncer officiellement cette visite ? Giscard a souhaité que nous ne l'annoncions qu'après qu'elle aurait eu lieu. Cela sera à l'origine de beaucoup de critiques. Je pense que le président aurait dû, dans un bref communiqué, annoncer la rencontre de Varsovie, justifiée par la situation internationale et les relations entre la France et l'URSS. Certes, cela n'aurait pas empêché l'opposition et une partie du RPR de faire flèche de tout bois contre la politique étrangère de Giscard.

Le scénario se renouvela lorsque le président rendit compte à ses collègues européens, au sommet de Venise, d'un message que lui avait adressé Brejnev. Au même moment, la *Pravda* publia un article assez favorable à Giscard. Mitterrand s'empressa d'attaquer en lançant : « Il fallait que son voyage à Varsovie reçût le salaire dû au petit télégraphiste. » Tout cela, au regard des enjeux, était méprisable. J'ai répondu vivement à M. Mitterrand sur ce point à l'occasion d'une émission de télévision.

Il y avait le drame afghan. Et il y avait le climat de plus en plus inquiétant qui régnait alors en Pologne. Personne ne pouvait observer sans sympathie et sans espérance le combat que menait le peuple polonais pour sa liberté. Le problème était de savoir ce que nous pouvions faire pour les Polonais. Je considérais qu'il ne fallait jamais donner d'illusions ni de faux espoirs, surtout dans les situations tragiques. La Pologne se trouvait sur les lignes de communication de l'Union soviétique vers l'Allemagne de l'Est et vers l'Ouest. Pouvait-on imaginer un seul instant que l'Union soviétique puisse se désintéresser de la situation intérieure de la Pologne ? Cela dit, quels étaient les pays occidentaux qui auraient été prêts à aller jusqu'à une guerre mondiale pour régler les problèmes intérieurs polonais ? C'est la question qui se posera à la fin de 1981. Vous connaissez la réponse [1] !

Que nous dénoncions tout ce qui est atteinte à la liberté du peuple polonais me paraissait indispensable. La lutte qui était menée en faveur des Polonais était avant tout une lutte morale. C'était peut-être la plus importante ! L'attitude du pape Jean-Paul II était très caractéristique à cet égard. Il fallait, à mon avis, éviter de se donner bonne conscience par des déclarations bruyantes ou théâtrales dont on savait qu'elles n'avaient aucune chance d'être suivies d'une quelconque action.

*Vous avez plusieurs fois souligné que vous étiez, en politique étrangère, sur la même longueur d'onde que Giscard. Or, dans ce domaine, vous avez depuis toujours défendu les positions du général de Gaulle. Est-ce à dire que, pour vous, la politique étrangère de Giscard était dans la continuité de l'orthodoxie gaulliste ?*

---

1. Le général Jaruzelski instaura la loi martiale. Des dirigeants de Solidarnosc furent arrêtés. Les démocraties se contentèrent de s'indigner. À la question de savoir ce que Paris allait faire, Claude Cheysson, ministre des Relations extérieures du gouvernement Mauroy, répondit : « Rien. »

Absolument. Toute l'action diplomatique de Giscard était d'affirmer, partout où il le pouvait, notre volonté d'indépendance nationale, mais aussi l'importance qu'il attachait à la coopération internationale.

Le RPR et les « gaullistes » critiquaient violemment sa politique européenne. Elle prolongeait cependant celle de ses deux prédécesseurs, de Gaulle et Pompidou. Lorsque M. Chirac accusait le président et moi-même d'être des prosélytes de la supranationalité ou de former le « parti de l'étranger », ce n'était que basse manœuvre, et il ne l'ignorait pas ! Tout cela était ridicule. Il faut rappeler que Giscard est à l'origine d'une des institutions essentielles de l'Europe, le Conseil européen. Aucun pays membre de l'Union européenne n'aurait aujourd'hui l'idée de remettre en cause l'existence de ce Conseil, qui est un vrai sommet européen. N'est-ce pas exactement ce qu'avait proposé, dès 1960, de Gaulle ? C'était encore l'Europe des Six, et il avait suggéré que les chefs d'État et de gouvernement pussent se réunir assez régulièrement au sein d'un « Conseil ». Il n'avait pas été entendu. À ce moment-là, tout ce qui venait de lui était par nature suspect à nos partenaires.

Sur le front de nos relations avec l'Union soviétique, M. Giscard d'Estaing a également poursuivi la politique que le Général avait engagée, c'est-à-dire une politique de détente, d'entente et de coopération. Quand il s'agissait des pays de l'Est, Giscard, comme de Gaulle, traitait directement d'État à État, sans passer par le Comecon[1]. C'est dans cet esprit qu'il noua des liens avec Gierek, le chef du gouvernement polonais entre 1970 et 1981. C'est dans cet esprit que je suis allé en visite officielle en Hongrie qui, depuis la révolution de 1956, avait évolué dans le sens d'une plus grande libéralisation.

---

1. Le Comecon était un organisme d'entraide économique entre les différents pays du bloc communiste.

Cette politique se proposait non seulement de réunir les conditions d'un équilibre en Europe, mais aussi de favoriser un certain dégel du côté de l'Est, et notamment du côté des démocraties populaires dont certaines avaient, avec des pays européens de l'Ouest, des liens historiques privilégiés. La politique de détente, d'entente et de coopération n'a jamais été une politique de complaisance. Ce n'était pas une politique qui conduisait à accepter les atteintes portées par l'Union soviétique aux droits de l'homme, à l'indépendance des nations... Ce n'était pas une légitimation de l'URSS. Celle-ci, à l'époque, existait. Elle n'avait besoin d'être légitimée par personne ! Fallait-il l'ignorer ? Cela n'aurait guère eu de sens. De Gaulle avait eu à subir lui aussi de nombreuses critiques pour sa politique à l'Est, alors même que l'Allemagne fédérale s'engageait sur la voie de l'Ostpolitik.

Une politique de détente ne pouvait être menée que si les partenaires de l'Union soviétique étaient capables de se défendre et entendaient, le cas échéant, le faire. Le général de Gaulle a mené la politique de détente et de coopération dans le temps même qu'il développait la force nucléaire française. Le président Giscard d'Estaing et mon gouvernement ont maintenu cet effort de défense. D'ailleurs, à l'époque, je reprochais aux États-Unis d'avoir engagé une politique de détente, et, dans le même temps, d'avoir relâché leur effort militaire. Il était pour moi fondamental de coupler politique de détente et politique de défense vigilante.

Quant au dialogue de la France avec l'Union soviétique, il représentait un intérêt majeur pour l'équilibre européen. La difficulté, pour nous Européens qui vivions sur le même continent que l'Union soviétique, était d'éviter une situation dans laquelle aucun dialogue ne pourrait se poursuivre entre l'Ouest et l'Est. Il était indispensable de l'éviter pour une raison très simple : l'Allemagne se trouvait au cœur de l'Europe, elle était divisée, et l'Allemagne fédérale n'aurait jamais accepté d'être entièrement coupée de l'Allemagne de l'Est. Aussi était-ce une contribution à la stabilité et à l'équilibre européens que de faire en sorte que la détente puisse éviter à l'Allemagne des tentations qui auraient été nuisibles à tous. Il était nécessaire de ne pas l'exposer aux conséquences, inacceptables pour elle, d'une interruption du dialogue entre l'Ouest et l'Est.

Cette politique de détente contribuait par ailleurs à la libéralisation des pays de l'Est. Les démocraties populaires y étaient, pour cette raison, très attachées. Si personne, à la fin des années 1970, ne pouvait imaginer que l'Union soviétique allait s'effondrer une décennie plus tard, nous faisions tout ce que nous pouvions pour nous ouvrir aux pays de l'Est et pour les ouvrir sur l'extérieur. C'était une dialectique qui, j'en étais convaincu, contribuerait, à plus ou moins long terme, à ébranler le système soviétique.

*Nous reviendrons plus loin sur la chute du mur de Berlin. Pendant que vous étiez Premier ministre, il y a eu d'autres illustrations de votre rôle sur le terrain diplomatique. Ainsi, vous avez accompagné en mai 1977 le président à Londres, au Sommet des pays industrialisés [1]. C'était une entorse à la tradition, puisqu'un Premier ministre n'était jamais présent à ces sommets.*

Je ne l'ai pas accompagné au titre de Premier ministre, mais au titre de ministre de l'Économie et des Finances, puisque je cumulais alors les deux fonctions. En effet, le président, dans les sommets, est depuis toujours accompagné des seuls ministres des Affaires étrangères et de l'Économie. Le sommet de Londres traita essentiellement de problèmes économiques : comment réduire l'inflation et le chômage, comment instaurer un dialogue Nord-Sud...

---

1. Le Canada, les États-Unis, la Grande-Bretagne, l'Italie, la République fédérale d'Allemagne, le Japon et la France.

En juin 1980, le président m'a de nouveau invité à l'accompagner au sommet de Venise qui devait examiner la position française à l'égard du Moyen-Orient. Cette fois, respectueux des règles adoptées, je n'ai pas voulu m'y rendre, et je lui ai dit : « Si je vous accompagne, un de mes successeurs à Matignon pourra toujours soutenir qu'il y a eu un précédent, ce qui ne manquera pas de créer, un jour ou l'autre, des difficultés. » C'était prémonitoire, puisque pendant la première cohabitation, M. Chirac exigera de participer auprès de M. Mitterrand aux conférences et réunions internationales, ce qui donnera lieu à des scènes assez cocasses ou pénibles, en particulier au sommet de Tokyo, en 1986. À chacun des sommets, souvenez-vous, le porte-parole de l'Élysée se sentait obligé de rappeler que la France n'avait qu'une seule voix, qui était celle du président de la République. Triste effet de la cohabitation !

*Vous avez également effectué des visites officielles dans plusieurs pays. Vous représentiez alors la France au même titre que le président. Est-ce que vous prépariez ces visites avec l'Élysée ?*

J'en parlais, bien entendu, avec le président et lui demandais conseil. Les visites officielles du Premier ministre à l'étranger sont de deux ordres : ou bien des visites officielles destinées à préparer un voyage d'État du président de la République ou à faire évoluer certains dossiers, notamment économiques ; ou bien des visites d'amitié à des pays entretenant des relations particulières avec la France.

J'étudiais avec le plus grand soin les dossiers remarquablement préparés par le Quai d'Orsay, en liaison avec l'Élysée. En plus d'une analyse détaillée de la situation du pays où je me rendais, il y avait des précisions sur les entretiens prévus, du genre : « L'interlocuteur du Premier ministre pourrait lui poser la question suivante... Le Premier ministre pourrait faire la réponse suivante... » Comme vous voyez, je n'étais pas dépourvu !

Je me suis beaucoup rendu à l'étranger. En janvier 1978, ce fut la Chine où j'eus la possibilité de m'entretenir longuement avec Deng Xiaoping. Il avait entrepris la modernisation du pays – après la période maoïste – dans les domaines agricole, industriel et militaire. Il était convaincu que l'on n'éviterait pas une troisième guerre mondiale. Il voulait que la Chine devienne une forte et grande puissance. J'étais le premier chef de gouvernement étranger à visiter la Chine depuis qu'elle avait pris une nouvelle orientation. Après 1978, j'ai conservé avec les autorités chinoises des contacts réguliers et amicaux au cours desquels j'ai pu constater combien la pensée de Deng restait dominante pour l'avenir de ce pays. Deux mots la résument : unité et réforme.

Je retiendrai aussi un très intéressant voyage en Autriche en 1981 où j'aurai eu le grand plaisir de rencontrer le chancelier Kreisky. Il avait patiemment redonné une place importante à son pays entre l'Est et l'Ouest en jouant avec talent de la neutralité de l'Autriche. Il était un représentant éminent de la grande tradition juive autrichienne. Au dîner qu'il m'offrit à la Chancellerie, nous étions dans le salon aux cinq portes qui, au congrès de Vienne, avaient permis aux représentants des nations concernées – Metternich, Talleyrand... – de se rendre à la table de conférence indépendamment les uns des autres. En l'écoutant, je ressentais la nostalgie de ce qui fut un grand pays, l'Autriche-Hongrie, qui, au lendemain de la Première Guerre mondiale, allait être dépecé aux fins de rechercher un équilibre en Europe centrale et orientale.

Je me suis rendu avec un plaisir particulier en Tunisie et au Maroc. La Tunisie avait commencé un développement favorisé par l'intelligence et l'esprit d'entreprise de son peuple. J'y retrouvais de nombreux ministres qui avaient été mes étudiants à l'Institut des hautes études de Tunis. J'étais pour eux leur ancien professeur...

Au Maroc, je saluai le roi Hassan qui s'efforçait, à l'époque, de trouver une solution au problème de Jérusalem. Partant pour le Proche-Orient, il eut la délicatesse de demander à son fils de m'accompagner pendant mon séjour. Visitant l'Office chérifien des phosphates, pièce majeure de l'économie marocaine, son président M. Lamrani m'exposa le plan de développement qu'il avait établi et qu'il considérait comme essentiel. Mais il ne disposait pas des concours financiers nécessaires. J'ai demandé à notre directeur du Trésor, qui m'accompagnait, d'étudier le dossier d'une façon favorable : une solution positive fut trouvée.

Enfin, il y eut mon « voyage sentimental », en 1979, au Québec. Je répondais à la visite qu'avait faite M. Lévesque, Premier ministre québécois, en France. La Belle Province était l'objet d'une tension entre Paris et Ottawa, la capitale du Canada étant méfiante à l'égard d'un voyage qui pourrait mettre en question l'unité du pays. Mon conseiller diplomatique, Jean-Claude Paye, dut négocier pendant de longs mois le programme de mon voyage. Pierre Trudeau, que je connaissais, se montra ouvert, à condition que je commence mon voyage par une visite officielle à Ottawa et que je ne passe pas une minute de plus au Québec que sur le territoire fédéral... L'accueil à Montréal, par un froid de moins 35 °, fut émouvant et réchauffa les cœurs. Je veillai à éviter toute attitude ou toute phrase qui pussent froisser Ottawa, tout en manifestant à M. Lévesque et aux Québécois l'intérêt chaleureux de la France. Il fut décidé que les Premiers ministres feraient chaque année, par alternance, un voyage de travail et d'amitié. Je quittai le Canada en ayant évité tout dérapage. Trudeau m'envoya, quelques jours après, le dessin d'un journal de Montréal. Je suis au pied de l'avion qui va me ramener à Paris, je lève les bras et proclame : « Vive Raymond Barre libre ! »

*Vous avez également rencontré le président Sadate lors de votre voyage en Égypte en novembre 1976. Giscard vous a-t-il souvent consulté pendant les mois de discussions qui vont aboutir aux accords de Camp David[1] ?*

---

1. Ces accords signés le 17 septembre 1978 amorcèrent le processus de paix entre Israël et l'Égypte.

Nous en avons bien sûr parlé, mais la France n'était pas partie prenante aux négociations qui précédèrent les accords de Camp David signés par Carter, Begin et Sadate.

Lors de mon voyage en Égypte, j'ai eu une conversation de plus d'une heure avec le président Anouar el-Sadate. C'est là qu'il m'a dit qu'il lui faudrait prendre rapidement une initiative, sinon il ne tiendrait plus son pays – cette initiative deviendra son audacieux voyage à Jérusalem, les 19 et 20 novembre 1977, où il s'adressera par deux fois à la Knesset. De là découleront les accords de Camp David.

Giscard attachait beaucoup d'importance à la place de la Communauté européenne dans le processus de paix et, sur ce point, sa position était difficile. D'une part, il se heurtait au gouvernement israélien et à la communauté juive de France ; d'autre part, il savait que la solution du problème était dans les seules mains du président américain. J'ai cru que les accords de Camp David aboutiraient à un début d'apaisement du conflit israélo-palestinien. Ils ont été signés il y a bientôt trente ans. Voyez où nous en sommes ! On a le sentiment qu'il n'est pas possible d'imaginer une pause, un arrêt sur image qui permettraient lentement mais sûrement de renouer les fils d'un dialogue entre Israéliens et Palestiniens. Le conflit s'apparente à une donnée de faits irrémédiables. Les États-Unis se sont engagés dans cette affaire en ignorant la légitimité de la position du peuple palestinien. C'est pourquoi j'ai toujours approuvé l'attitude française : l'équilibre entre les parties. Combien y a-t-il eu d'accords, de feuilles de route, de politiques des petits pas, etc., qui, chaque fois, ont suscité des espérances ! Chaque fois, celles-ci ont été déçues. Ce qui se passe en ce début de 2007, au Sud-Liban et à Gaza, est scandaleux, tandis que les chancelleries demeurent muettes ou prudentes

*Étiez-vous d'accord avec la position adoptée par Jacques Chirac quand il s'est opposé à la décision de George W. Bush d'intervenir militairement en Irak pour faire tomber Saddam Hussein et son régime ?*

Oui, j'approuve Jacques Chirac qui s'est montré fidèle au principe de la politique française au Moyen-Orient. Je l'ai dit à mon ami George Schultz : « N'y allez pas. Je connais l'Irak, Saddam Hussein en a fait un pays qui a conscience d'être une nation organisée, la seule qui existe au Moyen-Orient. Vous vous casserez les dents. C'est une opération à hauts risques. »

J'ai toutefois regretté que la France prenne le leadership de la campagne anti-américaine et qu'elle menace d'exercer son droit de veto au Conseil de sécurité de l'ONU. Nous devions dire aux Américains : « Ne comptez pas sur nous ; c'est contraire à notre philosophie politique comme à nos intérêts, et nous pensons que vous allez échouer. Si la question de votre engagement militaire vient devant le Conseil de sécurité, nous nous abstiendrons. »

Les coups de téléphone de M. Chirac aux chefs d'État africains, ses rencontres avec MM. Poutine et Schröder, la tournée de notre ministre des Affaires étrangères en Afrique, tout cela était excessif. Quant au discours de M. de Villepin devant l'ONU, que la classe politique et la plupart des médias saluèrent comme un chef-d'œuvre d'éloquence, les Américains l'ont interprété comme une trahison et un affront au secrétaire d'État Colin Powell. Je crois que l'Élysée et le gouvernement ont été grisés par les sondages : tant en France qu'à l'étranger, il nous a fallu lentement et difficilement remonter la pente à l'égard des États-Unis.

J'ai beaucoup pratiqué les dirigeants de Washington. Vous pouvez tout leur dire, à condition de montrer clairement que votre attitude n'est en rien dictée par de l'animosité, car l'amitié franco-américaine est fondamentale. Vous devez toujours avoir en tête d'établir ce que les Américains appellent un *mutual understanding.* Quand ils sont convaincus de parler avec des gens ne nourrissant aucune hostilité à leur endroit, vous pouvez, croyez-moi, leur faire accepter beaucoup de choses. Il est vrai que G.W. Bush est, si l'on peut dire, « spécial ».

Aujourd'hui, en dépit de la situation tragique où se trouve l'Irak et de l'enlisement des forces américaines, il faut surtout se garder d'inciter la Maison-Blanche à rapatrier ses troupes. Si elle quitte l'Irak, ce sera le chaos. L'Iran viendra occuper la zone chiite, les Kurdes feront sécession et menaceront la Turquie pour créer un grand Kurdistan. Bref, Washington est devant une situation qui rappelle celle de la guerre du Vietnam entre 1961 et 1975. Les États-Unis devront, à un moment donné, se dégager de cette tenaille irakienne, mais le prix de leur intervention aura été à tous égards extrêmement lourd.

*Vous avez vous-même rencontré plusieurs fois Saddam Hussein. Comment le perceviez-vous ?*

Je l'ai rencontré une première fois lors d'un voyage à Bagdad au printemps 1976. J'étais ministre du Commerce extérieur et j'accompagnais Jacques Chirac. Nous avons été chaleureusement traités. Il faut se replacer dans le contexte de l'époque. L'Irak, sur la scène internationale, était considérée comme une république laïque avec laquelle la France entretenait de bonnes relations depuis 1958. Chirac avait aidé Saddam Hussein à mettre en œuvre une politique nucléaire.

Après ce premier voyage, j'ai, comme Premier ministre, rencontré deux fois Saddam Hussein. C'était un homme brutal, qui ne reculait devant rien dans son pays, mais il était très cordial à l'égard de la France. Il m'a fait visiter Bagdad, m'a montré les maisons construites pour les fellahs avec l'argent du pétrole.

L'enjeu de nos relations avec l'Irak était alors très important. Il s'agissait de convaincre le chef d'état-major de l'armée de l'Air irakienne de nous acheter des Mirage. En face de nous, il y avait un concurrent redoutable, l'URSS. Dans mes discussions avec Saddam Hussein, mon principal argument reposait sur notre capacité de lui garantir un service après-vente, si j'ose dire, sans faille. Je lui expliquai que la France lui assurerait un suivi, une maintenance qu'il n'aurait pas avec l'Union soviétique. Et nous lui avons vendu des Mirage.

Au moment du deuxième choc pétrolier, je lui ai écrit en lui demandant de bien vouloir accorder à la France un contingent exceptionnel de 400 000 à 500 000 barils de pétrole. La réponse, positive, m'est parvenue le lendemain.

Je n'entends excuser ni sa tyrannie ni ses crimes. Mais les États-Unis n'ont-ils eu pour seul but que de rétablir la démocratie en Irak ?

### Et l'Afrique ?

C'était vraiment le domaine réservé du président. Personne n'ignore qu'il a toujours aimé l'Afrique. « Ah, si vous saviez, me disait-il, comme c'est enrichissant et reposant de discuter avec les dirigeants africains. Ce sont des sages ! » Dans son discours de réception à l'Académie française où il parle de Léopold Senghor et de la négritude, il ne cache aucun des sentiments qui le lient à l'Afrique.

Comme Premier ministre, je voyais les chefs d'État africains lorsqu'ils se rendaient à Paris. Abdou Diouf, Houphouët-Boigny, Bongo et Konan Bédié inspiraient la sympathie. S'ils recevaient des subsides à travers des canaux que je ne contrôlais pas, j'ai toujours eu, pour ma part, pour principe de n'accorder des subventions que pour des projets précis. C'est ainsi que j'ai aidé le président Bongo à réaliser la liaison ferroviaire transgabonaise à laquelle il attachait un grand prix.

Nous n'aurions jamais dû nous écarter de ce principe. Or, ces trente dernières années, nous avons continué d'exercer une influence, souvent très peu discrète, sur les affaires des pays africains. Nous avons poursuivi une politique que je qualifierai de postcoloniale. Les interventions du gouvernement français étaient essentielles. Beaucoup de dirigeants qui avaient besoin de notre aide se satisfaisaient de cette situation, mais, dès lors que ces pays étaient devenus indépendants, c'était à nous de garder une nécessaire distance. Nous n'avons pas su ou voulu le faire. Notre attitude a fini, comme on le voit aujourd'hui, par susciter des réactions antifrançaises.

DEUXIÈME PARTIE

# Après 1981

# CHAPITRE IX

# La tentation de l'Élysée

*Vous allez être candidat à l'élection présidentielle de 1988. Est-ce que cette idée de briguer un jour le pouvoir suprême vous avait traversé l'esprit lorsque vous étiez Premier ministre ?*

On dit souvent que le Premier ministre est saisi, après quelques années à Matignon, du désir de conquérir l'Élysée. Certains parlent de la « malédiction de Matignon » en rappelant qu'aucun Premier ministre, à l'exception de Georges Pompidou, n'a été élu à la présidence de la République. Le cas de Jacques Chirac, deux fois Premier ministre durant de courtes périodes, est spécial : c'est celui d'un chef de parti qui a fait preuve, malgré de faibles scores au premier tour, d'une remarquable endurance, et a fini par être élu.

En ce qui me concerne, je vous dirai en toute franchise que, pendant mes années à Matignon, je n'ai jamais pensé à l'élection présidentielle. Pour plusieurs raisons. D'abord parce que je n'avais pas le temps de me soucier d'autre chose que de ma difficile fonction. Ensuite parce que l'opinion publique n'était pas favorable à ma politique, même si elle me manifestait une certaine confiance. Enfin parce que Valéry Giscard d'Estaing me paraissait, comme je vous l'ai dit, celui qui devait bénéficier d'un deuxième septennat pour poursuivre l'œuvre déjà entreprise au service du pays.

Pourquoi, en revanche, me suis-je présenté en 1988 ?

Après la dissolution de l'Assemblée nationale en juin 1981, je suis de nouveau candidat à Lyon pour les raisons que je vous ai déjà exposées. Mais, dès 1982, ma popularité, si on peut dire, commença à se manifester. De tous les coins de France on m'invitait pour que je vienne parler, débattre, tenir des conférences, animer des dîners-débats... J'ai répondu à ces invitations pour manifester mon opposition très forte à la politique socialiste. Mes rencontres avec les Français se multiplièrent. Ma collaboratrice Sylvie Dumaine, charmante et dynamique, organisait mes déplacements en province. J'ai alors participé à des réunions dans presque toutes les villes de France. J'étais heureux de constater que mes compatriotes ne m'avaient pas oublié et qu'ils venaient nombreux m'écouter. L'évolution des sondages confirmait cet intérêt. J'y devançais Chirac, qui se présentait comme le chef de l'opposition, et Giscard, qui désirait revenir au premier rang de la scène politique. Je les inquiétais. Giscard jeta « la rancune à la rivière », se réconcilia spectaculairement avec Chirac dans l'espoir secret de prendre un jour sa revanche. C'est à ce moment-là qu'ils eurent l'élégance d'aller déjeuner chez Drouant et de mettre à leur menu un « bar grillé »...

Au fil des mois ma position s'affirmait, surtout quand en 1983 je pris nettement position contre la cohabitation. Quelques mois plus tard, en effet, divers milieux politiques et économiques me demandèrent de penser à l'élection présidentielle de 1988. J'étais réservé et prudent, mais j'étais amené à y penser. Si je disposais de soutiens croissants, si de plus en plus de personnalités me manifestaient sympathie et encouragement, je ne pouvais compter sur aucun parti politique solide. Ni sur une ville puissante comme Paris, que Chirac avait irriguée méthodiquement de réseaux influents. Pour ma part, je pouvais compter sur des associations de soutien qui se créaient dans de nombreuses villes, sur le CDS, les démocrates-chrétiens, et sur beaucoup de députés – les plus jeunes d'entre eux.

C'est à la fin de 1986 que j'ai envisagé sérieusement d'être candidat. Les sondages m'étaient très favorables, non seulement pour le premier tour, également pour le second. Surtout, j'apparaissais comme capable de battre François Mitterrand. Je pensais pour ma part que celui-ci avait toutes les chances de gagner la présidentielle, mais que je pouvais être son adversaire au second tour et, dans cette hypothèse, tout ne pouvait-il pas arriver ? Je n'ai donc pas voulu me dérober ni surtout décevoir toutes celles et tous ceux qui me faisaient confiance.

*En dépit de cette vague qui vous portait dans l'opinion, vous arriverez en troisième position au premier tour du scrutin. Comment expliquez-vous ce résultat ?*

Sans doute n'ai-je pas été un bon candidat, c'est la première raison. J'étais à contre-courant des habitudes des Français. Des amis politiques ont regretté que je fusse incapable de faire un peu de démagogie. Aux yeux de beaucoup, le pouvoir n'était pas mon obsession, et j'avais en effet dans ma vie d'autres centres d'intérêt. J'ai aussi un comportement qui convient mal aux campagnes électorales et à la chaleur communicative des banquets. Je suis réservé.

Enfin j'ai commis une erreur de jugement : je pensais que je pouvais être devant Chirac au premier tour et, pour moi, l'adversaire était François Mitterrand. J'ai fait, comme on l'a dit ou écrit, une campagne de second tour. En revanche, Jacques Chirac a mené une campagne de premier tour, non pas contre Mitterrand, mais contre moi. Il n'avait pas d'autre objectif que de m'éliminer, et il déclencha son offensive début mars 1988. Coup sur coup, *Le Monde* et *Le Figaro* expliquèrent, à la suite d'un sondage, que mon image se brouillait. Charles Pasqua, ministre de l'Intérieur [1], ne lésina sur aucun moyen.

---

1. Charles Pasqua fut ministre de l'Intérieur dans le gouvernement de cohabitation dont Jacques Chirac était le Premier ministre entre mars 1986 et mai 1988.

On m'a dit qu'un préfet, dans une réunion privée, se montra favorable à ma candidature ; le lendemain, il reçut un coup de fil de Pasqua : « Si vous continuez comme ça, je vous vire ! » On me rapportait ce qui se disait ici ou là avec toujours, à peu près, les mêmes propos. Tous les élus RPR qui me soutenaient ou qui envisageaient de le faire étaient menacés d'être lâchés par leur parti... Tant que les sondages m'ont donné une légère avance sur lui, le RPR et Pasqua ont utilisé l'artillerie lourde pour m'affaiblir. Puis ils décidèrent d'un relatif armistice en tenant le raisonnement suivant : si je tombais trop bas, il n'y aurait pas de reports de voix suffisants au second tour pour Chirac ! Voilà où nous en étions !

Il y a bien sûr d'autres raisons à mon échec.

En premier lieu, je ne disposais d'aucun parti organisé. Certes, le CDS me soutenait : Jacques Barrot, Pierre Méhaignerie, Bernard Stasi, Bosson, Alphandéry... Quand ils sont entrés en 1986 au gouvernement de cohabitation de Jacques Chirac, ils m'ont dit clairement qu'ils seraient derrière moi si j'étais candidat en 1988. De même, au PR, Jean-Claude Gaudin fut toujours à mon égard un ami fidèle – c'est la droiture –, tout autant que Charles Millon, Pascal Clément, François d'Aubert. Sans être entendus, tous expliquaient à François Léotard comme à Alain Madelin qu'ils allaient se faire avaler par Chirac... Je pouvais compter également sur de nombreuses notabilités locales et départementales, sur des sympathisants d'un dévouement à toute épreuve. Cela ne compensait pas l'appui d'un parti, de ses « apparatchiks », de ses réseaux, avec leur capacité de nuisance. En dehors de mon cercle d'amis, j'étais vraiment seul.

En second lieu, je n'avais pas les moyens financiers nécessaires à une campagne présidentielle. De grands chefs d'entreprise m'ont apporté leur concours, et je citerai ici, puisqu'il n'est plus là, Antoine Riboud. J'étais touché par les dons qui venaient souvent de gens modestes. Si j'ai pu faire face aux besoins, c'est grâce à Mme Gilberte Beau, trésorière de ma campagne, dont je n'oublierai jamais l'intelligence et le courageux dévouement.

Il y eut enfin la cuisine politique. Je n'en dirai rien personnellement : je laisserai la parole à deux journalistes du *Monde* dont on ne peut mettre en doute l'objectivité ! Patrick Jarreau a écrit : « L'ancien président Valéry Giscard d'Estaing est hostile à l'entreprise du député du Rhône, car ce dernier, s'il réussit, va le déposséder de son fief politique et électoral. Aussi Giscard a-t-il noué avec Jacques Chirac une alliance destinée à faire échouer Raymond Barre... Cette entente entre les deux ennemis de 1981 se double d'un accord tacite entre Chirac et le PR. François Léotard et ses amis pensent qu'ils ont davantage à gagner à s'entendre avec le président du RPR. Qu'il réussisse ou qu'il échoue, leur avenir leur paraît mieux assuré de ce côté-là que de celui de Barre avec lequel, au surplus, ils n'ont pas vraiment d'atomes crochus. Finalement, le Centre des démocrates-sociaux est la seule composante de l'UDF qui soutienne vraiment le député du Rhône. Parti très au-dessus de Jacques Chirac dans les intentions de vote, mais avec quinze jours de retard, Raymond Barre finit le 24 avril avec 16,54 % des voix, 2,5 points derrière le président du RPR[1]. » Il était nécessaire que je n'arrive pas second au premier tour, et le but fut atteint.

De son côté, Béatrice Gurrey écrira, toujours dans *Le Monde* : « Pour cette élection de 1988, Raymond Barre était le candidat le plus consensuel, et considéré comme le seul apte à battre François Mitterrand. Mais, observe Stéphane Rozès, directeur du département Opinion de l'Institut CSA, il n'était pas en cohérence avec le noyau dur de la droite où Chirac est devant lui[2]. »

Je me dois d'ailleurs de vous rapporter ces propos que j'ai recueillis de François Mitterrand sur l'élection de 1988 : « Vous avez eu à ce moment-là une forte position dans l'opinion. Je ne savais pas si je serais de nouveau candidat. J'hésitais, car je pouvais être battu par vous, et cela ne m'aurait pas fait plaisir. Vous

---

1. *Le Monde* du 26 août 2005.
2. *Le Monde* du 15 septembre 2005.

n'êtes pas de mon bord, mais vous êtes un républicain et vous ne feriez pas ce que d'autres pourraient faire. Mais quand j'ai vu, en 1988, tout ce que vous subissiez de vos petits copains, alors j'ai décidé d'annoncer ma candidature à la télévision avec une certaine brutalité. » Comble de l'ironie : Mitterrand évoqua alors dans son intervention l'« État impartial » qui avait été un de mes chevaux de bataille.

*Toutes ces raisons que vous rappelez sont justes. Mais, dans la mesure où vous étiez contre la cohabitation, n'auriez-vous pas dû, avant les législatives de 1986, former votre propre mouvement politique et empêcher la formation du gouvernement Chirac ?*

Je crois qu'il faut avant tout se rappeler l'atmosphère qui régnait alors à droite. Le maître-mot, c'était « l'union, l'union, l'union ». Dès que vous marquiez tant soit peu votre différence, vous étiez noyé sous un tombereau de réactions négatives. Mes adversaires cherchaient à m'enfermer dans l'image de celui qui gênait l'« union ». Je me souviens d'une rencontre organisée par Giscard, près de Clermont-Ferrand, en 1985 je crois. Il m'avait invité avec Chirac. J'ai refusé d'y aller en donnant pour motif que j'étais contre la cohabitation. Immédiatement, dans un sondage, j'ai perdu une quinzaine de points, y compris à Lyon. Je manquais à « l'union » !

Avant les législatives de 1986 et la présidentielle de 1988, j'ai rencontré parfois Jacques Chirac. Nous nous étions d'ailleurs mis d'accord sur la stratégie du second tour : je me désisterais en sa faveur si j'étais derrière lui au premier, et réciproquement. Nous avons fait un communiqué commun dans ce sens. Mais, quand il m'est arrivé de lui expliquer que gouverner avec Mitterrand me semblait incompatible avec ses convictions, il n'était nullement gêné et me répondait : « Mon cher Raymond, l'objectif est de prendre Matignon ; ensuite on verra ! » En réalité, il pensait que le poste de Premier ministre lui permettrait de combler son déficit de popularité et de me rattraper dans les sondages.

Le propos de François Mitterrand que je vous ai rapporté est, de ce point de vue, très cohérent : Chirac, dans cette affaire, était son allié, et, à l'époque, on me rapportait que les conseillers du président répétaient : « Mitterrand redoute Barre et souhaite avoir Chirac en face de lui au second tour. Si Chirac est nommé à Matignon, ça lui permettra de se refaire et de dépasser Barre. »

Pour répondre plus précisément à votre question, j'aurais pu en effet créer un mouvement politique avant les législatives, le « mouvement barriste », comme on disait. À l'issue du scrutin, nous aurions eu notre groupe parlementaire. Et se serait aussitôt posée la question : allons-nous voter ou non la confiance ? Je regrette parfois de l'avoir votée, d'autant que plusieurs de mes amis m'ont annoncé qu'ils ne la voteraient pas.

Mais replongeons-nous encore une fois dans l'atmosphère de l'époque. J'ai considéré qu'il eût été suicidaire de ne pas voter la confiance. « Méfiez-vous, ai-je dit à mes amis, l'opinion ne nous comprendra pas. La gauche a été vaincue, il y a un gouvernement de droite, laissons-lui sa chance. Ce n'est pas à nous de le faire capoter. »

Vous me direz : ce n'est pas dans la logique de mon refus de la cohabitation. C'est vrai. Mais je n'avais aucun parti derrière moi. Seulement quelques élus. De surcroît, le PR et le CDS se jalousaient, chacun voulant garder son autonomie comme son unité. Si j'avais constitué mon groupe parlementaire, tous les élus PR ou CDS ne m'auraient pas rejoint et j'aurais provoqué des fractures.

Bref, au bout du compte, la discipline du groupe UDF auquel nous appartenions aurait joué. En vérité, il n'y avait pas suffisamment d'élus capables de se tenir sur une ligne anticohabitationniste.

*Mais pourquoi, après tout ce que vous venez d'expliquer, avez-vous soutenu clairement Jacques Chirac entre les deux tours du scrutin présidentiel de 1988, et fait deux meetings avec lui ?*

Tout simplement par loyauté envers mes convictions profondes, qui sont opposées au socialisme. Le soir du premier tour, nous nous sommes retrouvés, Jacques Chirac et moi, chez Alain Poher, président du Sénat. Chirac était inquiet, nerveux, les estimations nous mettant au coude à coude. Dès sa victoire faiblement acquise sur moi, il se libéra, retrouva sa cordialité. « Mon cher Raymond, il faut s'en sortir... Nous devons gagner... Merci de votre soutien », etc. Il avait tout oublié de ses agissements durant les semaines précédentes. Il est ainsi fait !

Le Chirac humain, chaleureux, je l'apprécie. Pour le reste, je suis incapable de lui reconnaître la moindre conviction, sauf l'obsession du pouvoir. Il a construit sa carrière dès le jour où il fut nommé secrétaire d'État dans le gouvernement de Georges Pompidou en 1967. Il a trahi Chaban pour Giscard ; il a créé le RPR pour éliminer les gaullistes historiques, les « barons », et abattre Giscard ; il a conquis Paris pour en faire un instrument de puissance et de corruption ; il a cohabité avec Mitterrand uniquement pour prendre Matignon et se mettre en situation de gagner l'Élysée. Il a fini par y arriver. Il a créé le « système Chirac » qui est à sa main, et, il faut le savoir, c'est quelqu'un de très autoritaire. Il n'a jamais nommé que les gens dont il peut avoir besoin et qui appartiennent à son clan. Ses trois gouvernements – ceux d'Alain Juppé, de Jean-Pierre Raffarin et de Dominique de Villepin – sont essentiellement composés d'« apparatchiks » de ce clan. Juppé et Villepin furent longtemps ses plus proches collaborateurs, et beaucoup de ministres ont été membres de son cabinet à Matignon, à la Mairie de Paris ou à l'Élysée.

Ce système est encore très solide, très vivant. Le serment d'allégeance des uns et des autres à Jacques Chirac est beaucoup plus fort qu'il y paraît. C'est pourquoi il convient encore d'attendre, à propos du futur scrutin présidentiel de mai 2007, ce qu'il décidera en février ou mars prochain...

*Vous continuez de penser qu'on pouvait, en 1986, éviter la cohabitation, et, du même coup, empêcher cette dérive institutionnelle ?*

Absolument. À l'époque, l'opinion a été dressée dans l'idée que la cohabitation était inéluctable et, au fond, sans conséquences graves pour le pays. Or je ne pensais pas − et je ne le pense toujours pas − que la dignité et l'efficacité de l'Exécutif puissent être maintenues sous la Vᵉ République si le chef de l'État et le Premier ministre ont des vues opposées sur la politique à conduire. La primauté du président de la République, qui est la clef de voûte de nos institutions, est mise en question lorsque le Premier ministre s'appuie sur une majorité parlementaire hostile au président. Celui-ci est lié au peuple qui l'a élu par un contrat de confiance. Si ce contrat est rompu à la suite d'une élection législative ou d'un référendum, il appartient au président d'en tirer la conclusion. C'est l'exemple qu'a donné avec noblesse le général de Gaulle.

*En 1986, la droite disposait, c'est vrai, d'une très courte majorité à l'Assemblée nationale : deux voix. Mitterrand, selon vous, pouvait par conséquent former un gouvernement minoritaire dans le respect de nos institutions ?*

Oui, et je l'ai dit. Mais tout le monde était devenu cohabitationniste, y compris Giscard, parce que la cohabitation arrangeait tout le monde ! Chirac voulait à n'importe quel prix Matignon pour s'en servir comme d'un tremplin. Mitterrand qui, à l'époque, me redoutait, comptait sur Chirac pour m'ébranler, et son calcul fut le bon... En d'autres termes, la finalité de la cohabitation était purement tactique. On connaît la suite !

*Il y a autre chose d'assez paradoxal à propos de votre attitude : alors que vous êtes contre la cohabitation avec François Mitterrand, vos adversaires de droite, à l'époque, vous accusent d'être « complice » ou « complaisant » à l'égard du pouvoir de gauche.*

Toutes les fois qu'il m'a semblé nécessaire d'affirmer mon opposition au gouvernement de gauche, je l'ai fait, même en signant des communiqués avec Chirac et Giscard que je considérais comme des collègues. Ça ne me gênait pas du tout. N'ai-je pas défilé en tête du cortège dans les rues de Lyon, en juin 1984, au moment du conflit sur l'école privée ? N'ai-je pas dénoncé durement les mesures prises par le gouvernement Mauroy en 1981 et 1982 ? Hélas, en mars 1983, j'ai commis un crime contre l'opposition de l'époque en prenant une position relativement neutre quand il y a eu ce qu'on baptisa le « tournant » du gouvernement socialiste.

Vous vous souvenez que celui-ci devait décider de quitter ou non le Serpent monétaire européen. Pierre Mauroy, après cinq ou six jours de discussions avec M. Mitterrand qui hésitait, décida que le franc resterait dans le SME. Sur Europe 1, on m'a demandé de commenter ce « tournant ». J'ai déclaré que la situation dans laquelle était la France ne m'étonnait pas, l'ayant prévue dès le lendemain du 10 mai 1981. Je constatais que le gouvernement prenait acte de la gravité de cette situation et qu'il avait eu la sagesse de prendre les décisions qui s'imposaient en maintenant le franc dans le SME. Figurez-vous qu'un journaliste de gauche présent à l'émission a dit : « Votre attitude est celle d'un homme d'État » ! Évidemment, dans mon camp, on ne partageait pas cette opinion...

*Début 1988, Giscard a finalement décidé qu'il ne serait pas candidat. Pourquoi, selon vous, ne vous a-t-il pas soutenu loyalement quand vous avez entamé votre campagne ?*

Je crois tout simplement qu'il ne supportait pas l'idée qu'un de ses anciens Premiers ministres puisse devenir président.

Il a eu des attitudes équivoques et presque drôles. À Clermont-Ferrand, par exemple, à l'occasion d'un meeting prévu en soirée, il m'invite à dîner avec Léotard et ne nous dit absolument rien sur la campagne présidentielle. À l'issue du dîner, je m'en vais au meeting où il arrive après moi. Il s'installe au premier rang. Il écoute mon discours et je le vois qui se lève, quitte la salle sans dire un mot. J'ai su qu'il avait reproduit le même scénario avec Chirac, cette fois à l'occasion d'un déjeuner, le meeting ayant lieu l'après-midi. Il ne voulait pas, expliquait-il, prendre position entre ses deux anciens Premiers ministres.

Giscard a entrepris également auprès des sénateurs et des élus locaux une démarche qui m'a été défavorable. Des sénateurs et des présidents de conseils généraux UDF s'étaient réunis au Sénat. Tous décidèrent de faire une déclaration en ma faveur. À la fin de la réunion, Giscard intervint pour les dissuader de publier leur déclaration, et aboutit à ses fins après une longue discussion. Raymond Marcellin m'a raconté cet épisode qui m'a beaucoup attristé. Mais c'est la politique !

Pourquoi un si mauvais coup de la part de Giscard ? Il avait la même analyse que Mitterrand : j'étais le meilleur candidat du second tour et il ne voulait à aucun prix que je pusse avoir la moindre chance d'être élu. En revanche, il ne donnait aucune chance à Chirac. Donc il n'a rien fait ni pour l'aider, ni pour le gêner. Mais il a tout fait pour m'affaiblir.

Je savais que cette bataille présidentielle serait très dure. En écoutant Raymond Marcellin, j'ai pris la mesure de toutes les manœuvres, de toutes les turpitudes qui lui sont inhérentes, et, au fond de moi, je me félicitais d'être en dehors du microcosme politicien, de n'avoir aucun parti, car les appareils partisans nous entraînent dans ce genre de manigances.

*Pendant cette campagne, justement, une polémique, qui fit long feu, porta sur votre rencontre avec Jean-Marie Le Pen. Qu'en est-il exactement ?*

J'avais, à Saint-Jean-Cap-Ferrat, de très bons amis qui connaissaient bien M. Le Pen, et j'ai rencontré celui-ci chez eux à l'occasion d'un dîner. Il était seul, et ce fut une conversation purement mondaine. Je l'ai retrouvé dans l'avion Nice-Paris. Nous n'avons guère échangé que des propos très anodins. Comment eût-il pu en être autrement ? L'émergence du Front national me renvoyait à ma jeunesse : une extrême droite revenait, sous une forme différente, mais avec les racines et les réflexes que nous avions connus sous la III^e République. Jamais, et je l'ai souvent déclaré, je ne me prêterai à une exploitation électorale du thème de l'immigration. La France n'est-elle pas déjà une société multiraciale ? Prenons garde à ne pas nous laisser égarer par des positions sommaires et simplistes qui, loin de résoudre nos problèmes, ne feront qu'alimenter l'intolérance, la ségrégation, le racisme ! Aujourd'hui comme hier, il faut faire très attention au Front national, car il y a là des conceptions, des comportements, des attitudes qui sont incompatibles avec le fonctionnement normal, souhaitable de la démocratie.

*Quelques semaines avant le scrutin de 1988, une brochure « Raymond Barre, le candidat de Moscou », fut diffusée à des dizaines de milliers d'exemplaires. D'où venaient, selon vous, ces calomnies ?*

J'ai appris l'existence de ce misérable opuscule par mon entourage. Ambroise Roux s'en délectait dans les dîners en ville... On visait surtout mon épouse, d'origine hongroise, pour affirmer qu'elle avait été membre du PCH, le Parti communiste hongrois.

On lui prêtait aussi deux frères communistes. Conclusion : je n'étais pas « sûr »... En vérité, ma femme n'a pas de frère, et elle n'a pu appartenir au PCH puisqu'elle a quitté la Hongrie en 1945, avant l'arrivée des Soviétiques ! Difficile de descendre plus bas dans les attaques... Ma femme a su se tenir au-dessus de ces infamies.

Cette brochure n'était qu'un montage, une manipulation grossière. Nos concitoyens se doivent de savoir qu'il existe des officines spécialisées dans ce type d'opérations, et quand j'observe ce qui se passe avec l'affaire Clearstream, chacun comprendra que tout est possible.

En 1988, Charles Million mena une enquête. À mon avis, M. Pasqua, alors ministre de l'Intérieur, était derrière cette brochure. Par le biais de *La Lettre de l'Expansion*, il a fait savoir qu'il n'y était pour rien. Ce genre de démenti est, vous le savez bien, un aveu.


*Reste une autre interrogation sur la conduite de votre campagne : pourquoi n'avez-vous pas pu vous appuyer clairement sur l'UDF ?*

L'UDF m'apporta, dans ma campagne, un appui constant et amical. Un mouvement UDF plus solide eût été, c'est vrai, en mesure de m'aider à gagner. Mais l'UDF n'était pas un parti très cohérent. Après les législatives de 1981, Jean Lecanuet, président de l'UDF, était parvenu à créer un consensus autour de son nom et à gérer l'ensemble des composantes du mouvement. Jean-Claude Gaudin, président du groupe UDF à l'Assemblée nationale, bénéficiait de la même autorité et du même respect. En d'autres termes, un centrisme fort commençait à s'organiser, et je m'en réjouissais. Car si je n'étais pas membre de l'UDF, je voyais toute l'importance d'une formation politique agissant indépendamment du RPR.

Or, dès 1983, Giscard s'est placé dans une perspective présidentielle et il a souhaité remplacer Jean Lecanuet à la tête de l'UDF. Lecanuet s'écarta discrètement. Les efforts d'organisation d'un parti furent donc supplantés par la stratégie présidentielle – qui ne s'affirmait pas comme telle – de Valéry Giscard d'Estaing. Bien que Jean-Claude Gaudin ait maintenu la cohésion et l'indépendance du groupe parlementaire, élément fort de l'UDF, pendant ma campagne présidentielle je n'ai donc pas pu compter sur une UDF cohérente et solide.

Pour tout vous dire, si, élu président, j'avais pu m'appuyer sur une UDF renforcée, unie, celle-ci aurait pu être maîtresse du rapport de force à l'Assemblée nationale, et je n'aurais eu aucune objection de principe à gouverner avec des socialistes raisonnables, à l'instar de ce que l'on a vu dans d'autres pays européens. L'UDF pouvait être la force politique empêchant une dérive dangereuse de la gauche, ou des attitudes excessives de la droite. Cette position fut longtemps, chez nous, celle du Parti radical. Tantôt il s'est allié avec le Front populaire pour éviter que celui-ci ne s'égare dans le jusqu'au-boutisme, tantôt avec la droite modérée, habité par le même souci d'éviter les excès.

Je crois que notre pays a besoin de cet équilibre, sinon le débat politique se crispe jusqu'à se caricaturer. De Gaulle en était conscient : dans le gouvernement qu'il forma le 1er juin 1958, il y avait deux socialistes, Guy Mollet et Max Lejeune, deux MRP, Pierre Pflimlin et Paul Bacon, un radical, Jean Berthoin. De même, dans le premier gouvernement de Michel Debré, en janvier 1959, on retrouve encore quatre MRP – Buron, Bacon, Fontanet, Lecourt –, le radical Berthoin et le socialiste André Boulloche, ministre de l'Éducation nationale.

Aujourd'hui, je le crains, il n'y a plus de centrisme. Depuis les trompettes de l'« union » embouchées par MM. Chirac et Giscard, le RPR avait comme objectif d'absorber l'UDF et d'aller vers un parti unique. Après son accession à l'Élysée en 1995, Chirac n'aura pas mis longtemps à atteindre ce but en créant l'UMP. J'ai toujours été pour l'alliance à droite, mais contre la fusion ou l'intégration. À la gauche « plurielle » nous devons répondre par une droite « plurielle ». Un parti monolithique du type UMP n'est pas souhaitable. On a pu le mesurer à travers les multiples péripéties de 2006, du CPE à l'affaire Clearstream en passant par la fusion Suez-GDF : les désaccords étaient flagrants au sein de l'UMP, mais tout le monde s'est couché. Je regrette que des hommes comme Pierre Méhaignerie soient passés à l'UMP.

Le PS est un parti beaucoup plus souple que l'UMP, les discussions internes y sont vivantes, parfois virulentes. On l'a vu avec le « non » de Fabius au projet de traité constitutionnel européen, avec la manière dont Mme Royal a secoué ses camarades, avec les débats qui ont présidé à l'investiture du candidat à l'Élysée. Au PS, le poids des militants compte ; je n'en dirai pas autant de celui des militants de l'UMP.

*Vingt ans après cette aventure dans la course présidentielle, quel est l'enseignement que vous en tirez pour vous-même ?*

Je me suis engagé dans ce combat avec le sentiment que je ne pouvais pas me dérober. Je n'étais porté par aucun mouvement politique, j'étais porté par un mouvement d'opinion, et, je l'ai vite compris, pour affronter seul une telle bataille, il faut être poussé par un instinct viscéral. Vous ne pouvez résister, face aux attitudes déloyales, aux peaux de banane, aux bassesses en tout genre, que si vous êtes mû par cet instinct. Ce n'était pas du tout mon cas.

Au fond, ce fut une expérience originale au sens étymologique du terme. Quand j'y repense, elle m'amuse. Et puis, bien que seul, sans machine électorale, j'ai obtenu, dix ans après être entré en politique, 16,54 % des suffrages, soit trois points de moins que Jacques Chirac, soutenu par une escadre d'apparatchiks et une armée de militants. Je n'ai pas à rougir de mon score !

La morale de cette histoire ? Je n'étais pas un « professionnel » de la politique.

# Chapitre X

# Maire de Lyon

*En mai 1995, Jacques Chirac, élu président de la République, ne dissout pas l'Assemblée nationale. Or, vous vous attendiez à une dissolution et vous aviez prévu de vous retirer pour confier votre circonscription à Christian Philip, votre suppléant. Vous resterez député, et aux élections municipales de juin 1995 vous allez briguer la mairie de Lyon dont Michel Noir était le maire sortant. Est-ce une décision que vous avez longuement mûrie ?*

Absolument pas. Une fois de plus, c'est le destin qui a contrarié mes intentions, qui m'a rattrapé là où je ne l'attendais pas. Pourquoi n'avais-je jamais songé à devenir maire de Lyon ? À travers mon rôle de député, j'avais compris que la mairie était purement une affaire de Lyonnais. Tous ceux qui ne l'étaient pas et qui ont voulu briguer la place ont échoué. En revanche, selon l'expression lyonnaise, « quand le maire est élu, il ne quitte la mairie que les pieds devant ».

Par ailleurs, si pendant ma députation j'ai rendu à la municipalité tous les services qu'il m'était possible de lui rendre, je crois avoir clairement montré que je n'avais aucune intention d'être un jour candidat à la mairie. En effet, dès les élections municipales de 1983, on me sollicita. Francisque Collomb, qui m'avait accueilli dans sa ville, se représentait. Comment aurais-je pu lui faire une mauvaise manière ? Il réalisa, cette année-là, le « grand chelem », et j'avais bien entendu vivement soutenu sa liste.

Puis, en 1989, M. Collomb – très affaibli – décida néanmoins d'entrer de nouveau en lice. Il avait perdu son principal soutien, M. Beraudier, étonnant et truculent personnage. Il me demanda d'être sur sa liste dans le VIᵉ arrondissement. J'ai hésité, mais, par considération et fidélité, j'ai accepté de me trouver derrière lui en deuxième position. Michel Noir, qui venait, avec quelques autres, de lancer les « Rénovateurs RPR », avait de son côté constitué ses propres listes. C'est dans ce contexte d'une droite divisée que Noir, très lyonnais, très apprécié, mena une campagne offensive, brutale, et qu'il l'emporta nettement. Quant à Francisque Collomb, sa liste obtint juste assez de voix pour lui permettre d'accéder au conseil municipal de Lyon. En revanche, je me retrouvais conseiller d'arrondissement. J'ai considéré que mon dévouement à M. Collomb s'arrêtait là, et j'ai démissionné. Les Lyonnais l'ont bien compris. Cette expérience avait eu le mérite de me donner une idée de la vie municipale et de ses embûches.

Au lendemain du scrutin, Michel Noir me téléphona. Je l'assurai de mon concours pour l'aider à gérer sa ville. À aucun moment nos relations ne se sont détériorées, en dépit de l'agitation et du fumet de scandale qui commençaient de monter autour de lui. J'avais dit à mon équipe lyonnaise de se tenir à l'écart de ces « affaires » tout en continuant de travailler normalement avec le maire.

Et voilà qu'avec son gendre, M. Botton, M. Noir se trouve, en 1993, au milieu d'une série d'opérations financières douteuses. Très vite, les Lyonnais ne supportent plus que leur ville soit tous les jours la vedette de la rubrique judiciaire. Le président du conseil général, les élus, les industriels, les commerçants, etc., me répétaient : « On ne peut pas continuer dans cette ambiance de corruption. » Lorsque les élections municipales de 1995 furent proches, on me demanda d'être candidat pour

« tourner la page ». Pour tout vous dire, je n'avais nulle envie d'y aller. Un matin, dans la rue où se trouve ma permanence, je tombe sur un couple que je connaissais. « Alors, monsieur Barre, vous allez devenir notre maire ? », interroge la dame. Je ne le souhaite pas, lui ai-je répondu, il faut trouver quelqu'un de plus jeune que moi. « Ah non, ce n'est pas possible ! renchérit le mari. Vous ne pouvez nous faire défaut maintenant que nous avons besoin de vous ! » Et sa femme ajoute : « Non, monsieur Barre, vous ne pouvez pas nous faire ça. Alors que nous avons toujours voté pour vous depuis si longtemps, vous ne pouvez pas nous laisser tomber. Ce serait dégueulasse. » Ce dernier mot, je vous assure, m'a ébranlé, et, franchement, il m'a convaincu que je devais accepter. J'étais, depuis 1978, devenu un personnage de la ville, j'appartenais à son paysage, bien que je ne fusse pas lyonnais.

Des membres du RPR, comme le professeur Jean-Michel Dubernard, et ses amis, qui constituaient la « tendance historique » du RPR avant la sécession noiriste, et l'UDF derrière Michel Mercier, m'ont soutenu. Le Parti radical me voyait d'un bon œil et beaucoup de personnalités lyonnaises m'ont aidé. En revanche, j'ai rencontré une très forte opposition des « noiristes », conduits par Henry Chabert. Ils étaient constitués en réseaux puissants qui exerçaient leur influence par des moyens divers... J'avais directement auprès de moi Christian Philip, petit-fils du député André Philip, et Anne-Marie Comparini, ma collaboratrice dévouée pendant vingt ans. Je l'avais fait entrer au conseil régional et elle connaissait parfaitement les milieux lyonnais.

Les résultats du premier tour furent serrés. Je devançai légèrement la liste socialiste conduite par Gérard Collomb, le maire actuel, et celle du « noiriste » Henry Chabert. Il était dès lors nécessaire, si la majorité sortante voulait l'emporter, que je fasse entre les deux tours l'union avec les « noiristes ». M. Chabert s'y est prêté sans réticence. Nous avons tenu compte de ses desiderata, très acceptables à l'exception d'un seul : il souhaitait que Michel Noir puisse être membre du conseil municipal. J'ai eu une conversation personnelle avec M. Noir. Il ne pouvait pas, lui ai-je expliqué, mettre la future municipalité dans une situation qui serait à nouveau délicate ; il a accepté de se retirer avec dignité. Nous l'avons emporté, laissant trois arrondissements à la gauche, le Ier, le VIIIe, le IXe.

*Dès que vous êtes élu au fauteuil de maire, vous déclarez que vous ferez uniquement votre mandat, soit six ans, et pas un jour de plus. Ne preniez-vous pas le risque de déclencher aussitôt une bataille de succession ?*

C'est toujours l'argument que l'on oppose à une décision de cette nature. Il ne tient pas, à condition que l'on soit résolu dans son choix. D'une part, il n'y a eu aucune manœuvre inspirée par des calculs sur ma succession ; d'autre part, n'ayant pas à me préoccuper de ma future réélection, je me suis donné une grande liberté d'action. Au conseil municipal, chacun a pu mesurer ma détermination et a compris que je n'accepterais pas les petits jeux de couloirs. J'avais précisé que la mairie de Lyon n'était pas, pour moi, une rampe de lancement vers d'autres sommets... Personne ne pouvait douter de ma sincérité.

Je crois que nous devrions suivre l'exemple des cardinaux de notre Sainte Église catholique : ils quittent leur fonction épiscopale à 75 ans. En 2002, fin de mon mandat de maire, j'aurai 77, me disais-je, déjà deux ans de trop pour la règle cardinalice !

Pendant six ans, je fus à la fois maire de Lyon et président de la Commission urbaine, le Grand Lyon, qui compte cinquante-cinq communes très diverses par la taille, les structures sociales et la tendance politique. Je tenais à remplir les deux charges, car le fonctionnement de la ville et celui de la Communauté urbaine sont interdépendants, notamment sur le plan financier.

*Comment abordez-vous vos nouvelles fonctions ? Aviez-vous un programme d'action ?*

Je pouvais compter dans mon action municipale sur une excellente équipe. Christian Philip, premier adjoint, surveillait la cohérence de l'action. Jean-Michel Dubernard se révéla un adjoint aux Finances d'une grande capacité. Henry Chabert continuait à s'occuper de l'urbanisme où il avait acquis une compétence certaine. J'avais chargé M. Bideau de suivre les marchés publics, et demandé à M. Moulinier de prendre la responsabilité du développement de la ville et de la Communauté urbaine. Anne-Marie Comparini s'occupait des universités et de la vie étudiante, tâche qui me tenait à cœur. André Soulier, brillant avocat, fut en charge du tourisme et des relations extérieures de la ville. J'avais par ailleurs à mes côtés un chef de cabinet, Éric Thouvenel, très averti des problèmes politiques lyonnais qu'il traitait avec beaucoup d'habileté. Pendant six ans, Chantal Bacqué, modèle de discrétion et d'efficacité, fut chef de mon secrétariat particulier, surveillant avec vigilance mes rendez-vous et l'accès à mon bureau.

J'obtins d'Alain Mérieux qu'il entre dans l'équipe municipale. Il lui apportait son nom, son expérience et son influence dans la vie lyonnaise. Pendant mes années à Lyon, j'eus le privilège de bénéficier de la sympathie du docteur Charles Mérieux, « le patriarche de Lyon », toujours dynamique en dépit de son âge, fourmillant d'idées originales et infatigable pour les réaliser. C'est avec émotion que, dans la cathédrale Saint-Jean, je lui rendis le dernier hommage au nom de sa ville qu'il avait tant aimée et servie.

Je reçois également le concours compétent et rigoureux de Me Jean-Marie Chanon, bâtonnier de l'ordre des Avocats de Lyon. Selon la tradition établie par le cardinal Gerlier et Édouard Herriot, le maire de Lyon entretient des relations courtoises et régulières avec le cardinal Primat des Gaules. J'en connaîtrai trois, qui étaient de remarquables prélats : Mgr Decourtray, Mgr Balland, Mgr Billé. La mort les faucha rapidement. J'accompagnai selon la tradition l'archevêque de Lyon à Rome pour la cérémonie au cours de laquelle il recevait du Saint Père la barrette cardinalice.

Pour mener mon action municipale, j'avais en tête deux idées force. Quand j'arrive à la mairie, député de Lyon depuis près de vingt ans, je connais bien la ville et j'ai beaucoup de sympathie pour les Lyonnais. Une chose cependant m'avait toujours frappé : la société lyonnaise était une « société close », pour reprendre le mot de Bergson. Elle vivait sur sa ville, repliée sur elle-même. Cette société était d'ailleurs composée de groupes sociaux assez homogènes, souvent liés à un arrondissement et peu ouverts sur les voisins. Par exemple, le quartier d'Ainay, un des plus anciens et des plus bourgeois, était très représentatif de cet état d'esprit. Il me semblait que nous étions arrivés à un moment où il fallait ouvrir Lyon sur l'extérieur. J'étais et je reste convaincu que le XXIᵉ siècle sera celui des « villes-capitales ». J'avais pu apprécier les changements réalisés à Barcelone. Lyon était la deuxième ville de France du point de vue du potentiel économique, il fallait qu'elle s'ouvre pour avoir un rayonnement international. Le rayonnement par l'ouverture, telle était ma première idée.

La seconde découlait logiquement de la première : il fallait donner à Lyon des infrastructures, des institutions qui lui permettent de soutenir son rayonnement. Il fallait un programme de développement adapté à son ambition.

Ouverture et développement : voilà mes objectifs.

D'abord l'ouverture. Elle n'allait pas de soi. Les Lyonnais n'aimaient pas Paris, la capitale des Gaules n'ayant jamais accepté que la Ville Lumière devienne la capitale de la France ; ils ignoraient Valence, Saint-Étienne, Roanne, Annecy et en particulier Grenoble, alors que les deux villes sont très complémentaires ; ils n'avaient pas de relations avec Marseille, et d'ailleurs les Marseillais, tout comme eux, n'en voyaient guère l'utilité. Quant aux jumelages avec quelques villes étrangères, ils n'étaient pas très organisés.

Je vais bénéficier, en m'installant à la mairie, d'une chance exceptionnelle : Lyon fut choisie pour accueillir le sommet des chefs d'État et de gouvernement du G7 à la fin juin 1996. J'ai aussitôt décidé de restaurer la mairie, magnifique bâtiment. Elle en avait besoin. En un an, un jeune décorateur très talentueux, Jérôme Vital-Durand, a réalisé un travail remarquable. J'ai fait refaire le bureau du maire, qui était celui de Napoléon III, ainsi que le bureau voisin – occupé par ma secrétaire Chantal Bacqué – qui avait été la chambre de l'impératrice Eugénie. Napoléon III aimait beaucoup Lyon et avait aménagé toute une aile de l'Hôtel de Ville pour ses séjours. Le G7, auquel participa notamment Bill Clinton, fut un grand succès. Les délégations étrangères découvrirent la beauté de Lyon et furent magnifiquement accueillies grâce à André Soulier. La population, au départ assez réservée, craignait d'énormes embarras de circulation. Il n'y eut aucun encombrement et les ponts sur le Rhône comme sur la Saône ne furent pas bloqués... Je crois que les Lyonnais ont été, ce jour-là, convaincus que leur ville pouvait accueillir avec succès des réunions internationales.

L'impulsion étant donnée, j'ai fait en sorte qu'on puisse la prolonger par d'autres initiatives. Nous avons ainsi organisé une conférence mondiale sur l'effet de serre, plusieurs rencontres avec des organismes internationaux comme la Cnuced[1], comme l'OMS[2]. En l'an 2000, M. Desmarescaux, ancien directeur géné-

---

1. Cnuced : Conférence des Nations unies pour le commerce et le développement. Créée en 1964 en tant qu'organe permanent de l'Assemblée générale des Nations unies. Le siège est à Genève.

2. OMS : Organisation mondiale de la santé, institution spécialisée des Nations unies pour la santé, fondée le 7 avril 1948. L'OMS a pour but d'amener tous les peuples au niveau de santé le plus élevé possible.

ral de Rhône-Poulenc, décida avec mon entier soutien de lancer le colloque « Biovision », consacré aux sciences de la vie. L'originalité de cette manifestation est d'associer dans une même réflexion les chercheurs – y compris les Nobel –, les entreprises du secteur pharmaco-chimique et les ONG. Depuis, « Biovision » a lieu tous les deux ans, consacrant ainsi la place internationale de Lyon dans ce domaine scientifique en pleine expansion.

Je donnai un essor particulier à Aspen-France, branche française du célèbre Institut Aspen, des États-Unis. J'avais obtenu en 1993 qu'il s'installe à Lyon avec le plein concours des responsables de la ville et du département. Quasiment inconnu de l'opinion publique, Aspen-France allait bien vite susciter un vif intérêt à travers des conférences, des débats où se retrouvaient des experts et des intellectuels venus du monde entier. L'ambassadeur des États-Unis, M. Rohatyn, très intéressé par ce qui se faisait à Lyon, nous demanda d'organiser, dans le cadre d'Aspen-France, une rencontre des maires américains et européens. De même, lors d'un voyage en France, Mme Albright, secrétaire d'État américain, vint à la mairie de Lyon confirmer l'ouverture d'une délégation de l'ambassade américaine, le consulat général des États-Unis ayant été fermé quelques années auparavant. Bref, Lyon devenait, pour les personnalités étrangères en visite d'État, une étape.

J'ajoute que nous avons développé des relations avec plusieurs « villes-capitales » européennes comme Turin, Genève, Stuttgart, Francfort ou Barcelone, tandis que l'université de Lyon III s'associa à l'université de Budapest et à l'Institut français de Pecz.

Lorsque l'Unesco a reconnu Lyon dans le patrimoine mondial de l'humanité, ce fut en quelque sorte la consécration de son ouverture internationale.

Tout cela répondait à l'objectif que je m'étais assigné, et j'en étais très heureux pour les Lyonnais. Tout cela montrait aussi comment, par des effets d'entraînement, par un effort constant et soutenu, bien sûr aussi par les relations personnelles que l'on a pu nouer au fil de sa vie, il est possible de sortir une grande ville comme Lyon de l'isolement où elle risquait de s'étioler.

*Toutes les grandes villes veulent de plus en plus atteindre ce rayonnement que vous évoquez. Dans la mesure où Lyon était, comme vous dites, un peu repliée sur elle-même, disposait-elle des infrastructures pour accueillir toutes ces manifestations ?*

En 1995, la Cité internationale, conçue par le célèbre architecte italien Enzo Piano, n'était pas terminée. Elle avait été lancée à l'initiative de Michel Noir et de la municipalité précédente. Elle ne comprenait que le Palais des congrès. Nous avons décidé de poursuivre cette heureuse initiative et de la compléter par un ensemble hôtelier haut de gamme, un casino, un complexe cinématographique et des appartements de grande qualité. Avant mon départ, j'ai décidé en l'an 2000 de créer une salle de congrès de 3 000 places qui a été inaugurée par mon successeur en septembre 2006. La Cité internationale est devenue le fer de lance du rayonnement de Lyon. Quand j'ai vu, à l'époque, M. Chevènement, ministre de l'Intérieur, pour qu'il m'autorise à ouvrir un casino dans un des hôtels du complexe, il s'est exclamé en riant : « Alors, monsieur Barre, c'est vous qui me demandez des machines à sous ! » Je lui ai répondu : « Ce n'est pas moi, monsieur le ministre, c'est le devoir de ma fonction... »

*Vous me disiez plus haut que Lyon ne frayait guère avec les villes de la région. Avez-vous également essayé de changer son comportement vis-à-vis de ses voisines ?*

C'est le second volet de mon idée d'ouverture, laquelle n'était pas seulement en direction de l'international. Je souhaitais qu'à l'intérieur de la région Rhône-Alpes, des liens se nouent entre Lyon et ce que j'appelais le « réseau des villes-centre », Saint-

Étienne, Grenoble, Valence, Annecy, Chambéry et Roanne. Les maires qui étaient de tendances politiques diverses furent d'accord pour se rencontrer deux fois par an. Nous étions accompagnés par nos seuls secrétaires généraux, et nos réunions se tenaient hors la présence du préfet ; une fois la réunion tenue et le communiqué publié, nous l'invitions au déjeuner qui suivait. Nous nous réunissions, par rotation, dans chacune des villes concernées. Il s'agissait d'examiner ensemble et à notre niveau nos problèmes dans le but de nous porter mutuellement appui, d'éviter les concurrences plus coûteuses qu'efficaces, enfin d'avantager, si besoin était, telle ou telle ville. Lyon, par exemple, a refusé certaines implantations des services administratifs de l'État pour en faire bénéficier Roanne. J'ai pu compter à Grenoble sur le concours de Michel Destot, maire socialiste très ouvert, et établir avec lui des rapports qui étaient jusque-là inexistants entre nos deux municipalités.

Je ne m'en suis pas tenu à la région Rhône-Alpes : j'ai poussé mon souci d'ouverture jusqu'à Marseille. Nous avons, Jean-Claude Gaudin[1] et moi, publié dans *Le Monde* un article pour souligner l'importance des relations entre nos deux villes. Cela ne s'était jamais vu ! Nous avons avancé ensemble, notamment dans le domaine scientifique – universités de Lyon et de Marseille-Aix-en-Provence – et dans celui des transports.

*Venons-en à votre seconde idée force : le développement de Lyon...*

Pendant la campagne des municipales, les disparités entre les arrondissements riches et prospères et d'autres en piteux état m'avaient frappé. Le Ier arrondissement, le VIIIe et le IXe, le quartier de l'industrie où se trouvait naguère Rhône-Poulenc, étaient les plus défavorisés. Si je suis élu maire, avais-je déclaré durant ma campagne, je concentrerai un effort particulier sur

---

1. Jean-Claude Gaudin était maire de Marseille depuis 1989.

ces trois arrondissements. J'étais convaincu qu'ils passeraient à gauche, ce qui est advenu. Le socialiste Gérard Collomb fut élu maire dans le IXᵉ arrondissement. Immédiatement, certains milieux de la nouvelle majorité m'invitèrent à ne pas tenir mes engagements et à ne pas aider un quartier ayant voté à gauche. J'ai alors annoncé très solennellement que je travaillais pour tous les Lyonnais et que je ne reviendrais pas sur les engagements que j'avais pris en faveur de ces trois arrondissements. Les engagements ont été tenus, et leur situation a été notablement améliorée.

Pour les Lyonnais qui me liront, je rappellerai que nous avons, en six ans, réussi un assez beau palmarès pour inscrire ces quartiers démunis dans la réalité lyonnaise du XXIᵉ siècle. Dans le IXᵉ, la mairie a été restaurée et la médiathèque de Vaize, associée à l'Ensatt, comme aux grandes compagnies lyonnaises, est à la fois un théâtre et un centre qui offre au grand public le libre accès au multimédia. Dans le VIIIᵉ, le marché et la place du 8-Mai ont été réaménagés. La Halle des sports, ouverte aux étudiants et aux clubs, rayonne sur tout le IIIᵉ arrondissement et alentour.

Beaucoup d'autres réalisations ou de rénovations débordent ces arrondissements, comme le gymnase de Vivier-Merle, les Archives municipales, le musée des Beaux-Arts qui bénéficia de la collection de peintures offerte par Jacqueline Delubac. Je n'oublie pas le Skate Park, point de ralliement des adeptes de sports émergents : roller, skate, BMX...

Il se trouve que le cinquantième anniversaire de la disparition du grand architecte Tony Garnier eut lieu sous mon mandat. Né à Lyon, il fit à partir de 1905 toute sa carrière dans sa ville natale. Nous avons fait recouvrir entièrement son stade olympique à Gerland, un des chefs-d'œuvre du béton armé. La Halle Tony-Garnier fut entièrement rénovée ; elle est modulable et peut aujourd'hui accueillir jusqu'à 17 000 personnes pour des ballets, des concerts, des matches de tennis... Toujours à Gerland, la prestigieuse École normale supérieure Lettres et Sciences humaines est venue rejoindre l'ENS-Sciences qui était déjà à Lyon depuis une décision que j'avais prise en 1979.

Je me suis particulièrement attaché à l'expansion du quartier de Gerland et j'ai souhaité en faire un quartier du XXIe siècle en associant trois réalisations majeures : un pôle du savoir avec les deux Écoles normales supérieures, Sciences et Lettres ; un pôle d'activités industrielles moderne ; un pôle écologique avec un grand parc descendant jusqu'aux berges du Rhône.

Sur le plan culturel, j'ai voulu que la mairie soutienne l'Opéra de Lyon, dirigé avec une grande compétence par Brossmann. Je l'ai fait reconnaître comme opéra national. Nous avons également soutenu l'orchestre de Lyon dont la réputation ne cessait de croître grâce à son chef, Krivine, et le théâtre des Célestins cher au cœur des Lyonnais. J'avais déjà implanté à Lyon, quand j'étais Premier ministre, le Conservatoire national de musique. Le grand musicien Cochereau en avait assuré la mise en place. La réhabilitation et la restructuration des Subsistances – un magnifique ensemble de bâtiments du XVIIIe siècle en bord de Saône – ont permis de donner à Lyon un pôle de création artistique unique en son genre. Les artistes peuvent y travailler et y résider.

Enfin, ayant su que la bibliothèque des Jésuites aux Fontaines, à Chantilly, allait être mise en vente, j'ai rappelé que Fourvière était un haut lieu de tradition jésuite, et j'ai obtenu que cette collection d'ouvrages, la plus importante dans le domaine de l'histoire du christianisme, vienne à Lyon et soit installée à la bibliothèque municipale.

Quand l'Unesco inscrivit leur ville au « Patrimoine mondial de l'humanité », les Lyonnais furent emplis de fierté.

*Si toutes ces opérations ont été conduites sans trop de difficultés ou sans trop de divergences au sein du conseil municipal, la réalisation du tramway fit, je crois, l'objet d'intenses discussions ?*

Lyon avait son métro. Certains voulaient qu'on le prolonge et qu'on crée des lignes nouvelles. Le coût eût été exorbitant. D'autres voulaient le tramway. Les discussions furent animées après ma décision d'aménager deux lignes de tramway irriguant la ville sur dix-huit kilomètres, d'est en ouest. L'une d'elles me tenait particulièrement à cœur, car elle reliait le centre-ville à l'université de Bron, créée après 1968, où les conditions de travail étaient difficiles et les conditions d'accès plus encore. J'ai dû pendant deux ans – le temps des travaux – essuyer les remarques, critiques et attaques venant de tous bords. Je restai impavide. Mon premier adjoint, Christian Philip, en charge du dossier, le suivait avec une attention de tous les instants et avec courage, car il était la cible des critiques. Quand, fin décembre 2000, les travaux terminés, j'ai inauguré à la Gare des tramways le lancement des deux lignes, tous ceux qui s'y étaient opposés furent bien entendu les premiers à se bousculer pour être sur la photo, répétant à l'envi combien le parcours était agréable, les wagons élégants et confortables... Pour apaiser définitivement les grincheux, j'ai annoncé dans mon discours que, jusqu'au 1er janvier, les deux lignes seraient gratuites. Elles ne désemplirent pas, et les Lyonnais venaient me dire : « Monsieur le maire, nous avons découvert notre ville ! »

*Il y a un programme d'une toute autre dimension que vous avez lancé : Lyon Confluence. C'est un peu pour Lyon ce qu'a été l'aménagement de La Défense pour Paris. Pourquoi avez-vous décidé cette vaste opération ?*

Jusqu'à Lyon Confluence, toutes nos actions, aussi importantes qu'elles fussent, étaient en effet circonscrites à un secteur de la ville ou à un domaine particulier. Si on voulait donner à Lyon un souffle à l'échelle du XXIe siècle, j'ai toujours pensé qu'il fallait un grand projet urbain, mobilisateur et dessinant l'avenir. Or la ville disposait d'une zone de 150 hectares complètement en friches, située au sud de la Presqu'île, au confluent du Rhône et de la Saône. D'où le nom de « Lyon Confluence ».

La beauté des paysages fluviaux, la dimension du territoire et la perspective de son désenclavement étaient à la mesure de ce grand projet que je souhaitais. Avec Lyon Confluence, le Grand Lyon se donnerait les moyens d'attirer, en plein centre, les emplois, les services et les grands événements qui caractérisent les « villes-capitales ». Nous envisagions une première phase du projet à l'horizon d'une quinzaine d'années environ, afin d'engager de manière décisive la mutation de ce territoire stratégique. Cette première phase dessinait le futur quartier, à la fois central, attractif, animé. Porteur d'une image de qualité, d'innovations et de dynamisme, il se voulait à la hauteur des ambitions internationales du Grand Lyon.

Quand j'ai évoqué ce projet devant les élus, surtout les conseillers municipaux de Lyon, ils furent dubitatifs. Il y a déjà eu, m'ont-ils dit, plus de cent cinquante projets pour la Presqu'île. Aucun n'a jamais vu le jour.

Je me suis expliqué longuement, patiemment, sur ce nouveau projet, et j'ai fini par sentir qu'un intérêt certain se manifestait. J'ai alors organisé plusieurs réunions avec les habitants des arrondissements directement concernés, notamment le IIIᵉ, pour leur présenter le projet et en discuter avec eux. Je voulais obtenir leur assentiment. Et ils m'ont suivi.

De son côté, le conseil de la Communauté urbaine m'a assez rapidement soutenu. Y compris l'opposition socialiste.

La façon dont était reçu le projet a par conséquent beaucoup évolué en quelques mois, et dans un sens favorable. C'est ainsi qu'en l'an 2000, j'ai demandé à l'architecte François Grether et au paysagiste Michel Desvigne de nous proposer un plan d'aménagement du site. Je l'ai soumis au conseil municipal de Lyon et au conseil de la Communauté urbaine. Il a été accepté et le centre de pilotage de Lyon Confluence fut installé rue Casimir-Perier, dans le IIᵉ arrondissement. Il était ouvert tous les jours de 14 heures à 19 heures, et chacun pouvait découvrir le plan d'ensemble, les choix architecturaux des bâtiments, des parcs, les dessertes routières, les pistes cyclables, les chemins piétonniers... Les visiteurs, qui furent très nombreux, étaient invités à s'exprimer sur des registres.

Ma plus belle satisfaction est venue du conseil municipal des Jeunes que j'avais créé et où je me rendais régulièrement. Les jeunes ont pris l'initiative de commander au plasticien Ange Leccia une œuvre monumentale pour Lyon Confluence, et ils l'ont installée à la pointe du confluent. Elle symbolise l'entrée de Lyon dans le troisième millénaire.

*Dans combien de temps pensez-vous qu'on verra l'achèvement d'un projet d'une telle dimension ?*

Aujourd'hui, l'aménagement de Lyon Confluence se poursuit. C'est un projet à très long terme. Nous le savions au départ. J'avais donné quinze ans pour l'achèvement de la première phase. Les délais seront, je crois, respectés. Il faudra quinze ans de plus pour la seconde phase. Ce qui nous amène à 2030. Récemment, M. Queyranne, président de la région Rhône-Alpes, a décidé d'implanter le siège du conseil régional sur le confluent, et je m'en suis réjoui. M. Mercier, président du conseil général, a lui aussi décidé de faire construire, à côté de ce bâtiment, un grand musée populaire.

*Pour vous qui avez été pendant vos cinq années à Matignon le Premier ministre de l'austérité budgétaire, tous ces projets que vous avez réalisés ou lancés pour Lyon ne vous ont-ils pas conduit à augmenter fortement les impôts locaux ?*

La hausse des impôts locaux a été contenue dans des limites tout à fait raisonnables. D'abord parce que le budget de Lyon a été géré avec rigueur, et j'y tenais. Ensuite, quand j'ai décidé d'engager tous ces investissements que je viens d'évoquer, j'ai pensé qu'il fallait s'adresser à l'épargne lyonnaise, et je m'en suis publiquement expliqué. Le développement de la ville, ai-je déclaré, m'apparaissait aussi urgent que nécessaire ; j'entendais m'atteler à cette tâche, mais je le ferais avec le concours des Lyonnais.

La municipalité a donc émis un emprunt et j'ai invité les banques à n'accepter que des contributions de Lyonnais. L'emprunt fut couvert en 48 heures. Les journalistes m'ont évidemment demandé si j'avais souscrit. Bien sûr, et je ne le regrette pas ! C'est le second « emprunt Barre » puisque, Premier ministre, j'avais lancé un emprunt d'État en 1977...

*Je voudrais enfin que l'on évoque l'« affaire » du tronçon autoroutier à péage qui a suscité la colère des Lyonnais...*

Cette affaire concerne uniquement la Communauté urbaine qui regroupe cinquante-cinq communes. Près de la moitié d'entre elles avaient une municipalité de gauche, socialiste ou communiste. Élu président de la Communauté, j'ai proposé à l'opposition de participer à son exécutif et de lui confier huit présidences, dotées de responsabilités importantes, concrètes. Les socialistes acceptèrent, et Jean-Jack Queyranne fut leur chef de file. Nous nous entendions très bien. La Communauté urbaine s'attacha à soutenir les communes en difficulté, comme Vaux-en-Velin ou Vénissieux dont le maire, M. Gérin, était communiste. Je n'ai pas besoin de vous dire qu'on me reprocha aussitôt de faire le jeu de la gauche ! En tout cas, les accords de coopération entre la Communauté urbaine et les communes que nous voulions aider ont été efficaces, et je n'ai pas eu la moindre difficulté à les appliquer en dépit des attaques « noiristes ».

Pour le tronçon autoroutier du périphérique ouest, ce fut différent. Les contrats d'exécution des travaux avaient été signés avec l'entreprise Bouygues par l'équipe de M. Noir. Je ne les ai

pas remis en cause à mon arrivée. Le tronçon en chantier terminé, nous avons fixé la date de sa mise en service. Et voilà qu'au
jour dit, les habitants du Grand Lyon se mettent en rébellion ! Je
découvre alors que M. Noir avait laissé à Bouygues le soin de
fixer les tarifs de péage. Tout est parti de cette clause aussi inattendue qu'incompréhensible. On a su par la suite que Bouygues
avait distribué d'énormes commissions.

Pour les contribuables lyonnais dont les impôts avaient servi
à payer le programme routier, le péage était inacceptable. J'ai
repris les choses en main. D'abord, comme il restait un dernier
tronçon à construire, il fallait finir le programme. Ensuite, j'ai
examiné avec Bouygues l'ensemble des contrats.

Restait une question : allions-nous ou non maintenir un péage ? J'ai expliqué, et la plupart des élus en étaient conscients,
que, sans péage, il ne serait plus possible, pour aucune autre
grande ville française, d'initier un projet de périphérique comme
celui de Lyon. Nous ne pouvions pas créer un précédent aux
conséquences si risquées. Nous avons par conséquent maintenu
le péage tout en le révisant à la baisse. Je tiens toutefois à préciser
que le coût de cette affaire a représenté un milliard de francs
pour la Communauté urbaine !

*Entre vos fonctions de Premier ministre et celles de maire de
Lyon, avez-vous trouvé beaucoup de similitudes ?*

Très peu. La fonction de Premier ministre est une expérience
fascinante et éprouvante. À Matignon, vous vous occupez des
affaires de votre pays. Elles jaillissent de partout. Vous avez à
travailler avec le président, à négocier avec les groupes parlementaires, les organisations professionnelles, à vous livrer à beaucoup
d'activités qui sont nécessaires pour préparer la prise de décision
et pour veiller à la mise en œuvre. Vous êtes à chaque instant
sur le qui-vive. Dès le 1er janvier, votre agenda est quasiment
rempli jusqu'au 31 décembre. Un rendez-vous chasse l'autre. Un

après-midi vous accompagnez le président à Orly pour accueillir un chef d'État, le soir vous avez un dîner d'État à l'Élysée, le lendemain c'est vous qui offrez le déjeuner au Quai d'Orsay, tandis qu'entre ces agapes vous avez un comité interministériel, une intervention à l'Assemblée nationale, une délégation d'agriculteurs à recevoir... Et pendant ce temps-là, les dossiers continuent de s'accumuler.

J'ai utilisé une fois cette expression : « On se trouve dans un état de lévitation. » Après mes cinq années à Matignon, je mettrai plusieurs mois avant de retrouver mon polygone de sustentation ! Heureusement que mon travail d'universitaire m'avait familiarisé avec la plupart des problèmes que j'abordais. De surcroît, mes collaborateurs avaient pris l'habitude de me transmettre des notes très courtes et de me proposer deux solutions. « Laquelle voulez-vous ? » m'interrogeaient-ils tout en me précisant où allait leur préférence.

Enfin, quand vous êtes Premier ministre, vous ne voyez pas, dans la plupart des cas, les résultats concrets des décisions que vous avez prises. Celles-ci, par nature, ont des effets à moyen ou long terme. Cinq ans, huit ans après, quelqu'un vous dit : « Ceci, c'est à votre politique que je le dois. »

La fonction de maire se situe sur un tout autre registre. Vous êtes dans une double proximité, celle du citoyen et celle de l'action que vous menez. Quand vous quittez la mairie, vous laissez une trace qui doit se voir. Le maire est quotidiennement interpellé par ses administrés, et les Lyonnais, croyez-moi, ne sont pas faciles. Même dans une grande ville comme Lyon, le bureau du maire, c'est aussi le bureau des pleurs. J'ai dû faire face à quelques frondes. Par exemple, quand j'ai voulu remettre de l'ordre dans les crèches municipales qui ne fonctionnaient pas. J'ai décidé d'augmenter les crèches associatives qui, elles, marchaient très bien. Vote négatif des « noiristes » et des socialistes ! « Ne recommencez pas, ou je m'en vais, » ai-je aussitôt déclaré. Le calme est revenu. Quand j'ai mis des caméras de surveillance dans les rues, il y a eu également quelques remous, rien de bien méchant !

Si mon emploi du temps était relativement chargé, il n'était pas minuté comme celui d'un Premier ministre. J'étais pris par des problèmes qu'il me fallait souvent résoudre sur-le-champ. C'était un autre mode de pouvoir où les discussions avec les élus, avec les Lyonnais, m'occupaient beaucoup. Et puis, mon identification avec la ville était primordiale. Soumis aux questions incessantes des journalistes et des Lyonnais traditionnels, j'avais dû prendre un appartement à Lyon. Nous habitions, ma femme et moi, avenue du Président-Herriot, au coin de la place de la République. On ne pouvait trouver élection plus sympathique ! J'allais à pied à mon bureau. Ainsi, je n'étais pas le maire absent de sa ville, qui habite Paris !

Enfin, je dois convenir que la fonction de maire est éprouvante pour lui-même et pour son épouse. Mais nous avons été heureux pendant nos six années à la mairie, qui furent plus reposantes que nos cinq ans à Matignon. Ma femme était à mes côtés et assumait toutes les tâches, même si des Lyonnais malintentionnés répandaient la rumeur qu'elle n'aimait pas Lyon et qu'elle ne voulait pas y vivre. Ma femme et moi, nous avons aimé Lyon. Réticent au départ à son égard, j'ai découvert la richesse et l'intérêt de l'action municipale dans une grande ville chargée d'histoire et pleine d'avenir. La société lyonnaise reste fidèle à ses valeurs : Lyon est une ville modérée, qui refuse les extrêmes. On a raison de dire qu'elle est la capitale de la province française.

Il m'arrive souvent d'évoquer, à propos de Lyon, cet ouvrage délicieux de Jean Dufourt, *Calixte, introduction à la vie lyonnaise*, et de citer ce passage très juste : « Ah ! Si vous cherchez un ami, choisissez un Lyonnais. Vous ne le gagnerez pas en une semaine, ni même en un mois – et pas toujours en une année. Mais il vous sera fidèle. Il en est ainsi de toutes les affections lyonnaises. »

# Chapitre XI

# Mes rencontres avec
# le président Mitterrand

*Lorsque François Mitterrand est réélu en 1988, il souhaitera vous rencontrer et vous vous rendrez à son invitation. Pourquoi a-t-il voulu ce contact avec vous ?*

Jusqu'en 1981, j'étais pour M. Mitterrand un opposant sans complaisance. Il paraît qu'il gardait un mauvais souvenir de notre face-à-face télévisé de mai 1977. De mon côté, il représentait en politique un véritable aventurier, au sens de Lawrence d'Arabie. Comment aurait-il pu, sinon, se sortir de toutes les péripéties qui ont ponctué son parcours ?

Au début de son septennat, j'avais jugé très sévèrement les premières mesures du gouvernement de Pierre Mauroy. Puis, il y a eu mon refus de la cohabitation et, très vite, la bataille présidentielle. Rien, durant cette période, ne me prédestinait à avoir un lien quelconque avec M. Mitterrand ! Au lendemain de sa réélection en 1988, contrairement à Jacques Chirac qui est aussitôt reparti en guerre, j'ai déclaré que je jugerais le futur gouvernement aux actes, précisant que j'approuvais la décision du chef de l'État de dissoudre l'Assemblée nationale. Or, plusieurs dirigeants du RPR et de l'UDF militaient contre la dissolution et estimaient que M. Mitterrand pouvait très bien prolonger l'expérience de la cohabitation. Certaines personnalités de la nouvelle majorité – Chaban-Delmas, Giscard... – auraient même accepté de devenir Premier ministre ! Tout cela me paraissait dérisoire. Mitterrand me fait savoir qu'il avait été satisfait de mon intervention. Les législatives ont lieu, la gauche l'emporte et Michel Rocard devient Premier ministre. Certains de mes amis, comme Bruno Durieux et Jean-Pierre Soisson, entreront alors au gouvernement. Ils m'ont consulté. Si je ne les ai pas poussés à y aller, je ne les en ai pas non plus dissuadés. Ils étaient jeunes, dynamiques, et comme M. Rocard était à Matignon, que M. Bérégovoy était ministre de l'Économie et des Finances, j'avais moins de préventions à l'égard de la politique du nouveau gouvernement. En effet, j'ai toujours eu beaucoup d'estime pour Rocard ainsi que pour Bérégovoy avec lequel je prendrai de temps à autre un petit déjeuner pour échanger nos vues. Je le soutiendrai dans sa politique du franc fort conduite par Jean-Claude Trichet, que Chirac démolira de façon systématique.

À ce moment-là, M. de Grossouvre est venu me voir. J'avais avec lui de bonnes relations et je connaissais très bien son fils qui habitait Lyon. Il me dit que le président Mitterrand aimerait m'inviter à dîner, et il me précise : « Étant donné ce que vous êtes, j'ai demandé à François Mitterrand qu'il ne cherche pas à vous mener en bateau ! » *Sic.*

Le dîner a eu lieu quai Branly, dans une des résidences mises à la disposition du chef de l'État. Je dînerai une deuxième fois en tête à tête avec Mitterrand, puis je le rencontrerai ultérieurement à l'Élysée. Fallait-il qu'il me tienne dans une certaine considération puisqu'il a voulu m'expliquer les décisions prises en 1981 et 1982, décisions que je jugeais catastrophiques pour le pays ! En quelque sorte, il voulait m'expliquer les raisons de son action. Il m'a souvent répété que sa préoccupation première, en 1981, n'était pas d'ordre économique, mais politique : ramener la gauche au pouvoir en éliminant le parti communiste. S'il avait conscience du risque, il m'a longuement exposé sa démarche. Je sentais qu'il ne s'agissait pas, dans son esprit, de tactique politicienne, mais d'une nécessité pour la France.

Quand il a rencontré en 1981 George Bush, envoyé de Ronald Reagan [1], il lui a, m'a-t-il affirmé, tenu le même langage : « Mon objectif est de détruire le Parti communiste français. »

Je me suis demandé quels étaient le sens et la portée des propos qu'il me tenait. C'est pourquoi, dans mes conversations avec lui, j'étais en garde vis-à-vis de son côté charmeur, ayant toujours en tête la même interrogation : « Qu'est-ce qu'il veut me dire ? quel message veut-il me faire passer ? »

Nos entretiens étaient variés. Il était vigilant à l'égard des Sommets occidentaux qu'il ne souhaitait pas voir dériver vers une direction politique dominée par les États-Unis. Il me confiait son intérêt pour les cartes de géographie anciennes, « instruments essentiels et indispensables pour comprendre le monde ».

Au moment où la Yougoslavie commença à se dissoudre, il me dit regretter l'indépendance de la Croatie, soutenue par l'Allemagne fédérale et le Vatican. Il entendait maintenir les liens historiques de la France avec les Serbes, mais se méfier de Milošević.

Il m'indiquait avec un sourire amusé que les personnalités de l'opposition téléphonaient à l'Élysée pour s'étonner que je sois reçu en audience avant les Sommets, alors que je n'avais aucune responsabilité politique. Je peux toutefois leur rappeler, me disait-il, que vous avez été candidat à l'élection présidentielle !

Nous ne parlions pas de politique intérieure. Je me souviens cependant d'un entretien, à un moment où on évoquait une réforme de la Constitution : un comité présidé par Georges Vedel en avait débattu. « Je suis inquiet, lui dis-je, pour l'avenir

---

1. George Bush, ancien président des États-Unis (1989-1992), père de George W. Bush, était vice-président sous Ronald Reagan (1981-1988).

de la Vᵉ République. J'apprends en effet que l'idée de passer au quinquennat fait son chemin et que M. Fabius, premier secrétaire du Parti socialiste, la soutient. »

« Vous savez, me répond-il, je suis contre le quinquennat, car je ne veux pas que le président de la République française soit dans la situation de précarité qui est celle du président des États-Unis avant son second mandat. »

Comme je me réjouissais de sa position, il ajouta : « Je suis, pour ma part, pour un septennat non renouvelable. » Je n'en attendais pas tant, et je lui rappelai que je défendais cette même idée. C'est alors qu'il me regarda, marquant quelques secondes de silence, avant de me dire : « Monsieur Barre, sept ans, c'est bien court... » Du pur Mitterrand !

*Aux législatives de 1993, la coalition RPR-UDF l'emporte, et Mitterrand inaugure la deuxième cohabitation. On a dit qu'il voulait vous nommer Premier ministre ?*

François Mitterrand m'a expliqué à ce moment-là que si les élections étaient perdues et si la nouvelle majorité comportait à l'UDF un député de plus qu'au RPR, il entendait choisir le Premier ministre et ne pas se laisser imposer ce choix. Il me demanda si j'accepterais de devenir Premier ministre. Je savais qu'il avait consulté certains de mes amis, Charles Millon et Jean-Claude Casanova. Je lui ai répondu : « Vous n'ignorez pas que je suis contre la cohabitation. De plus, il est inutile d'envisager votre hypothèse. Le RPR n'acceptera jamais un Premier ministre qui ne soit pas de son bord. Tout Premier ministre qui ne sera pas RPR est mort, car il ne pourra gouverner ! Dans l'hypothèse que vous envisagez, c'est-à-dire ma nomination à Matignon, que ferait, monsieur le Président, le Parti socialiste ? Soutiendrait-il le gouvernement ? »

Il m'a alors répondu : « Ce n'est pas possible, mais il ne voterait pas une motion de censure ! »

L'entourage de M. Mitterrand, d'après ce que l'on m'a rapporté, prenait en considération ma nomination comme Premier ministre. Les élections eurent lieu. Le RPR était en tête. Chirac refusa de retourner à Matignon. Il écarta une candidature de Chaban. Quand Charasse me téléphona pour me dire que François Mitterrand nommait Balladur, je fus le dernier à m'en étonner. Quand je vis la composition du gouvernement, je fus encore plus surpris par les postes confiés à mes amis de l'UDF. M. Balladur commençait à verrouiller l'avenir. Je ne fus pas surpris de son évolution ultérieure.

*Sur les questions de politique étrangère, que pensez-vous de la ligne suivie par François Mitterrand ?*

Sa politique étrangère s'appuyait sur le postulat qui avait toujours été celui de la V$^e$ République : l'affirmation de notre indépendance. Je n'avais aucune raison d'être en désaccord avec lui. J'ai simplement regretté qu'il ait, au début de son premier septennat, laissé dépérir le dialogue que nous avions avec l'Union soviétique et qui était un dialogue très utile. Comme je vous l'ai expliqué, la France avait besoin, en ces années-là, d'une politique qui lui fût propre en direction de l'Allemagne et de l'URSS. Elle ne pouvait s'accommoder sur ce plan de la politique des autres, de la politique anglaise ou de celle des États-Unis.

Il faut se souvenir que les relations Est-Ouest s'établissaient au premier chef entre les deux superpuissances. Il ne fallait se faire aucune illusion à ce sujet. Elles éprouvaient à la fois attraction et méfiance réciproques, mais leur intérêt commun était tel qu'elles évitaient soigneusement d'en venir aux mains. Le problème, pour nous Français et pour nous Européens, était de n'être pas un objet dans le dialogue des superpuissances, de faire entendre notre voix et de défendre nos intérêts. Car les pays européens qui avaient leurs intérêts propres en Europe avaient aussi, du fait de l'histoire, d'autres intérêts, notamment en

Afrique et au Moyen-Orient, et on ne pouvait ignorer les répercussions du dialogue Est-Ouest sur ces régions très proches à tous égards de l'Europe.

C'est la raison pour laquelle je souhaitais que Mitterrand poursuivît la politique de détente avec l'URSS, ce qu'il n'a pas fait au début de son premier septennat, jusqu'à son voyage à Moscou en 1984. Or, à la même époque, le chancelier allemand, Helmut Kohl, déclarait qu'il souhaitait maintenir avec l'Union soviétique les mêmes relations que son prédécesseur, Helmut Schmidt. Il envisageait même des sommets réguliers avec Moscou. Personne ne protestait lorsqu'on entendait M. Kohl, pourtant membre au-dessus de tout soupçon de l'Alliance atlantique et de l'OTAN, dire cela.

*Officiellement, Mitterrand a refusé de reprendre le dialogue régulier et à un haut niveau avec l'Union soviétique tant que les problèmes de l'Afghanistan et de la Pologne ne seraient pas réglés. À l'époque, pour certains observateurs, c'était un mauvais prétexte, et il voulait en réalité gêner le PCF. Était-ce votre point de vue ?*

Je crois en effet qu'il a pris cette posture à l'égard de l'Union soviétique parce qu'il y avait des communistes au gouvernement et qu'il fallait rassurer les pays alliés. Cela nous renvoie à la confidence qu'il aurait faite à George Bush : il ressentait le besoin de se dédouaner vis-à-vis du PCF et voulait par conséquent marquer ses distances par rapport à Moscou. Sa croisade en faveur du déploiement des Pershing américains et contre l'installation des SS 20 soviétiques allait dans ce sens. D'ailleurs, il reprendra le dialogue avec Moscou en mai 1984, à un moment où les problèmes de l'Afghanistan, pas plus que ceux de la Pologne, ne seront réglés.

*Après la chute du mur de Berlin, le 9 novembre 1989, on a ressenti un certain flottement chez François Mitterrand. Était-ce lié à sa façon d'appréhender l'Union soviétique ?*

Il m'a expliqué plusieurs fois qu'il craignait, quand le Mur est tombé, une réunification de l'Allemagne sans que la frontière Oder-Neisse ne soit reconnue par l'Allemagne fédérale. C'est pourquoi il était méfiant sur la suite qu'Helmut Kohl allait donner à cet événement considérable que fut la chute du Mur. « J'ai reçu Genscher, m'a-t-il dit un jour. Je lui ai exposé sans détours mon point de vue : nous n'accepterons pas, nous, Français, la réunification tant que vous n'aurez pas reconnu la frontière Oder-Neisse. »

Helmut Kohl lui a opposé deux arguments. Il avait besoin de l'aval de la Cour constitutionnelle allemande pour reconnaître cette frontière. Or, celle-ci n'aurait jamais accepté que le Parlement de la RFA prît seul une décision sur ce sujet. Il fallait donc attendre le nouveau Parlement de l'Allemagne réunifiée pour reconnaître la frontière Oder-Neisse. Kohl voulait aussi que des élections regroupant les deux Allemagne aient lieu. L'insistance de Mitterrand finit néanmoins par compter. Helmut Kohl annonça la reconnaissance de la frontière Oder-Neisse dans un débat organisé par l'IFRI, à l'occasion d'une de ses visites à Paris. J'étais à ce débat. Par la suite, mes amis allemands m'ont dit que la France fut leur meilleur soutien dans la négociation et la signature du traité de réunification.

Mais, au tout départ, M. Mitterrand pensait comme moi : l'Allemagne de l'Est tiendra, et les Russes n'accepteront pas l'entrée de l'Allemagne réunifiée dans l'OTAN. Ce fut une erreur de jugement.

*Pourquoi aviez-vous cette analyse ?*

D'abord, je me suis trompé sur l'Allemagne de l'Est. Je l'avais connue, je l'avais visitée et je pensais, comme beaucoup, qu'elle était, de toutes les démocraties populaires, la plus solide, qu'elle était prussienne. Je n'imaginais pas que le gouvernement de la RDA puisse s'effondrer aussi rapidement. Quand je rencontrais, dans les années 1970, les dirigeants, les fonctionnaires de la RDA, j'avais le sentiment que le pays marchait au doigt et à l'œil. Les contrats que nous signions avec eux étaient réglés sur-le-champ. Hélas, ce n'était qu'une façade ! La fameuse « vitrine » des pays de l'Est était dans un état de délabrement inimaginable. Je l'ai découvert après la réunification. Toutes les entreprises qui ont investi dans l'ex-RDA ont dû consentir un effort énorme rien que pour permettre un redémarrage des usines.

Ensuite, je croyais que l'Union soviétique serait ferme. L'Allemagne de l'Est occupait une position stratégique capitale, notamment pour contrôler la Pologne. Or, les Russes n'ont pas bougé. Pourquoi la RDA n'a-t-elle trouvé aucun appui auprès de Gorbatchev ? J'ai interrogé, plus tard, notre ambassadeur à Moscou qui avait, à l'époque, vu Gorbatchev et lui avait posé la question. « Nous avions, lui a-t-il répondu, trois cent mille hommes en Allemagne de l'Est. Nous pouvions ordonner à nos troupes d'intervenir, mais nous n'étions plus dans un temps où nous pouvions agir comme cela. » Il avait pris conscience d'une évolution inéluctable : il ne lui était pas possible de faire couler le sang en Europe.

*L'Allemagne d'aujourd'hui, pour aider au redressement de l'ex-RDA, dépense quelque 120 milliards d'euros par an. C'est considérable ! Imagine-t-on la France dépenser la même somme pour soutenir l'équivalent de cinq régions ?*

Je savais que l'absorption de l'ex-RDA serait difficile, mais comme je connaissais la puissance économique de l'Allemagne fédérale, je pensais qu'elle serait gérable. Je l'ai dit un jour à Helmut Schmidt : « Ce sera une affaire de dix ans. – Vous n'y êtes pas du tout, m'a-t-il expliqué. La RDA a connu coup sur coup le régime nazi, puis le régime soviétique. Elle n'a jamais connu un régime de liberté. Les mentalités sont façonnées de telle façon qu'il faudra une génération nouvelle pour les changer. C'est une affaire de trente ans au moins. »

Beaucoup des difficultés actuelles de l'Allemagne viennent de là. Kohl, qui ne pouvait pas agir autrement, a accepté un mark unique et enclenché l'égalisation des revenus. La première conséquence ne s'est pas fait attendre : l'inflation, ce qui a obligé la Bundesbank a augmenté ses taux d'intérêt, augmentation qui a freiné l'activité économique... Jacques Delors, président de la Commission européenne, avait émis une proposition intéressante : que l'Union européenne aide l'ex-RFA a amortir le coût de la réunification. À Bonn, les dirigeants ne le souhaitaient pas. C'était *leur* problème. D'autre part, leurs partenaires de l'Union européenne n'étaient pas disposés à donner de l'argent et, d'ailleurs, ils en avaient peu à offrir !

Voilà bientôt dix-sept ans que l'Allemagne est réunifiée. Elle a été confrontée entre 2002 et 2004 à un début de récession. Actuellement, les choses vont mieux, mais Helmut Schmidt avait raison : l'Allemagne mettra encore beaucoup de temps avant de retrouver la stabilité et la puissance économique de l'ancienne République fédérale.

*Avez-vous également été surpris par la rapide décomposition de l'Union soviétique et par la mise à l'écart de Gorbatchev, le 25 décembre 1991 ?*

Qui, un an avant, aurait pu prévoir que Gorbatchev serait contraint de démissionner dans les conditions que l'on sait ? Maire de Lyon, j'ai connu Gorbatchev à la fin des années 1990. Il essayait de mettre au point son projet international d'institut destiné à faciliter le brassage des cultures. Je l'ai reçu avec son épouse Raïssa, une femme remarquable, plus impressionnante que son conjoint. Il souhaitait organiser une association entre

Genève et Lyon, et me demanda de l'aider. Ce que j'ai fait. Il m'en a été très reconnaissant et m'invite toujours dans ses colloques.

J'avais lu son ouvrage sur la *perestroïka*. Dans la première partie, il se livre à une critique en règle de l'économie soviétique. Dans la seconde, il dessine un projet pour assurer la toute-puissance de l'URSS. Donc, je croyais qu'il n'était pas du tout prêt à renoncer aux ambitions, à la volonté de pouvoir de l'Union soviétique, comme aujourd'hui je suis persuadé que Poutine veut redonner à la Russie un rôle majeur en Europe – non pas dans l'UE – face aux États-Unis.

Dans la mesure où je prêtais à Gorbatchev ces mêmes ambitions, je ne comprenais pas pourquoi il avait dissous le Parti communiste, le PCUS, qui était l'ossature du régime. Quand je l'ai rencontré, ce fut une de mes premières questions. « Le Parti communiste était en pleine débâcle, m'a-t-il répondu. Il ne tenait plus rien. » Et, sans le PCUS, le roi était nu !

Les dirigeants chinois m'ont toujours dit : « Nous ne ferons jamais ce que Gorbatchev a fait : nous maintiendrons le Parti communiste. C'est le garant de l'unité de la Chine. » Après les manifestations étudiantes de la place Tian'anmen et la répression qui suivit, Jiang Zemin m'expliqua : « Nous avons attendu cinquante jours avant d'intervenir, et nous sommes intervenus pour deux raisons. Premièrement, des tendances centrifuges se manifestaient dans nos provinces et nous ne pouvions accepter aucune remise en cause de l'unité réalisée par le président Mao. Deuxièmement, cette chienlit qui se trouvait place Tian'anmen attaquait l'Armée du peuple et il y eut un mort, ce qui n'était pas tolérable. » Il a ensuite violemment critiqué l'attitude de Gorbatchev et celle des médias du monde entier.

Voyez-vous, les causes profondes et multiples qui ont conduit à l'effondrement des démocraties populaires et de l'Union soviétique sont loin d'être encore identifiées et analysées. Ce sera un long travail des historiens. J'en ai parlé avec M. Mitterrand et nous étions souvent d'accord sur la façon dont l'action de certains dirigeants des pays de l'Est a été caricaturée. Je pense en particulier au général Jaruzelski que j'ai connu à Davos. Grâce aux mesures qu'il a prises entre 1982 et 1988, je crois que la Pologne a pu échapper au contrôle militaire soviétique. Mitterrand partageait mon sentiment.

En deux ans, de la fin 1989 à la fin 1991, les rapports de force dans le monde ont été brusquement et considérablement bouleversés. J'ai de cette époque une image shakespearienne : après la chute du mur de Berlin, nous avions invité au Forum mondial de Davos les chefs d'État des démocraties populaires encore existantes. J'avais à ma droite Jaruzelski et à ma gauche Modrow. Le lendemain, Kohl allait à Moscou chercher l'accord de Gorbatchev sur la réunification. Tous savaient que leurs jours à la tête de leur pays étaient comptés, et ils affichaient un stoïcisme inébranlable. Vraiment shakespearien !

*Vous verrez François Mitterrand jusqu'à la fin de son second septennat ?*

Je ne l'ai pas vu au moment où il quitta l'Élysée. Le sachant malade, j'ai voulu lui rendre visite avenue Frédéric-Le-Play où il s'était retiré. Michel Charasse fut mon intermédiaire et j'ai eu très vite un rendez-vous. C'était huit jours avant sa mort. J'ai découvert un homme épuisé, mais toujours aussi courtois. Après avoir bavardé une demi-heure, j'ai demandé à me retirer, ne voulant pas abuser de son temps. « Ne vous dérangez pas, lui ai-je dit, je connais le chemin. » Il s'est levé : « Non, non, je vous raccompagne. » Nous nous sommes engagés dans le couloir et, en passant devant un sofa, il s'est arrêté, s'est assis, puis a pris mon bras pour se relever et venir jusqu'à la porte. Je pensai : c'est la dernière fois que je le vois. Je ne vous cacherai pas que j'étais ému. Je pensais au beau livre que Franz-Olivier Giesbert a consacré au *Vieil Homme et la mort* : « Ce n'est pas de mourir que j'éprouverai un grand souci. C'est de ne plus vivre. »

CHAPITRE XII

# Les leçons de l'expérience

## SUR LES INSTITUTIONS

*Vingt-quatre ans après que vous avez pris position contre la coha-
bitation, celle-ci a considérablement changé le fonctionnement de
notre Constitution. Nous en sommes déjà à trois cohabitations[1]. Au
fond, on peut légitimement se demander si la cohabitation n'est pas
désormais la règle institutionnelle. Aujourd'hui, les relations entre
Jacques Chirac et Nicolas Sarkozy, comme hier entre François Mitterrand et Michel Rocard, ne s'apparentent-elles pas aux mœurs de
la cohabitation, un climat de méfiance permanente prévalant entre
eux ? Mieux encore, la cohabitation s'est déplacée au sein même du
gouvernement : les tensions sont publiques et constantes entre Villepin et Sarkozy, entre celui-ci et plusieurs ministres, entre d'autres
ministres et Villepin... Que pensez-vous d'une telle situation à la
lumière de votre expérience des institutions de la Ve République ?*

Je vous ai dit précédemment que j'étais attaché aux principes
de notre Constitution, et à Matignon je l'ai toujours respectée.

---

1. Jacques Chirac, Premier ministre, cohabita avec François Mitterrand
entre 1986 et 1988, Édouard Balladur, toujours avec François Mitterrand
entre 1993 et 1995. Enfin, Lionel Jospin, Premier ministre, cohabitera avec
Jacques Chirac entre 1997 et 2002.

Au cours de ces dernières années, nous avons en effet pu observer un dérèglement préoccupant de nos institutions. Cela ne s'est jamais vu, même sous la IVᵉ République. À l'époque, dès qu'il y avait un désaccord de fond entre le président du Conseil et un ministre, celui-ci démissionnait ou était démissionné. Ainsi de Pierre Mendès France, ministre d'État en 1956. Dès qu'il n'approuva plus la politique algérienne de Guy Mollet, président du Conseil, il quitta le gouvernement. Mais, au sein des gouvernements, les hommes politiques de tendances souvent très différentes étaient solidaires de l'action gouvernementale. La crise ministérielle était la sanction de désaccords majeurs.

Le général de Gaulle a élaboré la Constitution de 1958 qui prévoit une identité de vues entre le président et le Premier ministre – pas de dyarchie à la tête de l'État – et une complète solidarité gouvernementale.

Aujourd'hui, l'affrontement, dans la seule perspective du scrutin présidentiel, de deux des plus importants ministres, leurs prises de position opposées sur des sujets essentiels, leurs réconciliations successives et temporaires, donnent une regrettable image du gouvernement.

Dans une situation pareille, il appartient au président de la République d'assurer la cohésion au sein de l'Exécutif. L'autorité du chef du gouvernement ne doit être mise en cause par aucun ministre. La solidarité entre les ministres est la base essentielle de l'action gouvernementale. Le président se doit de mettre fin aux fonctions d'un ministre qui manque à cette solidarité, ou bien changer de gouvernement.

En 1976, nous en avons parlé, j'avais trois ministres d'État, Michel Poniatowski, Jean Lecanuet, Olivier Guichard. De très fortes personnalités qui n'étaient pas issues de la même famille politique. Le premier appartenait à la droite modérée, le second au centrisme, le troisième au gaullisme. Tous trois ont été, à mon égard, d'une parfaite courtoisie, d'une totale loyauté, et ils m'ont toujours aidé alors qu'ils pouvaient, passez-moi le mot, me bouffer !

*Pourquoi, selon vous, Jacques Chirac n'a-t-il pris aucune décision forte pour vider l'abcès des querelles au sein du gouvernement ?*

Le président de la République a certainement ses raisons.

Sans tomber dans les discussions du Café du Commerce, on peut penser qu'il a voulu maintenir le président de l'UMP au sein du gouvernement d'une part pour éviter des tensions trop vives entre le Premier ministre et le parti majoritaire, d'autre part pour contenir l'action d'un candidat avoué à l'élection présidentielle. Mais le moment viendra où le président de l'UMP devra faire son choix.

En ce qui concerne le président de la République, je vous ai dit à plusieurs reprises qu'il ne fallait pas sous-estimer Jacques Chirac. Il a toujours eu une stratégie de conquête et de sauvegarde du pouvoir. Voudra-t-il ou non briguer un nouveau mandat présidentiel ? Il fera connaître ses intentions en mars prochain. D'ici là, il est normal qu'il ne veuille pas préjuger de l'avenir, mais garder toutes les issues ouvertes. Depuis 2002, il a eu avec Jean-Pierre Raffarin un Premier ministre d'une loyauté exemplaire qui a dû souvent accepter des variations inattendues de politique. Quand les perspectives de l'élection présidentielle se sont précisées, a été nommé un nouveau Premier ministre qui s'est très vite posé en concurrent déterminé du ministre de l'Intérieur. Le chef de l'État n'en a pas moins souhaité publiquement que ce dernier reste au gouvernement. Le moment venu, Jacques Chirac n'apparaîtra-t-il pas, par la force des choses, le meilleur défenseur de l'intérêt national et le garant de l'union dans la majorité ?

Nous sommes loin du fonctionnement d'un gouvernement tel que l'ont conçu et fait appliquer le général de Gaulle, Georges

Pompidou, Valéry Giscard d'Estaing et même, ajouterai-je, dans une large mesure, François Mitterrand.

*Aujourd'hui, conscient, semble-t-il, des ravages engendrés par les différentes cohabitations, beaucoup de responsables politiques, à droite comme à gauche, veulent réformer la Constitution. Pensez-vous également que cette réforme soit urgente ?*

Dans une campagne présidentielle, les candidats ne peuvent s'empêcher d'évoquer une réforme de la Constitution de 1958. Ces gesticulations électorales n'ont pas de suites. François Mitterrand n'a-t-il pas appliqué avec continuité une Constitution dont il disait qu'elle n'avait pas été faite pour lui ?

Pour que la France ait un gouvernement stable et efficace, je tire de mon expérience les conclusions suivantes :

• le président nomme le Premier ministre et peut mettre fin à ses fonctions après une période déterminée ;

• le président nomme les ministres sur proposition du Premier ministre. Ceux-ci renoncent à leur mandat électif ;

• le gouvernement ne dépend pas d'un vote de confiance du Parlement, mais il peut être soumis à un vote de censure ;

• l'article 49.3 de la Constitution permet à un gouvernement d'engager sa responsabilité sur le vote d'un projet de loi. Il appartient alors à l'opposition de déposer une motion de censure. Si la censure n'est pas votée, le texte est réputé adopté ;

• le président dispose du pouvoir de dissoudre l'Assemblée nationale sans contreseing.

Au regard de ces points qui sont essentiels, deux atteintes graves ont été portées à la Constitution.

D'abord, la cohabitation a transféré la majorité des pouvoirs de décision de l'Élysée vers Matignon. Le président s'en trouve affaibli. Si François Mitterrand a défendu avec une suprême habileté l'autorité du président de la République, c'est parce que les deux cohabitations, sous son mandat, ont été courtes : deux ans chacune. Quand une cohabitation dure cinq ans, comme ce fut le cas sous Jacques Chirac avec Lionel Jospin, personne ne conteste qu'elle soit nuisible au pays, tant pour la conduite de la politique gouvernementale que pour son image internationale.

Ensuite, l'institution du quinquennat. Celui-ci oblige, on le voit bien, le président la République à être sur tous les fronts. Il ne peut plus garder une distance d'arbitre, distance qui lui confère sa pleine autorité.

En utilisant l'expression « quinquennat sec », Jacques Chirac a voulu dire que rien n'était changé dans la Constitution, à l'exception de la durée du mandat présidentiel. Mais est-ce aussi simple ?

Ma position est qu'il faut éviter de s'embarquer dans l'aventure d'une réforme constitutionnelle. La Constitution de 1958 a fait ses preuves, elle s'est adaptée à des circonstances différentes avec souplesse. S'écarter de ses principes et de ses mécanismes risque, à terme, de nous ramener au « régime des partis » dont notre histoire a montré les funestes résultats.

*S'il n'est pas d'autres réformes de la Constitution, ne pensez-vous pas que la pratique des institutions peut néanmoins être modifiée ?*

Il est certain qu'il y a une dérive monarchique de la fonction présidentielle. La Constitution de 1958 était mi-présidentielle, mi-parlementaire. Après la réforme de 1962, le président, élu au suffrage universel, a fini par concentrer à l'Élysée les divers moyens du pouvoir. Le secrétariat général de la Présidence s'est de plus en plus renforcé et il est devenu dominant, sinon envahissant, à l'égard de l'action gouvernementale. Cette évolution a commencé à se manifester sous Georges Pompidou. Giscard, « orléaniste », était plus soucieux de ne pas confondre les responsabilités et les genres. François Mitterrand a renoué avec la tendance amorcée par Georges Pompidou, pour la renforcer.

Jacques Chirac l'a surpassé. Le président de la République n'a cessé d'élargir sa sphère d'intervention, tout en se raidissant.

Si je ne souhaite pas de nouvelles réformes de la Constitution, je pense, en revanche, qu'il faut parvenir à une plus grande flexibilité de la fonction présidentielle. Dans l'esprit de notre Constitution, le président fixe les grandes orientations de la politique intérieure et extérieure, il élabore le carnet de route. Au Premier ministre et au gouvernement de conduire, dans ce cadre, la politique de la Nation.

Je pense en particulier que le nombre de nominations en Conseil des ministres doit être limité aux grandes fonctions de l'Administration, de manière à éviter le système des « dépouilles ». Le Parlement doit faire l'objet d'une plus grande considération, et dans tous les cas où le président n'est pas directement en cause, le changement de gouvernement après un vote de censure devrait être sinon automatique, du moins accepté.

Dans la représentation extérieure de la France, le président doit se consacrer aux Sommets du G8, aux Conseils européens, aux visites d'État. Il fait aujourd'hui trop de tourisme diplomatique ou de tourisme d'affaires. Il faut donner au Premier ministre un plus grand rôle en politique étrangère, et redonner au ministre des Affaires étrangères l'importance qu'il a eue sous la responsabilité d'hommes comme Maurice Couve de Murville ou Hubert Védrine. J'ajoute que dans les domaines dits « réservés », la Défense et la Diplomatie, le président de la République, comme je vous l'ai montré, n'est pas seul. Il dispose d'un certain nombre d'instances où siègent le Premier ministre, les ministres concernés, les hauts fonctionnaires et les chefs d'état-major. Il ne dépend que de lui d'utiliser au mieux ces instances pour éviter la tentation du pouvoir solitaire.

Mais il est évident que la pratique des institutions dépend avant tout des hommes. Chacun a son caractère et son tempérament. Il me semble essentiel que le président de la République et le Premier ministre soient des personnalités respectueuses l'une de l'autre. Que le Premier ministre n'apparaisse pas comme le directeur de cabinet du président, comme un simple exécutant, mais que son rôle soit reconnu tant à l'égard du gouvernement que dans ses relations avec le Parlement. Tout, je le répète, dépend des hommes.

*Une vraie présidentialisation de nos institutions ne serait-elle pas une meilleure solution ?*

Non. Le président deviendrait le chef du parti majoritaire, ce qu'il ne faut à aucun prix en France : chez nous, à l'inverse de la plupart des démocraties, le combat politique est de nature guerrière, vous êtes l'ennemi de votre compétiteur, et non son rival ou son adversaire. C'est un combat idéologique, encore marqué par la culture de la lutte des classes. Géographiquement, nous sommes un pays tempéré ; politiquement, un pays exacerbé. Les combats fratricides existent dans le même camp et à tous les niveaux. À cela on ne peut pas grand-chose. Je pense qu'il en est ainsi parce que nous n'avons pas de grands partis historiques, à l'exception du Parti socialiste. Le PCF aurait pu l'être, heureusement il ne l'est pas devenu. L'UMP – comme le RPR – est un parti monolithique qui est lié à une situation politique déterminée ; il n'a pas de tradition historique, à l'inverse du RPF, fondé en 1947, et de l'UDR, lesquels s'inscrivaient dans la tradition et la doctrine gaullistes. L'UMP défend uniquement des intérêts électoraux. Si, au scrutin présidentiel de 2007, le candidat UMP est battu, on verra qu'aussitôt ce mouvement éclatera, puisqu'il aura perdu le pouvoir.

Dans ce climat de batailles inlassables et enragées pour le pouvoir, il nous faut un président de la République qui reste au-dessus de la mêlée et qui apparaisse aux Français comme un arbitre et un recours. Pendant sa campagne électorale, il a besoin d'être soutenu par un ou plusieurs partis, mais il ne saurait être le candidat d'un parti. Il doit avoir une dimension, une légitimité nationales. C'est pourquoi le droit de dissolution me paraît fondamental : quand le président dissout, il agit en arbitre suprême, puisqu'il renvoie les députés devant les électeurs, et à ceux-ci de trancher. Mais la dissolution ne doit pas être un procédé à visée partisane ou électorale.

*Vous maintenez également la procédure du fameux 49.3 ?*

Oui, et je crois qu'il est indispensable de la maintenir. Tous les anciens Premiers ministres sont, j'en suis sûr, de mon avis. C'est la seule façon, pour un Premier ministre, de se protéger de la démagogie, de la complaisance ou de l'affolement de sa propre majorité.

En réalité, la réforme institutionnelle qui me semble aussi nécessaire qu'importante concerne non pas la Constitution, mais le règlement de l'Assemblée nationale, c'est-à-dire son fonctionnement interne. Les débats s'enlisent, les motions préjudicielles se multiplient. Cette gesticulation systématique qui n'a rien de constructif n'honore pas la démocratie. En effet, tous les textes soumis à l'approbation du Parlement sont longuement discutés par les élus au sein des différentes commissions parlementaires. Pourquoi ne viennent-ils pas ensuite devant l'Assemblée nationale pour un vote de confirmation ? Pourquoi, dans l'Hémicycle, les mêmes élus recommencent-ils les mêmes et interminables discours ? Il faut absolument freiner ces caquetages stériles par un changement en profondeur du règlement de l'Assemblée nationale. Celui-ci dépend des députés, qui se plaignent régulièrement de la manière dont le gouvernement les traite. On les entend moins s'expliquer sur la façon dont ils se traitent eux-mêmes, et je ne me fais aucune illusion sur leur volonté de réformer leurs méthodes de travail pour les rendre plus rationnelles, plus efficaces. Ces discussions sans fin, très souvent démagogiques, flattent leur ego.

Pour preuve, en juin 2006, alors qu'ils nous promettaient une réforme du règlement de l'Assemblée, ils l'ont finalement édulcorée. Les innovations les plus importantes, comme la réduction du temps de parole consenti à chaque groupe pour l'examen des projets de lois, ont été abandonnées. Nos concitoyens sont très mal informés de ces pratiques, et ils croient volontiers à la toute-puissance de l'Exécutif sur le Parlement. Quelle erreur !

*En parlant du « quinquennat sec », Jacques Chirac sous-entendait que le quinquennat nous met à l'abri d'une nouvelle cohabitation, les élections du président de la République et de l'Assemblée nationale étant concomitantes. On ne peut toutefois exclure complètement qu'après les législatives de juin 2007 une cohabitation sorte des urnes. Dans cette hypothèse, pensez-vous qu'il faudrait, cette fois, réformer notre Constitution ?*

En effet, dans la mesure où, avec le quinquennat, la durée du mandat présidentiel est la même que celle de la législature, il y a un risque d'affrontement entre l'Élysée et une Assemblée nationale hostile. Ce qui pourrait aboutir, comme le déclara naguère le général de Gaulle, à un « pronunciamiento ». Je crois en réalité que la cohabitation est entrée dans les mœurs politiques de la Ve République. Trois expériences ont fait apparaître la condition d'un *modus vivendi* entre un président et un Premier ministre de tendances différentes. Il faut que l'un et l'autre ne s'affrontent pas sur des questions essentielles : politique étrangère et Défense, encore que le président doive, dans ce domaine, tenir compte de la position du Premier ministre si celui-ci ne partage pas entièrement ses vues.

À mes yeux, ce qui explique la cohabitation, c'est que majorité et opposition acceptent de se partager le pouvoir et ses avantages. Les partis, sous la cohabitation, ont retrouvé une place de plus en plus grande dans la vie politique, face à des gouvernements qui se sont montrés de plus en plus arrangeants ou faibles. La fonction présidentielle a été affaiblie, l'action gouvernementale a été gênée aux entournures, des affrontements ont eu lieu par discours ou par interventions télévisées interposés, mais chacun des protagonistes a su jusqu'où il ne devait pas aller trop loin. Et chacun a attendu en préparant les élections suivantes...

Quant à la réforme de la Constitution, si les choses tournaient dans le sens que nous évoquions, il faudrait abolir, dans l'idéal, l'élection du président de la République au suffrage universel. Pour ma part, je choisirais le régime parlementaire rationalisé, celui que préconisait Mendès France : le chef de la majorité parlementaire devient Premier ministre et conduit, dans tous les domaines, la politique de la nation ; le règlement de l'Assemblée nationale est calqué sur celui de la Chambre des communes britannique ou du Bundestag allemand ; le président, garant de l'unité nationale, reste le chef des armées et garde son droit de dissolution.

Mais il s'agit là d'une hypothèse d'école ! Les Français sont très attachés à l'élection du président au suffrage universel – c'est leur tradition monarchique. Quant aux leaders politiques, pourquoi voudraient-ils mettre en cause un système qui peut un jour les avantager ?

En fin de compte, la Constitution n'est mauvaise qu'aux yeux des formations partisanes qui voudraient bien rétablir le « régime des partis ». Alors je dirais, comme Jean-Marcel Jeanneney qui publia en 2002 un livre clair et précis sur ce sujet : « Que vive la Constitution de la V$^e$ République ! »

## SUR LA SOCIÉTÉ LIBÉRALE ET L'ÉCONOMIE DE MARCHÉ

*Tout au long de votre vie publique, chez Jeanneney, à Bruxelles, à Matignon et pendant votre campagne présidentielle de 1988, vous avez été un partisan de la libéralisation de notre économie. Pour vos adversaires, vous avez échappé à l'influence marxiste qui a pourtant marqué votre génération d'universitaires et aussi la suivante.*

Je n'ai jamais été sous l'influence de la pensée dominante d'inspiration marxiste en dépit de la pression des intellectuels, qui était incroyable quand j'étais à l'université. J'ai étudié le marxisme, mais je ne suis pas devenu marxiste.

J'ai eu la chance d'avoir des maîtres qui m'ont fait découvrir la diversité et la richesse de la pensée économique, les filiations entre les écoles, les dangers d'une analyse unilatérale des faits économiques. Je dois beaucoup à François Perroux, qui connaissait admirablement les écoles de Vienne et qui fit connaître en France l'œuvre de Joseph Schumpeter. Il s'attachera à mettre en relief les phénomènes d'inégalité et de pouvoir et à étudier les équilibres entre agents économiques de dimensions différentes et d'influences asymétriques.

Le professeur André Marchal m'introduisit à l'originale pensée économique suédoise. Le professeur André Piatier m'initia à l'étude de la conjoncture.

Bien entendu, j'étudiais la *Théorie générale* de Keynes et les œuvres des post-keynésiens. Je ne partage pas les avis critiques qui se manifestent aujourd'hui à l'égard de Keynes. Son apport à l'économie du XX\(^e\) siècle a été considérable. Schumpeter a eu raison de dire que « si Keynes ne nous avait pas rendus keynésiens, il a fait de nous de meilleurs économistes ».

Au cours de ma période de formation, très éclectique, la rencontre de la réflexion théorique et de l'étude des faits m'a incité à l'application de la science économique et à la politique économique.

*Dans les années 1960 et 1970, le Plan était encore une donnée spécifique de l'économie française. Dans toutes les universités, à Sciences Po, à l'ENA, on enseignait la planification. Quelle était votre position vis-à-vis du Plan, qui est aujourd'hui passé aux oubliettes ?*

J'attachais beaucoup d'importance au Plan. Mais je ne croyais pas qu'il devait être la somme chiffrée des vœux et des aspirations des partenaires sociaux, qu'il devait se réduire en fin de compte à la fixation apparemment savante d'un taux de croissance idéal, d'autant plus illusoire que certaines conditions de sa réalisation échappaient à tout volontarisme.

Un Plan, dans mon esprit, devait être utile et efficace, c'est-à-dire cerner les problèmes fondamentaux à moyen terme, en faire prendre conscience à l'opinion, définir les lignes d'action nécessaires pour la France. À cet égard, j'ai toujours été satisfait des travaux des Plans auxquels j'ai collaboré jusqu'en 1968. Je regrette qu'il ait été abandonné.

*Puisque nous venons d'évoquer vos « maîtres » dans le domaine de la pensée et des sciences économiques, en avez-vous eu également dans le domaine de la pensée politique ?*

Dans le domaine de la pensée politique, j'ai connu à Sciences Po Raymond Aron, clair dans ses analyses, lucide dans ses jugements, auquel je suis toujours resté intellectuellement et personnellement attaché.

Jean-Jacques Chevallier m'a fait découvrir les grands auteurs politiques, de Tocqueville à Bertrand de Jouvenel.

J'ai travaillé pendant deux ans avec Alexandre Kojève, hégélien incomparable, diplomate subtil qui m'apprit que « la vie est une comédie, il faut la jouer sincèrement ».

Tous ces hommes connaissaient Marx de façon approfondie, avaient tenu compte de ses analyses de l'économie capitaliste et de son évolution, mais ils ne pratiquaient pas la religion marxiste. Ils incarnaient le libéralisme intellectuel.

*Pendant cette période où vous fréquentez toutes ces personnalités, où vous êtes professeur à Tunis puis à Caen, c'est aussi le moment où vous publiez votre manuel* Économie politique, *devenu un classique pour les étudiants. Qu'est-ce qui vous a amené à rédiger cet ouvrage ?*

C'est à Tunis que j'ai construit mon cours. La science économique était en pleine effervescence, la France accusait sur ce terrain un grand retard. Élève de François Perroux, j'ai préparé mon cours en rompant avec la tradition, celle de Gaëtan Pirou, qui représentait la génération précédente.

En 1953, Maurice Duverger créa la collection « Thémis » aux PUF. Il demanda à André Marchal, qui avait été mon président de thèse, d'écrire le livre d'économie politique. « Je n'ai pas le temps, me téléphona Marchal. Est-ce que je peux proposer votre nom à Duverger ? »

Je lui ai donné mon accord et c'est ainsi que j'ai publié en 1957 et 1958 les tomes I et II de mon *Économie politique*. Il connaîtra aussitôt le succès et il a assis, sans aucun doute, ma réputation de jeune économiste. Je n'ai jamais écrit le tome III. J'en ai la nostalgie. Le temps, il est vrai, m'a manqué.

*Aujourd'hui, en 2007, c'est-à-dire plus d'un demi-siècle après toutes ces années dont nous venons de parler, deux thèmes, qui d'ailleurs se recoupent, continuent de dominer le débat politique français : d'une part, l'opposition entre libéralisme et socialisme ; d'autre part, l'intervention de l'État dans l'économie – son ampleur, ses modalités, ses succès, ses échecs... Que pensez-vous de cette confrontation au regard de votre expérience gouvernementale ?*

Nous débattons de ces sujets de façon quasi permanente depuis des décennies. Nous apparaissons comme des attardés par rapport au niveau de la discussion dans tous les autres pays européens. Cette opposition théologique, ai-je envie de dire, entre libéralisme et socialisme est présentée en termes sommaires, souvent imprécis, parfois caricaturaux.

Le libéralisme serait ainsi une doctrine du passé, d'un XIX^e siècle bien lointain, tandis que le socialisme jouirait des promesses de l'avenir. De quel libéralisme ou de quel socialisme parle-t-on ? L'analyse ne va pas très en profondeur. D'une manière générale, le libéralisme est tenu pour le régime du laisser-faire, laissez-passer, de l'abandon aux forces du marché, du retard social et des inégalités insupportables ; le socialisme, en revanche, serait le régime du volontarisme économique, du contrôle des forces du marché par l'État planificateur, des avancées sociales rapides, de la réduction des inégalités de revenus et de patrimoines.

La réduction du libéralisme et du socialisme à de tels schémas, qui tiennent peu compte de l'évolution et des enseignements des faits, ne favorise et n'éclaire guère l'étude du problème central du choix de société, qui inclut et dépasse l'organisation de l'économie.

Le libéralisme évoque pour moi la liberté, la démocratie, la responsabilité et la tolérance. Autrement dit, mon libéralisme est d'abord un libéralisme intellectuel, social et politique.

Le libéralisme a aussi un sens en économie. Mais il faut alors s'entendre sur ce sens qu'on lui donne. Si vous entendez par libéralisme économique une société qui repose sur l'économie de marché, sur l'esprit d'entreprise, et qui accepte la concurrence, source de profits et source du progrès, alors je suis libéral. Je suis opposé au socialisme collectiviste, centralisateur et planificateur. Si vous entendez par libéralisme économique la doctrine du « laisser-faire, laissez-passer », alors je ne suis pas libéral.

Plus précisément, en matière économique, je me définirais comme quelqu'un qui accorde nettement sa préférence à une régulation plutôt qu'à une réglementation de l'économie.

Par une longue tradition qui remonte à Colbert en passant par Napoléon et Méline, la France a toujours été soumise à un réseau de réglementations. C'est encore vrai aujourd'hui ! Avec l'explosion des technologies et l'accroissement des moyens d'intervention, ces réglementations peuvent devenir de véritables carcans qui freinent les initiatives individuelles, les innovations, qui affaiblissent le sens des responsabilités des entreprises.

Les fonctionnaires ne sont pas faits pour prendre des décisions à la place des chefs d'entreprise, ni pour dire aux chefs d'entreprise ce qu'ils doivent faire en matière de production et d'investissement, par exemple.

Ma philosophie, je vous l'ai dit, est libérale ; ma gestion économique s'efforce d'être réaliste.

Depuis l'effondrement de l'Union soviétique, tous les pays qui aujourd'hui revendiquent le « socialisme », voire le « communisme », et qui sont engagés dans la compétition internationale – je pense par exemple à la Chine et au Vietnam – sont des pays qui pratiquent l'économie de marché, qui donnent toutes ses chances à l'entreprise. Même dans les régimes sociaux-démocrates comme ceux des pays scandinaves où l'État tient une place importante, les principes d'une économie de marché n'ont jamais été abandonnés.

*Et sur le second thème, celui de l'intervention de l'État, quelle est votre position ?*

À l'heure actuelle, ce thème fait un peu partout problème. Pour nous Français, la question est celle-ci : allons-nous conserver une société enfermée dans ses régulations et ses mécanismes d'assistance, ce que le psychanalyste Schneider appelle l'« État bonne-maman », ou aurons-nous un jour le courage de libérer nos activités de toutes ces formes d'interventionnisme ? Il ne s'agit pas d'ignorer l'intervention de l'État. Celle-ci existe dans toutes les économies modernes de marché, y compris aux États-Unis. Il s'agit de déterminer le niveau et la forme de cette intervention.

En ce qui me concerne, j'ai une position qui remonte à ces années où je lisais Keynes, notamment ses fameux *Essais de persuasion*. Dans un texte de 1926 sur « la fin du laisser-faire », Keynes écrit : « C'est dans ses détails qu'il faut apprécier ce que Burke définissait comme "un des problèmes les plus complexes du législateur", à savoir déterminer dans quels domaines l'État devrait intervenir et donner des directives dictées par la raison publique, et ceux qu'il devrait abandonner à l'initiative privée. Il nous faut distinguer entre ce que Bentham, dans sa nomenclature oubliée mais fort précieuse, appelait les "agendas"[1] et les "non agendas" de l'État, et le faire sans avoir les idées préconçues de Bentham sur toute intervention de l'État, qu'il jugeait généralement inutile et généralement néfaste. Peut-être est-ce aujourd'hui la tâche essentielle des économistes que de distinguer à nouveau les "agendas" de l'État, et la tâche parallèle des politiciens qui est d'établir les formes de gouvernement démocratique capables d'appliquer les "agendas". »

Keynes ajoutait : « Si j'en viens à un critérium d'"agendas" qui a trait tout particulièrement à des mesures qu'il convient de prendre dans un avenir assez rapproché, nous devons chercher à distinguer les services qui ont, par leur technique, un caractère social, de ceux qui ont un caractère individualiste. Les agendas les plus impératifs pour l'État portent non pas sur ces fonctions que remplissent déjà les particuliers, mais sur les activités qui se trouvent au-delà de la sphère des individus et résident dans des décisions que personne ne prendra si ce n'est pas l'État lui-même qui les prend. Ce qui importe pour un gouvernement, ce n'est pas de faire ce que les particuliers font déjà, et de le faire mieux

---

1. Le mot « agenda » doit être entendu ici dans son sens premier, c'est-à-dire « les choses à faire », ou plus simplement « les actions ».

ou plus mal qu'ils ne le font, mais de faire tout ce qui ne se fait pas encore. »

Texte admirable de pénétration et de bon sens !

François Perroux complétait l'enseignement de Keynes, puisqu'il mettait en relief le rôle que l'État pourrait jouer dans ce qu'il nommait, selon sa célèbre formule, « les paris sur structures neuves ». C'est-à-dire les actions qui commandent le développement et la compétitivité à long terme de l'économie.

Voilà ce qui a été la base de ma pensée et les idées que j'ai toujours respectées. Je me suis toujours exprimé très clairement là-dessus, et dès mon arrivée à Matignon, mon ambition était de débloquer notre économie. Ce ne fut pas facile, comme vous savez. Au moins ai-je libéré les prix, réactivé la concurrence et la compétitivité, allégé le domaine de l'intervention de la puissance publique, rétabli la stabilité de la monnaie.

*Quelle serait, selon vous, une « intervention publique libérale », c'est-à-dire une approche constructive et dynamique des rapports entre l'État et les citoyens ?*

J'ai avancé, dès les années 1980, quelques propositions générales qui tendent à cerner le rôle de l'État dans une économie de liberté et une société de progrès, et qui sont à mes yeux les composantes d'un libéralisme moderne au service de l'homme. Je citerai, si vous le permettez, cinq de ces propositions :

Premièrement, l'État doit créer des conditions favorables à la formation du surplus économique avant de le distribuer ou de le redistribuer. À ce titre, il doit encourager l'innovation, la capacité d'adaptation des hommes, la flexibilité des structures économiques. Comme la plupart des entreprises ont été nationalisées, l'État doit encore limiter la dimension du secteur public de production : faire faire au lieu de faire.

Deuxièmement, l'État doit sauvegarder le caractère véridique des activités économiques en évitant les contrôles, interventions et protections qui créent des situations artificielles durables. Heureusement que l'Union européenne est, sur ce front-là, un garde-fou !

Troisièmement, l'État doit rester le gardien de la concurrence intérieure et internationale, sans lesquelles s'établissent des rentes de situation néfastes pour l'économie.

Quatrièmement, l'État doit s'efforcer de contrôler l'évolution conjoncturelle en évitant autant que possible expansion inflationniste ou récession. Par sa politique monétaire et budgétaire, il doit maintenir les équilibres fondamentaux de l'économie.

Cinquièmement, l'État doit être le garant de la solidarité nationale par sa politique fiscale et sa politique sociale. Rien ne doit compromettre ni la volonté individuelle de travailler, ni l'activité d'entreprise, ni l'épargne. Solidarité nationale ne signifie pas assistanat généralisé.

Ces principes sont appliqués dans les nations contemporaines qui sont fondamentalement attachées aux valeurs de la société libérale et à l'économie de marché. Je sais, par expérience internationale et nationale, que notre pays continue de s'en écarter assez sensiblement. Notre économie constitue en effet un ensemble baroque relativement vulnérable et moins efficace que les économies concurrentes.

*Vous ne pensez pas que la mondialisation nous a déjà obligés à dégrafer ce corset étatique ?*

La mondialisation met encore plus en évidence les échecs de l'État quand celui-ci fait ce qu'il ne devrait pas faire. Ce qui nous renvoie à la pertinence du texte de Keynes que j'ai cité. La mondialisation, en d'autres termes, contraint l'État à abandonner progressivement les actions inefficaces qu'il entreprenait. Depuis quelques années, c'est sous la pression de la mondialisation que la France évolue. Difficilement, mais elle ne peut pas faire autrement.

Je reste néanmoins convaincu que nous sommes toujours dans une économie baroque. Un peu moins qu'hier, la plupart des entreprises nationalisées ayant été, comme on sait, privatisées.

Le problème des Français est d'accepter les principes d'une vraie économie de marché en sachant que ceux-ci ne sont pas synonymes d'une disparition de l'État auquel ils sont historiquement attachés. Le temps presse. Nous avons des schémas mentaux, des conceptions sociales, des mécanismes administratifs qui empêchent, chez nous, des adaptations relativement rapides. Au fond, nous n'acceptons que des progrès à un rythme très lent.

Trop longtemps enfermés dans un cadre protectionniste, nos concitoyens comprennent mal ce qu'est la concurrence internationale. Ils veulent être les habitants d'un grand pays, mais, en même temps, ils ne veulent pas faire ce qu'il faut pour s'adapter à l'environnement mondial. Dans certains milieux patronaux et syndicaux – je pense à la CFDT –, il y a une prise de conscience de cette urgente nécessité, mais ces milieux sont encore trop étroits. Nous devons absolument comprendre que la source du progrès, c'est l'adaptabilité des hommes.

*C'est de là que vient, selon vous, cette difficulté que nous avons à réformer nos structures administratives, à dégraisser et moderniser l'État Léviathan ? Par exemple, cette loi Defferre sur la régionalisation, au lieu d'assouplir le système, l'a alourdi, puisque nous avons une structure administrative supplémentaire. Notre administration d'État est un véritable mille-feuille de structures : on en crée de nouvelles sans jamais supprimer les anciennes...*

En vérité, c'est encore autre chose. Nos concitoyens sont très attachés aux structures administratives qui existent de longue date et qu'ils connaissent. Que ces structures s'empilent ne les dérange pas. En revanche, ils manifestent, parfois violemment, leur opposition dès que quelqu'un s'avise d'en supprimer certaines. C'est pourquoi le milieu politique français, qu'il soit de droite ou de gauche, est naturellement porté à protéger ce qui existe. Il y a une conjonction entre les désirs de nos concitoyens qui veulent que l'État règle tous leurs problèmes dans un cadre aussi stable que possible, et les intérêts de la classe politique qui n'a de cesse de satisfaire ces désirs pour complaire à l'électorat et pouvoir durer.

Autrement dit, nous ne réussissons pas, même en période d'alternance, à balayer ce que Schumpeter appelait le « bois mort ». L'exemple de la régionalisation, que vous citez, est particulièrement édifiant ! En dépit de la régionalisation et des efforts de décentralisation, le rôle des administrations devient de plus en plus pesant du fait de l'importance des effectifs de la fonction publique, dont les divers syndicats fortifient le conservatisme. Tout effort de rationalisation et de productivité est combattu par la grève – ou la menace de grève.

Ayant été Premier ministre, je reconnais qu'il faudrait des circonstances exceptionnelles pour qu'une rénovation rapide, assortie d'un allègement de notre administration, puisse avoir lieu. Rappelez-vous 1958-1960 : de Gaulle réussit à faire passer les mesures économiques et financières indispensables, car nous étions au fond du trou. Mais, lorsque le rapport Armand-Rueff, qui visait la modernisation de nos structures, est soumis au gouvernement, celui-ci le met dans un tiroir...

Plus récemment, l'excellent rapport de Michel Camdessus a été enterré. Or que disait-il ? Exactement ce dont nous parlons. Il définissait la méthode et les conditions propices à « un nouveau modèle de croissance ». Nos priorités sont d'aller « vers une économie de la connaissance », c'est-à-dire de favoriser la formation et l'innovation, de « préférer l'emploi à l'assistance », de dynamiser le marché des biens et services pour relancer l'emploi et la compétitivité, enfin d'« agiliser » l'État par la maîtrise de la dépense publique ou encore l'aménagement du système fiscal.

*Quelles seraient pour vous les principales réformes qu'il faudrait immédiatement engager pour alléger enfin le poids de l'administration d'État ?*

Compte tenu des pesanteurs historiques, sociologiques et idéologiques qui existent en France, la réforme de l'État est une tâche de longue haleine. Elle doit être progressive, s'effectuer autant que possible dans un climat de dialogue et de concertation, mais ne pas s'enliser et aboutir à une décision en dépit des diverses résistances. Ce qui exigera d'affronter, si nécessaire, les conservatismes divers qui ne manquent jamais de se manifester.

Les voies de cette réforme sont claires, et j'en citerai quatre.

Premièrement, restaurer les fonctions régaliennes de l'État – armée, police, gendarmerie, justice, enseignement – en leur accordant les moyens nécessaires et la considération dont leurs agents ont besoin ! À un moment où l'insécurité domine les préoccupations des Français et de la classe politique, les problèmes ne seront pas réglés par un ministère de la Sécurité : un de plus qui devrait trouver sa place et son rôle entre les ministères établis ! En fait, c'est au Premier ministre, assisté d'un comité interministériel et d'une mission légère, qu'il appartient de coordonner l'action des divers départements concernés, car seule une telle coordination permettra de faire face à la complexité des problèmes.

Deuxièmement, engager une vigoureuse politique de décentralisation fondée sur l'autonomie des régions et le développement de l'interrégionalité, de l'interdépartementalité, de l'intercommunalité, jusqu'à ce qu'il soit possible de réduire le nombre des niveaux qui caractérise l'organisation territoriale de la France : le « mille-feuille », comme vous dites ! L'existence du département ne se justifie guère, sauf qu'il a une longue histoire et que la France rurale y était attachée.

Cette décentralisation doit s'effectuer par une redistribution des pouvoirs et des ressources financières entre l'État, la région, le département, l'agglomération. Une redistribution qui doit, à mon sens, aller jusqu'à conférer aux institutions régionales un pouvoir normatif leur permettant d'adapter les textes réglementaires à leurs problèmes spécifiques : il faut encourager et reconnaître la diversité de la France, ce qui ne saurait aujourd'hui mettre en cause l'unité nationale.

Troisièmement, réduire une fonction publique pléthorique en saisissant la chance historique qu'offre, actuellement, le départ à la retraite d'une très forte classe d'âge des agents de l'État. Ne pas reconduire tous les emplois devenus vacants, redéployer plus efficacement les fonctionnaires, supprimer les services inutiles ou fonctionnant par simple habitude. Il suffit d'observer la situation de la police ou celle de l'enseignement pour comprendre que leurs problèmes actuels ne seront pas résolus par des recrutements illimités, mais par une utilisation plus efficace des moyens existants.

Enfin, moderniser un système d'enseignement sclérosé en le régionalisant, en le décentralisant, et en accordant aux universités une réelle autonomie. Cette autonomie, je l'ai souhaitée dès 1978. Depuis, rien n'a bougé !

L'enseignement public doit à l'uniformité qu'il instaure et à une démocratisation insouciante du niveau de la formation la désaffection de parents d'élèves soucieux désormais de placer leurs enfants dans des institutions privées. De même, la mise en œuvre des procédures d'orientation sélective, en redonnant ses lettres de noblesse à l'enseignement professionnel, est un projet qui existe depuis trente ans... Cet immobilisme fera perdre de plus en plus de terrain à notre pays dans la compétition du savoir du XXIᵉ siècle. Cela est un des problèmes qui me préoccupent le plus.

## SUR L'ENDETTEMENT ET LA SITUATION ÉCONOMIQUE DE LA FRANCE

*Vous avez cité le rapport de Michel Camdessus qui a été enterré. En revanche, le rapport de Michel Pébereau sur l'ampleur de notre dette publique semble pour l'instant survivre... La France devrait très vite réduire son endettement. Pensez-vous que le président et le gouvernement qui seront au pouvoir après les prochaines élections voudront et pourront le faire ?*

Il faut rendre hommage au ministre de l'Économie et des Finances, Thierry Breton, d'avoir eu le courage de soulever le problème de la dette et d'avoir poussé un cri d'alarme. Le remarquable rapport de Michel Pébereau était trop inquiétant pour que le gouvernement reste insensible. Il a manifesté ses bonnes intentions et fait quelques premiers pas très modestes.

Mais il s'agit de prendre des mesures drastiques et durables. Si les dépenses publiques continuent d'augmenter – sur la base du taux d'inflation anticipé –, si notre déficit est réduit par des rentrées fiscales inattendues, si des recettes sont recherchées dans tous les secteurs où il y a de l'argent disponible, l'effort central qui doit porter sur la réduction des dépenses n'est pas accompli.

Nous sommes passés, en vingt-cinq ans, d'un taux d'endettement égal à 17 % du PIB – le taux quand je quitte Matignon – à 66 % en 2006. Nous serons bientôt à 70 %, puisque les dépenses publiques continuent, en volume, d'augmenter.

Lequel de nos dirigeants politiques, de droite ou de gauche, aura une détermination sans faille pour sortir de cette spirale de l'endettement qui résulte du déficit budgétaire chronique et de l'augmentation constante de nos dépenses sociales ? Il faudrait que tous les Français aient conscience de la gravité de la situation et qu'ils acceptent des sacrifices et un effort sur le très long terme. Mais les élus s'opposent rarement à l'accroissement des dépenses publiques, par complaisance électorale ; les syndicats et les représentants des organismes professionnels restent trop soucieux de leurs seuls intérêts, ou enfermés dans leur corporatisme ; quant aux Français, ils sont friands d'allocations diverses et attachés à leurs avantages acquis, souvent excessifs. Nos compatriotes se sont dressés jusqu'ici contre toutes les mesures nécessaires par des manifestations de mécontentement de mieux en mieux organisées. L'endettement retarde le moment de la vérité. Un nouveau président et son gouvernement peuvent encore être tentés d'y recourir en cas de difficultés économiques et sociales, car ils savent que la France a un grand crédit international, qu'elle peut, comme d'autres pays, atteindre des taux d'endettement plus élevés. On résiste à tout, sauf à la tentation...

Je serais moins dubitatif si, en 2007, le gouvernement ne remettait pas en question – selon l'habitude – le budget déjà voté et refusait de nouvelles dépenses comme de nouveaux impôts. C'est sous la pression des nécessités que les mesures indispensables seront prises un jour.

*Peut-on imaginer une dérive comme celle qu'a connue l'Argentine ?*

Elle ne me paraît pas possible. La politique monétaire relève désormais de l'Europe. L'euro, en quelque sorte, est un paratonnerre. Ni l'Italie ni la Belgique n'ont été « en faillite » – une situation qu'a connue l'Argentine. Le pire des scénarios qui peut advenir chez nous, c'est celui de la Grande-Bretagne, en 1976, sous les travaillistes : être obligé de demander des crédits au FMI, avec les contrôles que cela implique. Ce fut, à l'époque, une humiliation pour Londres. Il aura fallu attendre l'arrivée au pouvoir de Margaret Thatcher, en 1979, pour que l'Angleterre se relève. Un député travailliste confiait encore récemment : « Mon parti a été incapable de maîtriser l'inflation et de gérer l'énorme déficit du pays. Mme Thatcher a eu le courage de prendre immédiatement les décisions qui s'imposaient, et je ne peux que constater : les résultats furent excellents. »

*L'endettement, à vous entendre, est à la fois la résultante et la photographie de notre situation économique et sociale. D'une certaine façon, au regard du seul endettement, tous les Français devraient comprendre que nous sommes vulnérables et que nous laissons un lourd héritage à nos enfants !*

Évidemment ! Je n'ai cessé, pour ma part, depuis 1981, de mettre en garde contre la politique de facilité menée par les gouvernements successifs, qui a conduit à cet endettement massif : « traitement social » du chômage, augmentation considérable du nombre des fonctionnaires, déficit croissant de la Sécurité sociale, déséquilibre du régime des retraites, loi des 35 heures...

Qu'on me comprenne : je ne me délecte pas de jugements négatifs qui seraient dictés par des considérations politiques et partisanes. Je décris une situation qui est, malheureusement, bien réelle. Certes, notre économie bénéficie de secteurs dynamiques et compétitifs. Une bonne part de la jeunesse est travailleuse, généreuse, dévouée. Il y a dans la société française un levain qui peut faire lever la pâte, et je n'aime pas le mot « déclin ». Nul ne peut dire si les tendances à l'œuvre seront cumulatives à la baisse ou si, à un moment donné, elles se renverseront pour des raisons qui tiennent à la nature des choses et à la volonté des hommes. L'histoire montre que des pays que l'on croyait évanescents sur le plan mondial ont fini par retrouver une capacité d'expansion et de progrès étonnante : le Royaume-Uni depuis 1981, ou l'Espagne au cours des dix dernières années. De surcroît, parler de déclin de la France conduit à ignorer les facteurs positifs de notre société et de notre économie. En quinze ans, nos entreprises ont fait un effort remarquable de restructuration et de développement. Nos savants et nos chercheurs contribuent à notre rayonnement en dépit de conditions peu favorables à leur activité.

Mais les Français, dans leur majorité, n'ont plus confiance en leurs institutions, en leurs élus, en la justice, en l'école, en la police. Ils sont dominés par un individualisme qui tend à affaiblir la conscience de l'intérêt collectif et national. Parfois, ils semblent ne plus avoir confiance en eux-mêmes et se désintéresser de leur avenir. Et la crise de *leadership* est incontestable.

*À l'évidence, la tâche du gouvernement au cours des prochaines années sera difficile. Comment réduire simultanément notre endettement, les impôts, les dépenses publiques, le déficit budgétaire, tout en ranimant le marché de l'emploi ? C'est un peu la quadrature du cercle...*

Les objectifs qui doivent être poursuivis ne peuvent évidemment être rapidement atteints. Il faut le dire sans ambiguïté aux Français : l'effort sera difficile, il sera long. Une politique qui se fonde sur l'effort et la durée passe mal chez nous. Les Français ont tendance à revenir rapidement à leurs mauvaises habitudes. Mais je crois qu'ils doivent être mis par leurs dirigeants en face des problèmes, que des objectifs clairs doivent être fixés, que des politiques continues doivent être appliquées.

D'abord, l'emploi. Notre politique de l'emploi est malthusienne. Elle favorise et protège les *insiders* – ceux qui ont un travail – et non les *outsiders* – ceux qui sont à la recherche d'un emploi. Il nous faut beaucoup plus de flexibilité, sortir du carcan légal des 35 heures – même si l'on n'abolit pas le principe – par une liberté plus grande laissée à ceux qui veulent travailler. Il faut élaborer un contrat de travail unique, fixant des conditions souples de licenciement et une indemnité proportionnelle au temps passé à travailler. Si on ne décide pas ces réformes, le taux de chômage ne pourra pas, à mon sens, descendre en dessous de

8,5 %. L'État devra longtemps encore mener une politique de « traitement social » du chômage grâce aux emplois aidés.

Une politique de formation professionnelle doit par ailleurs assurer non seulement la formation, mais aussi l'adaptabilité des travailleurs aux conditions changeantes de l'activité économique et de l'emploi.

Ensuite, il faut réviser notre système de Sécurité sociale. Certaines mesures ont déjà été mises en œuvre, mais elles sont insuffisantes. Nous devrons créer, un jour ou l'autre, une franchise proportionnelle aux revenus. L'État ne peut plus apporter à tous la gratuité des soins, ni assumer également une rémunération convenable des professions de santé. Je crois que la régionalisation pourrait contribuer à une plus grande maîtrise de notre système de Sécurité sociale. L'exemple de l'Alsace est intéressant.

Enfin, les retraites. Nous serons contraints de reculer l'âge de la retraite, comme l'ont fait ou vont le faire les Allemands ou les Anglais. Parmi les États membres de l'OCDE, la France est le pays où le temps de l'existence active, pour chacun d'entre nous, est en moyenne le plus court.

En vérité, il faut remettre la France au travail. Les « avantages acquis » ne sont plus supportables et les exigences de l'évolution démographique comme de l'équité doivent l'emporter sur les privilèges des régimes sociaux fondés souvent sur des situations dépassées.

Je sais que des réformes de cette ampleur se heurteront aux *lobbies*, aux corporatismes, aux « revendicateurs » professionnels. Mais le soutien de la nation serait acquis, j'en suis convaincu, aux dirigeants qui auraient le courage d'atténuer la pression de plus en plus insoutenable que d'innombrables cotisations font peser sur les citoyens, et notamment les plus actifs d'entre eux.

Les Français seront, dans les prochaines années, en face d'un double choix. Ou accroître leurs revenus, leur pouvoir d'achat, leur niveau de vie par leur travail, leur capacité d'adaptation, leur épargne ; ils feront alors le choix d'une société libérale de

progrès, encouragés par les politiques appropriées de leurs dirigeants. Ou accepter un niveau médiocre de revenus et de pouvoir d'achat qui sera compensé par un ensemble d'allocations
versées du berceau à la tombe par « un État thérapeute flattant
les individus qui le méprisent » – la « *big mother* » de Michel
Schneider ; ils feront alors le choix d'une société d'assistance qui
sera privée de toutes perspectives de progrès.

Les Français ne pourront échapper à cette alternative.

## SUR L'EUROPE

*En 2005, l'Union européenne a été secouée par le double « non »
de la France et des Pays-Bas au traité établissant une constitution
pour l'Europe. Certains ont parlé de « coup d'arrêt ». Comment
avez-vous réagi à cet événement ?*

Dès après les déclarations alarmistes qui suivirent le « non »
de nos compatriotes au référendum du 29 mai 2005, j'avais écrit
un article où j'affirmais que l'Union européenne continuerait
d'avancer en dépit du vote de deux pays qui avaient tiré le plus
grand profit de la Communauté. Depuis, l'UE continue. N'a-
t-elle pas obtenu son budget des États membres après qu'on
eut craint le pire ? Blair a accepté de remettre en question la
contribution financière de la Grande-Bretagne, et Chirac de discuter de la PAC en 2007 et 2008. Ce sont deux décisions
majeures pour qui connaît l'attachement de Londres à son
chèque et l'intransigeance de Chirac sur la question agricole.

D'autre part, la fameuse directive Bolkenstein sur les services,
qui suscita des propos plus inconsidérés les uns que les autres, a
été votée par le Parlement de Strasbourg. On a abouti à un
compromis qui donne gain de cause à la France : le droit du
travail qui s'appliquera au travailleur immigré sera celui du pays
qui l'accueille, et non pas celui du pays d'où il vient. Enfin, le

principe de l'élargissement a été reconnu en même temps que l'adhésion à plus ou moins long terme de la Turquie. Le concept de « capacité d'absorption de l'Europe » imaginé par la France a été mis à l'étude.

Il n'y a pas eu de coup d'arrêt ; c'est cela qui est significatif. Le « non » de la France et des Pays-Bas n'a pas été, en fait, un élément décisif pour l'avenir de l'Union européenne. Les gouvernements de ces deux pays n'ont pas, en outre, remis en question leur adhésion à l'Union. En tout état de cause, l'évolution du monde contraint l'UE à affirmer sa consistance et à renforcer sa cohérence.

Les propositions de la convention présidée par M. Giscard d'Estaing étaient très sages, en particulier sur les conditions de vote à la majorité qualifiée au sein de l'Union, sur l'institution d'un président nommé pour un mandat renouvelable de deux ans et demi, sur la création d'un ministre des Affaires étrangères dépendant à la fois du Conseil européen et de la Commission. Elles avaient été acceptées par le Parlement européen et par tous les gouvernements.

Que nous ayons mis ce projet par terre en votant « non » est regrettable pour l'image de la France bien plus que pour l'avenir de l'Union européenne. Je n'étais pas contre la procédure référendaire – c'est la tradition en France –, bien que le vote par le Parlement réuni en Congrès m'eût paru évidemment moins risqué. Mais il s'agissait d'une réforme capitale des institutions européennes et il était légitime de consulter directement les Français.

Malheureusement, ce référendum n'a pas été préparé avec soin ; il s'est entrechoqué avec un calendrier de politique intérieure qui a multiplié les mécontentements. Un sénateur, très averti de l'état d'esprit de la province, me disait : « Le non l'emportera. Pourquoi ? Partout on ferme des bureaux de poste, on ferme des agences du Trésor, des agences de la Banque de France. Les gens sont furieux. C'est la goutte d'eau qui fait déborder le vase, et elle tombe au plus mauvais moment. » Enfin, le président de la République n'a pas montré clairement qu'il était directement concerné par ce vote.

*Ce vote fut en effet, pour beaucoup, l'occasion de manifester leur ras-le-bol. Mais, par-delà ce ras-le-bol français, certains dirigeants politiques ou observateurs estiment qu'une Union européenne à vingt-cinq aujourd'hui, à vingt-sept demain, est en train de perdre son identité et devient une simple zone de libre-échange...*

Je ne partage pas du tout cette opinion. Il faut regarder l'Europe en prenant une certaine distance, et comprendre que nous n'en sommes plus à l'époque du traité de Rome et de l'Europe à six. J'ai connu plusieurs élargissements de l'Europe depuis l'Europe des Six. Chaque fois, j'ai entendu les mêmes lamentations : « La construction de l'Europe est menacée... Avec ces nouveaux membres, que va devenir l'Europe ?... » Or, que constate-t-on ? Dès l'élargissement acquis, tout le monde souhaite que ça marche. Autrement dit, les nouveaux membres ne sont pas entrés hier dans la CEE, depuis lors dans l'UE, pour mettre le désordre et créer des dysfonctionnements : ils veulent que ça marche. Je ne cesse de répéter qu'avant d'invoquer l'Europe en sautant sur sa chaise comme un cabri, il y a les intérêts économiques, financiers, politiques qui ont poussé les pays à la créer et à y adhérer ! Des intérêts non seulement de nature intérieure, mais également de nature internationale. Les dix derniers pays qui ont adhéré à l'UE sentaient parfaitement que dans le monde d'aujourd'hui, il était pour eux nécessaire d'appartenir à cet ensemble.

L'Union européenne continuera de se consolider et d'avancer parce que le mouvement est irréversible, que tous les dirigeants veulent qu'elle continue... Mais cela aussi demandera du temps !

*Il y a ceux qui brandissent l'épouvantail de l'Europe supranationale. Croyez-vous à cette Europe supranationale ?*

Absolument pas. Cet épouvantail est de la pure démagogie. Si l'élargissement est un phénomène politique majeur, personne, aujourd'hui, ne croit plus que l'Europe puisse devenir une fédération. Sans le proclamer, aucun pays ne reviendra jamais sur le « compromis de Luxembourg ». Pour faire fonctionner l'Europe, tous les États membres, anciens et nouveaux, savent qu'il faut accepter le vote à la majorité. Conjointement, aucun État membre ne voudra jamais remettre en cause son droit d'objection absolue si ses intérêts majeurs sont menacés. L'Europe fonctionne grâce à ce couple subtil « Vote à la majorité – droit d'objection ». La Constitution bâtie par Giscard ne touchait pas au « compromis de Luxembourg ».

Je pense une fois de plus au général de Gaulle qui a été un visionnaire lorsqu'il déclara dès 1960 : « Ma politique va à l'institution du concert des États européens afin qu'en développant entre eux des liens de toutes sortes, grandisse leur solidarité. Rien n'empêche de penser qu'à partir de là, et surtout s'ils sont un jour l'objet d'une même menace, l'évolution puisse aboutir à une confédération. » Nous allons dans ce sens, et le texte soumis à référendum jetait les bases d'une future « confédération ». Après les discussions enflammées sur la supranationalité et le fédéralisme européen, on a vu s'établir progressivement un équilibre entre la défense des intérêts nationaux et les nécessités d'une gestion efficace de la CEE, puis de l'UE. Les positions théoriques, trop éloignées des réalités européennes, se sont assouplies pour tenir compte des exigences de progrès de l'UE. Si, en effet, la BCE, la Banque centrale européenne, est une institution de type fédéral, le Conseil des ministres de l'Économie, de nature confédérale, garde la responsabilité de la coordination des politiques économiques et budgétaires.

*Si l'Europe fédérale n'est plus d'actualité, on assiste* a contrario *à une renaissance des nationalités...*

C'est un point fondamental : on ne fera pas disparaître le sentiment national. Je l'ai vécu avec les Allemands à une époque où ils se remettaient de la guerre. Le sentiment national n'est pas incompatible avec le sentiment européen. La Hongrie, à laquelle je suis très attaché, est un pays profondément national, mais qui veut faire partie de l'Europe. Aux origines de la Communauté européenne, il y a un objectif jugé essentiel par tous : consolider la paix. L'Europe permet de réconcilier les multiples sentiments nationaux. Au sein de l'UE, quelques pays ont actuellement des différends avec leurs voisins sur le tracé des frontières. Ces pays espèrent que l'UE leur permettra de surmonter ces difficultés.

Je ne confonds évidemment pas sentiment national et nationalisme ! Chez nous, je perçois un abaissement du sentiment national, et cela m'inquiète, parce qu'une forme de nationalisme peut profiter de cet abaissement. Le nationalisme est un sentiment négatif, la fierté d'être Français est un sentiment positif. Il ne faut pas le perdre.

*Vous avez évoqué la Banque centrale européenne. Que pensez-vous de la proposition du PS qui, dans son programme de 2007, estime que le gouverneur de la BCE est trop indépendant et qu'il doit être soumis à un contrôle plus strict du Conseil européen ? Laurent Fabius, en particulier, prend l'exemple du président de la FED, la Réserve Fédérale des États-Unis.*

Aucun gouvernement européen ne suivra le PS. Chez tous nos voisins, en Allemagne, aux Pays-Bas, en Belgique, en Espagne, en Italie, les gouverneurs de la Banque centrale jouissent d'une totale indépendance. Ils peuvent faire plier les gouvernements. Le gouverneur de la Banque d'Angleterre est également aussi indépendant que puissant. Il n'y a que chez nous que le gouverneur de la Banque de France était placé sous le contrôle du Trésor. Fabius, en bon inspecteur des Finances, voudrait-il appliquer notre système à l'échelle européenne ? Il serait bien le seul. Ce serait dangereux de modifier le statut de la BCE, ce serait compromettre sa nécessaire indépendance.

Quant à la comparaison avec la Réserve fédérale américaine, elle n'a pas de sens. Les États-Unis sont un très grand pays ; à côté de la FED, il existe des banques centrales dans plusieurs États de la Fédération américaine, et le système fonctionne sur le mode anglo-saxon, par entente, discussions, compromis. Le président de la FED tient, certes, compte de l'inflation et du chômage. S'il y a un risque de chômage à cause d'un recul de l'activité économique, il libère le marché monétaire et baisse les taux d'intérêt. Il peut aussi les augmenter continûment s'il perçoit des menaces d'inflation.

La BCE a également pour tâche centrale de lutter contre l'inflation, et il ne faut pas la lui contester. Mais quand la BCE maintient dans l'Union des taux d'intérêt historiquement très bas depuis plusieurs années, ne contribue-t-elle pas à favoriser l'activité économique et l'emploi ?

*Nous allons, cette année 2007, célébrer le cinquantième anniversaire du traité de Rome. Vous semblez par conséquent assez confiant dans l'avenir de l'Union européenne ?*

Si je suis confiant, je suis aussi conscient que le temps des adaptations est loin d'être fini pour les États membres de l'Union. Nous nous trouvons devant au moins trois défis :

*Le défi de l'élargissement* : comment participer et contribuer au fonctionnement d'une Union hétérogène par la taille, par le niveau de développement, par les structures des divers États membres ? La France devra faire face aux modifications qui se produiront dans des domaines auxquels elle avait marqué son attachement : la politique agricole commune, le financement de l'Union, le rôle des fonds structurels, notamment. D'une manière générale, les États membres devront donner aux institutions de l'Union les moyens de gérer avec efficacité leurs intérêts communs dans la concurrence mondiale. L'élaboration et la mise en œuvre des politiques communes seront sans doute plus difficiles. Sera-t-il possible de parvenir dans les domaines de la politique étrangère et de la défense à cette « Europe européenne » capable de mener une action qui fasse valoir ses intérêts ? À l'heure actuelle, les relations qu'entretiennent les pays membres avec les États-Unis sont si variées, parfois si divergentes que cela n'incite pas à un grand optimisme.

Mais attention ! Soyons prudents en ce qui concerne les relations avec les États-Unis. Nos partenaires qui n'ont pas les moyens d'assumer seuls leur sécurité ont un réflexe univoque : pour eux, les États-Unis sont la vraie garantie. Quant à la France, elle ne peut évidemment pas remettre en cause son alliance avec nos amis américains, mais elle se doit de refuser tout alignement sur des actions de l'hyper-puissance qui ne seraient pas conformes à ses intérêts. Sans provocation, mais avec fermeté.

*Le défi de l'union économique et monétaire* : la création de l'euro exige des États concernés des efforts économiques et financiers importants. Il s'agit maintenant de faire fonctionner correctement l'union monétaire, et d'assurer la force de l'euro. Chaque État membre se doit de respecter une discipline budgétaire, de mener une politique économique compatible avec celle de ses partenaires et en conformité avec la politique monétaire de la BCE.

Je crois également que nous devons être réalistes vis-à-vis de la Grande-Bretagne. Londres, à mon avis, ne veut pas de l'euro et souhaite conserver la livre sterling. Les Anglais sont très attachés au lien de leur monnaie avec le dollar. L'euro est une monnaie continentale qui a d'abord séduit, chacun peut le constater, tous les pays de l'Europe centrale, des pays soucieux de stabilité monétaire. Y compris l'Italie, qui, je le rappelle, n'a jamais dévalué sa monnaie depuis

1955 ! Si la BCE et les États membres de l'Union parviennent, comme aujourd'hui, à maintenir sa stabilité, l'euro peut devenir la deuxième monnaie de référence au monde.

*Le défi de la mondialisation* : celle-ci intensifie la concurrence extérieure à laquelle doit faire face l'UE ainsi que chacun des Vingt-Cinq. L'effort de compétitivité devra s'accroître et se réaliser par les voies de la recherche, de l'innovation, de la formation des hommes, de l'interpénétration des activités de production, des investissements sur les marchés de l'UE et sur les marchés extérieurs. La concurrence ne sera plus désormais entre des entreprises et des nations, mais entre de grands ensembles. À la concurrence Europe/États-Unis viendra s'ajouter la concurrence croissante de la Chine, de l'Inde et, demain, après son redressement, de la Russie.

Dans le contexte mondial actuel, la construction pas à pas d'une Union européenne puissante est une tâche essentielle pour les Européens. La France, pour sa part, se doit d'affirmer la dimension européenne de sa politique.

*Vous avez tiré de nombreuses leçons de votre expérience du pouvoir. Mais, plus généralement, quelle est votre opinion sur la possibilité de gouverner la France ?*

C'est une opinion assez générale que gouverner la France n'est pas une chose simple ni facile ; Les analyses les plus intéressantes et variées existent sur ce sujet. Je me bornerai pour ma part à retenir trois observations que j'ai toujours gardées à l'esprit.

La première est de Chateaubriand : « Il y a prodigieusement d'esprit en France, mais on manque de tête et de bon sens. Deux phrases nous enivrent. On nous mène avec des mots. » Les Français résistent mal à la démagogie.

La deuxième est de Tocqueville à propos de ce qu'il nomme la « politique littéraire » et du rôle des écrivains : « Dans l'éloignement presque infini où ils vivaient de la pratique, aucune expérience ne venait tempérer les ardeurs de leur naturel... Même attrait pour les théories générales, même mépris des faits existants, même confiance dans la théorie, même goût de l'original, de l'ingénieux. Ce qui est qualité dans l'écrivain est parfois vice dans l'homme d'État. Il faut se méfier de cet attribut particulier à notre race qu'on appelle un peu emphatiquement l'esprit français. »

Enfin celle de Napoléon : « La nation française est la plus facile à gouverner quand on ne la prend pas à rebours. »

Certes, mais il est des situations où un gouvernement doit faire prévaloir l'intérêt à long terme sur les petits intérêts catégoriels et individuels des Français. Il doit choisir entre la France et les Français. La réponse tient souvent à la passion pour l'exercice du pouvoir. L'homme d'État est celui qui accepte de se mettre en jeu dans les affaires fondamentales du pays.

CHAPITRE XIII

# Sur l'état de la France et du monde

*Plusieurs des problèmes que vous avez abordés – la dette, le pouvoir d'achat, l'emploi, la compétitivité des entreprises, l'Europe... – devraient être au centre de la bataille présidentielle d'avril 2007. En tout cas, il faudrait qu'ils le soient. Mais je voudrais, pour conclure cet entretien, évoquer trois autres sujets qui préoccupent et inquiètent également nos concitoyens et dont la solution n'appartient pas uniquement à la France : la sécurité, l'environnement, l'immigration. Sans parler des tensions internationales...*

Vous avez raison de souligner que nous sommes là face à des problèmes qui dépassent notre cadre national et qui ne pourront être vraiment résolus que par la concertation, par des accords avec nos partenaires, en particulier européens.

Le défi que beaucoup de pays occidentaux ont aujourd'hui à relever tient dans une phrase : il s'agit de chercher les moyens les plus efficaces d'assurer un fonctionnement harmonieux de notre société. Il ne s'agit pas de suivre les courants à la mode.

Prenez la sécurité. À la source des excès de violence dans certaines banlieues parisiennes ou dans quelques villes de province, il y a, à l'évidence, la perte du respect des règles les plus élémentaires de la vie en société. La discipline, qui était le socle de notre enseignement primaire, est une notion que l'on revendique de moins en moins au nom de je ne sais quelle mansuétude envers les écoliers. La violence dans la cour des écoles s'est accrue ; aujourd'hui elle envahit les rues et les cités parce que notre système d'éducation ne parvient plus à inculquer aux adolescents quelques principes fondamentaux sans lesquels il ne peut y avoir un ordre public et un minimum d'équilibre au sein des familles. La prévention, je suis d'accord, est essentielle. Je crois justement que cette prévention commence à l'école, à condition que l'on décide d'appliquer, avec la sévérité nécessaire, la discipline.

Le rôle de la police relève également de la prévention. Mais dans le contexte actuel où beaucoup de jeunes ont perdu tout repère, toute norme disciplinaire, cette action préventive de la police est, je ne l'ignore pas, difficile. J'ai le sentiment que nos responsables politiques ne soutiennent pas suffisamment l'idée que la police est d'abord au service de l'intérêt collectif, même si elle est aussi une force de répression. Il faut privilégier l'action des maires.

Quant à la justice, elle se doit de faire appliquer sans complaisance les sanctions qu'elle décide. Regardez la politique de fermeté que mène Tony Blair envers les mineurs délinquants, et Dieu sait pourtant que les Britanniques sont très soucieux d'équité en matière de justice.

*Partagez-vous, à propos de l'environnement, les visions apocalyptiques de certains militants écologiques ?*

L'environnement, j'en suis convaincu, est un problème majeur pour notre planète. Mais je ne suis pas sûr que toutes les prévisions catastrophiques qui sont faites soient exactes. Quand j'écoute les scientifiques débattre entre eux, je constate qu'il existe des points de vue très différents. Il faudrait néanmoins que la communauté internationale adopte une position identique sur des sujets qui me paraissent d'une importance capitale. Je pense à l'eau, enjeu considérable pour plusieurs pays ; à la forêt, dont la destruction entraîne un déséquilibre des climats ; enfin aux ressources naturelles et à leurs substituts, parmi lesquels je défends l'énergie nucléaire qui est de plus en plus maîtrisée et perfectionnée.

Comme économiste, je suis partisan de ce qu'on appelle le « développement durable ». Si nous devons rechercher la croissance économique, le progrès, le bien-être, nous devons également avoir le souci constant de sauvegarder les richesses naturelles auxquelles nous recourons pour nos activités. Il va sans dire que la protection de notre environnement transcende elle aussi nos frontières et qu'elle est tributaire de décisions à la fois nationales et internationales.

Il en est de même de l'immigration. Il y a des pays riches et des pays pauvres, et vous connaissez la théorie des vases communicants. Je ne vois pas comment nous pourrons empêcher que des ressortissants de pays pauvres à démographie galopante viennent chercher emploi et revenu dans des pays riches qui ont, de surcroît, une démographie déclinante. Est-il possible, dans le monde d'aujourd'hui, de pratiquer un égoïsme national ? Est-il possible de se borner à une aide financière au développement ? Certes, cette aide est indispensable, mais je ne crois pas qu'elle nous permettra d'éviter d'importants mouvements de population. Par ailleurs, l'Europe, en raison de son déficit démographique, aura besoin, comme le montrent des études sérieuses, d'une main-d'œuvre d'immigrés. La France a la chance d'avoir un taux de natalité meilleur que celui des autres pays européens. Mais les frontières étant ouvertes, nous ne pouvons plus raisonner simplement à partir de notre cas.

Devant ces réalités, il est impératif que l'Union européenne adopte une politique coordonnée de l'immigration. Chaque pays peut évidemment prendre ses propres mesures, et la France doit prendre les siennes tant que n'existe pas cette politique coordonnée à l'échelle de l'UE. J'ai toujours été, je suis et je reste partisan des quotas négociés avec les pays d'émigration. Les États-Unis utilisent depuis de nombreuses années cette méthode et je ne vois pas pourquoi nous ne l'utiliserions pas.

Les flux migratoires posent aussi le problème de l'accueil des immigrés. La France a eu raison de pratiquer la politique d'intégration. C'est à n'en pas douter le meilleur moyen de résoudre, dans le temps, les disparités qui peuvent exister entre immigrés et nationaux. L'école, chez nous, a été un remarquable facteur d'intégration. Il ne faut pas l'oublier, même si aujourd'hui notre politique d'intégration marque le pas. Nous sommes en effet confrontés à un phénomène nouveau qui, je crois, risque de s'amplifier : les immigrés ont tendance à se regrouper en communautés, d'autant plus qu'ils appartiennent à des religions différentes du monothéisme chrétien. C'est pourquoi notre politique doit à la fois s'appuyer sur le principe de l'intégration et sur le principe de la laïcité. Une république laïque est une république qui respecte toutes les religions, qui donne aux citoyens la possibilité de les pratiquer, mais qui interdit toute influence d'une religion, quelle qu'elle soit, sur la conduite des affaires du pays.

*Pensez-vous que le choc des cultures entre le monde chrétien et le monde islamique peut, demain, dégénérer et déclencher une nouvelle guerre mondiale ?*

Je ne voudrais pas faire preuve d'un optimisme béat. Il y aura inévitablement, dans les années à venir, des tensions et des chocs entre des pays de civilisations et de cultures différentes, mais de là à envisager une déflagration mondiale, je n'y crois pas. Pourquoi ? Parce que tous les pays, quelles que soient leur culture ou leur religion, sont intéressés par le progrès, et qu'ils savent que la science – qui est objective – est la base de ce progrès. Je crois par ailleurs que nous ne reviendrons pas aux guerres qui ont existé dans le passé, aussi bien les Croisades que les conflits mondiaux du XXᵉ siècle.

Ce que j'observe, c'est l'évolution d'un monde qui cherche à trouver un nouvel équilibre. Nous avons vécu dans un monde relativement simple : d'un côté, les États-Unis, puissance dominante, et quelques pays riches ; de l'autre, les pays pauvres que l'on aidait à se développer mais qui restaient, comme on disait, « sous-développés » ou « peu développés ». Aujourd'hui, la configuration de la planète est autrement plus complexe. Il y a les pays riches, parmi lesquels les États-Unis, et il y a des pays émergents, comme la Chine, l'Inde, les états de l'Asie du Sud-Est, le Brésil, dont l'importance est aussi grande que celle des pays riches. Nous raisonnions toujours à partir des États-Unis et de l'Europe, de façon égocentrique ; ce n'est plus possible. Donc nous sommes engagés, que nous le voulions ou non, dans une politique de concertation et de coopération à un niveau mondial.

Il y a déjà plusieurs signes qui vont dans ce sens. La Chine et l'Inde, naguère ennemies, renouent leurs relations. Le Japon veille à ce que le développement de la Chine ne lui fasse pas perdre les avantages dont il dispose par rapport aux autres nations d'Asie. Le président chinois se rend en Afrique et montre son intérêt pour le développement de ce continent. Enfin, en Amérique latine, de plus en plus de gouvernements penchent vers ce qu'on appelle la gauche, et adoptent surtout une position de défiance vis-à-vis des États-Unis.

*Au Moyen-Orient, on est tout de même loin d'une politique de concertation et de coopération !*

Je vous l'accorde. Le Moyen-Orient est le chancre du monde d'aujourd'hui. C'est là, à travers le conflit israélo-palestinien, que se trouve, à mon sens, le risque d'un islamisme qui se développe au point de vouloir, demain, affronter le reste du monde. C'est pourquoi – et j'en reviens à cette politique de concertation – il serait sage de suivre attentivement l'évolution de pays comme l'Iran, comme la Syrie, le Liban et demain l'Irak. La guerre des États-Unis contre l'Irak a créé le chaos. Il faudra bien en sortir. On ne pourra y parvenir qu'en acceptant le dialogue avec les pays de la région, notamment avec l'Iran, qui est une grande puissance, et avec la Syrie, qui mène une politique intelligente.

Il est évident qu'il n'est pas facile, dans ce monde en mutation, de tirer son épingle du jeu. Pour ce qui concerne notre pays, l'évocation de tous ces problèmes – sécurité, environnement, immigration, tensions internationales – me fait prendre conscience de deux choses.

D'une part, la France est déboussolée. Elle a vécu longtemps en vase clos au sein de ses frontières, ayant des échanges timides avec l'extérieur. Aujourd'hui, toutes les barrières craquent. Le phénomène de la mondialisation force les Français à s'immerger dans un monde nouveau qu'ils ne soupçonnaient pas et qu'ils se mettent à craindre.

D'autre part, nous n'avons pas un *leadership* national qui expose aux Français les problèmes de fond auxquels ils doivent faire face, et qui leur explique qu'il n'y aura pas de solution aux dysfonctionnements actuels sans une politique à long terme. Ce n'est pas simple, ce n'est pas commode, et ça ne peut pas être rapide. Les efforts à accomplir doivent s'inscrire dans la durée. Combien de projets, au cours de ces dernières années, ont été annoncés et aussi vite abandonnés ! Encore une fois, il n'y a pas pour la France d'autre politique que d'être une nation solide.

J'ai souvent insisté devant vous sur la vulnérabilité de notre pays. Nous sommes un pays vulnérable et nous le resterons si nous ne changeons pas sur deux points qui me paraissent fondamentaux.

En premier lieu, nous devons comprendre qu'il n'y a pas de croissance économique sans une monnaie stable et forte, c'est-à-dire sans un euro fort. Or nos dirigeants continuent de protester contre l'euro fort, comme ils le faisaient auparavant contre le franc fort. Je les écoute avec beaucoup d'inquiétude. Ils sont les seuls en Europe à émettre ce genre de protestation. N'est-ce pas le mark fort qui a fait la force de l'Allemagne fédérale ? Nos partenaires le savent, et ils ne sont pas du tout prêts à s'engager avec nous sur la voie d'un euro faible.

La tradition française est protectionniste et dévaluationniste. C'est la recherche de la sécurité intérieure et des ballons d'oxygène sur le plan monétaire. Tant que nous étions dans une Europe à douze ou à quinze, les Français ont accepté cette Europe et en ont profité, parce qu'au fond d'eux-mêmes ils voyaient ce grand marché comme un déplacement des frontières de l'Hexagone et, par conséquent, un maintien des limites de la protection. Depuis l'élargissement, l'UE à vingt-cinq ne constitue plus le cocon dans lequel ils aimaient vivre. Mais, quels que soient les artifices de langage qu'utiliseront nos compatriotes, le monde, depuis la chute du bloc soviétique, évolue vers l'économie libérale d'entreprise et de marché. La France devra bien y passer. Plus nous attendrons, plus ce sera pénible à supporter lorsque le règlement final se produira.

En second lieu, notre approche du problème de l'emploi est une approche artificielle. L'emploi, chez nous, est pour une large part assuré par des initiatives publiques et financé par des fonds publics. Les emplois créés par l'activité économique ne représentent qu'une part limitée. Nous avons, depuis les Ateliers nationaux, une très vieille expérience et je vous dirai que je ne condamne pas ce que l'on nomme le « traitement social du chômage ». Nous ne pouvons pas faire autrement que d'y recourir, mais nous ne pouvons pas totalement nous en remettre à cette politique ni en accroître constamment les moyens.

Il nous faut revenir aux initiatives économiques fondamentales, et la plus importante de toutes, c'est l'investissement. J'ai affronté ce problème il y a trente ans. Il est toujours là ! La France n'investit pas suffisamment et je suis heureux que des voix s'élèvent enfin pour le souligner.

Je crois que seule une France solide sur le plan économique sera en mesure d'affronter toutes ces difficultés nouvelles qui tiennent au monde « globalisé » dans lequel nous vivons et continuerons de vivre.

*Pendant ces entretiens, vous vous êtes attaché plusieurs fois à ramener les Français sur le terrain du pragmatisme, de l'action concrète et des vérités les plus simples, aux dépens des beaux discours. Avec le recul du temps – ce sera ma dernière question –, quelles sont les trois ou quatre décisions que vous avez prises comme Premier ministre et que vous aimeriez rappeler ?*

Je vous étonnerai en vous disant que je ne me suis pas rendu compte, au moment où je les ai prises, de l'importance qu'elles pouvaient avoir. Ce n'est que plus tard que les personnes concernées par ces décisions ont attiré mon attention sur les conséquences qu'elles avaient eues. J'en retiendrai quatre.

Ma décision en 1977 de poursuivre les travaux du TGV. Je ne m'en souvenais plus ! Un article que m'a adressé M. Pélissier, qui a été président de la SNCF, m'a rafraîchi la mémoire. Dans le cadre des économies budgétaires, la direction du Budget envisageait de réduire les investissements prévus pour le TGV. Après avoir étudié le dossier toute une soirée, je me suis rendu compte qu'un arrêt des travaux en cours coûterait des sommes folles. Il fallait continuer d'autant plus que le TGV représentait un magnifique exemple de cette modernisation de la France qui était notre souci prioritaire.

Ma décision, en 1978, de soutenir le projet de Sofia-Antipolis. Le préfet des Alpes-Maritimes, M. Lambertin, inquiet de l'avenir de Sofia-Antipolis, vient me voir. L'enjeu était important puisqu'il s'agissait d'aménager un vaste pôle de développement dans cette région ensoleillée. Lors d'un voyage en Israël, un sociologue qui me faisait visiter une zone industrielle m'avait dit : « Nous n'avons ici que des cadres, ils viennent à cause du soleil. » Sofia-

Antipolis ne jouissait-elle pas du même atout ? M. Lambertin me demande de venir présider un conseil d'administration afin que je puisse décider en connaissance de cause. J'ai conclu qu'il fallait d'une part mettre un peu d'argent – 50 millions de francs de l'époque –, d'autre part trouver un coordinateur pour étudier tous les projets qui s'amassaient et dont on ne savait quel pouvait être leur avenir. J'ai nommé un préfet, M. Roche. Quand je vois aujourd'hui Sofia-Antipolis, je me réjouis d'avoir reçu M. Lambertin !

Ma décision de poursuivre l'aménagement du quartier de la Défense. Chaque fois que je croise le préfet Lanier, il me rappelle toujours sa demande d'audience en urgence, que je lui ai accordée. Il était alors préfet de la région Ile-de-France et redoutait que l'avenir de la Défense ne soit compromis. Plusieurs administrations souhaitaient l'arrêt des investissements. Il m'exposa tous les inconvénients qui en résulteraient et les avantages que perdrait Paris. Après une heure de discussion, il me convainquit et le chantier de la Défense repartit.

Enfin, je garde la quatrième décision au fond de mon cœur. J'étais dans l'avion qui m'emmenait en Chine. Au début de 1978, j'avais décidé un blocage sévère des dépenses. Je reçois un télégramme de Francis Gavois, directeur-adjoint de mon cabinet : « Le musée du Louvre, qui n'a aucune œuvre de Piero Della Francesca, peut en acheter une, mais ne dispose pas de l'argent nécessaire. Acceptez-vous de débloquer la somme ? » J'ai une passion pour Piero Della Francesca, et j'ai télégraphié : « Oui, pour Piero ! » C'est ainsi que le Louvre a pu acheter le célèbre portrait du duc d'Urbino, *Federico de Montefeltro*.

Quelque temps plus tard, j'ai eu aussi la possibilité de permettre au Louvre d'acquérir *L'Homme à la guitare*, de Braque.

Parmi les multiples décisions que j'ai prises pendant plus de quatre ans, celles-ci réapparaissent à mon esprit et me donnent le sentiment que j'ai fait au niveau de la vie quotidienne des choses utiles et concrètes.

ANNEXES

# Hommage solennel à la mémoire d'André Malraux

Cour carrée du Louvre
Le 27 novembre 1976
Discours de Monsieur Raymond Barre,
Premier ministre

Monsieur le Président de la République

Il y a un peu plus de trente ans, aux portes de ce même palais auquel il sut plus que nul autre redonner son éclat, par une nuit « trois fois présente par l'heure, par l'éclairage, par les nuages pressés », André Malraux apportait à Georges Braque l'hommage solennel de la France.

Au moment de lui rendre le même hommage, je me souviens de ce qu'il écrivit dans *La Condition humaine* : « La musique seule peut parler de la mort. » Aussi voudrais-je simplement reprendre à son égard les propos mêmes par lesquels il a salué la mémoire de Georges Braque.

« Puisque tous les Français savent qu'il y a une part de l'honneur de la France qui s'appelle Victor Hugo, il est bon de leur dire qu'il y a une part de l'honneur de la France qui s'appelle André Malraux – parce que l'honneur d'un pays est fait aussi de ce qu'il donne au monde. »

Depuis que « la mort a figé sa vie en destin », pour toutes les tendances de l'opinion française, pour tous les écrivains, les peintres et les sculpteurs, pour tous ceux qui ont admiré l'homme, son action et son œuvre, des États-Unis à l'Inde, au Bangladesh et à la Chine, de la Grèce à l'Afrique et au Brésil, c'est la même tristesse et c'est le même respect pour ce noble et exigeant témoin de la condition humaine.

Le « Pierrot lunaire » qui part pour une mission archéologique en Indochine et y découvre le troublant sourire des bouddhas khmers, le journaliste frémissant qui rencontre la grève générale à Canton et l'insurrection révolutionnaire à Shanghai, le passionné de l'aventure qui survole le désert saoudien à la recherche de la capitale de la reine de Saba disparue depuis des millénaires, le brillant romancier qui va, avec André Gide, porter à Berlin la protestation des intellectuels contre le procès de Dimitrov, le chef de l'escadrille España qui combat dans les rangs des républicains espagnols, l'officier de chars de la « drôle de guerre », qui s'évade d'un camp de prisonniers avec le futur aumônier du Vercors, le colonel Berger des maquis de Corrèze, le commandant de la brigade Alsace-Lorraine qui poursuit les troupes allemandes jusqu'au cœur des Alpes bavaroises, le ministre du général de Gaulle, le créateur du Musée imaginaire, tel fut André Malraux au cours des années brillantes d'une vie exceptionnelle où l'œuvre littéraire prolonge l'action, tout en fournissant les raisons d'agir.

Pouvait-on mieux illustrer et justifier le célèbre dialogue de Scali et de Garcia de *L'Espoir* :

« Dites donc, commandant, qu'est-ce qu'un homme peut faire de mieux de sa vie, selon vous ?

– Transformer en conscience une expérience aussi large que possible, mon bon ami. »

Nous ne verrons donc plus ce visage bouleversé, où seul l'œil gardait le calme de l'intelligence souveraine, ni ces mains agitées de la fièvre des sourciers. Cette voix incomparable et vibrante s'est tue, qui exprimait une pensée jamais en repos, qui exaltait le combat des hommes pour « tout ce qui est contraire à l'humiliation ».

André Malraux ne poursuivra plus sa médiation sur l'Art, à travers lequel c'est l'absolu qu'il recherchait et la condition humaine qu'il interrogeait. Dans sa quête d'un humanisme universel, il n'éclairera plus le dialogue des civilisations de raccourcis fulgurants et de rapprochements inattendus ; la Bhagavad-Gita et les Pères de l'Église, Platon et le Coran, les statues khmers et la sculpture romane.

« Grâce à vous, lui écrivait en 1958 le général de Gaulle, après avoir reçu *La Métamorphose des Dieux*, grâce à vous, que de choses j'ai vues – ou cru voir, qu'autrement je devrais mourir sans avoir discernées. Or, ce sont justement de toutes les choses, celles qui en valent le plus la peine. »

André Malraux fut, avant tout, un homme engagé, présent partout où se jouait un moment du destin des hommes, passionné de liberté et de justice, recherchant sans cesse la fraternité du combat.

L'auteur des *Conquérants* et de *La Condition humaine* décrit, dans l'insouciance de l'entre-deux-guerres, un monde tragique : celui de l'oppression, celui de la prison et de l'interrogatoire, celui de la torture. Mais voici qu'avec le totalitarisme triomphant, le monde réel se met à ressembler de plus en plus à celui qu'il dépeint ; il devient le monde de la souffrance et de l'angoisse quotidienne, André Malraux affrontera lui-même les épreuves de ses héros dans la guerre et dans la Résistance. Arrêté par l'armée allemande et livré à la Gestapo de Toulouse, il se trouve à la veille de ce qu'il croit être sa mort.

« Je ne pensais pas à mon enfance, je ne pensais pas aux miens. Je pensais aux paysannes athées qui saluaient mes blessures du signe de la croix, à la canne apportée par le paysan craintif, au Café de l'Hôtel de France et à celui de la Supérieure. Il ne restait dans ma mémoire que la fraternité. Ce qui vivait aussi profondément en moi que l'approche de la mort, c'était la caresse désespérée qui ferme les yeux des morts. »

Alors grandit en lui cette sympathie fraternelle pour les hommes de la Résistance, en même temps que le respect pour ces « Hommes du Non ».

Les malheurs de la patrie le conduiront du combat pour le prolétariat international, qu'il ne reniera jamais, au combat pour la France.

« Puis il y a eu, dit-il, la guerre, la vraie ! Enfin est arrivée la défaite, et comme beaucoup d'autres, j'ai épousé la France. »

Et il ajoutera plus tard : « Non, il n'est pas vrai, comme le croient les Hugo et Jaurès, que l'homme devienne plus homme en devenant moins français. Pour le meilleur et pour le pire, nous sommes liés à la patrie. »

Il rencontre alors le général de Gaulle. Certains s'étonneront de l'accord profond qui s'établit entre les deux hommes, en apparence si différents. Mais ils avaient en commun le sens du refus, « qui assume à la fois le malheur et l'espoir ». Ils partageaient tous deux le sens de la grandeur, « ce chemin vers quelque chose qu'on ne connaît pas ».

Devenu ministre des Affaires culturelles, André Malraux trouve un nouveau champ d'action pour la libération de l'homme. Pour lui la qualité de l'homme s'affirmera et s'accroîtra en effet si la culture peut être rapprochée et aimée du plus grand nombre.

« Il faut bien admettre, déclare-t-il le 9 novembre 1967 à l'Assemblée nationale, qu'un jour on aura fait pour la culture ce que Jules Ferry a fait pour l'instruction : la culture sera gratuite. »

Il crée les maisons de la Culture, qui doivent devenir les « cathédrales » de notre temps, c'est-à-dire « les lieux où les gens se rencontrent pour rencontrer ce qu'il y a de meilleur en eux », où il ne s'agira pas seulement d'apprendre à connaître Shakespeare, Victor Hugo, Rembrandt ou Bach, mais où il s'agira surtout d'apprendre à les aimer, « car il n'y a pas de culture sans communion ».

Grâce à lui, Paris change de couleur ; la restauration de notre patrimoine architectural est entreprise ; Chagall peint le plafond de l'Opéra ; Masson celui de l'Odéon ; Balthus prend la direction de la Villa Médicis ; de grandes expositions permettent aux Français de connaître les chefs-d'œuvre de l'Iran, de l'Inde, du Japon, les trésors de nos églises, Picasso et Toutankhamon.

Après le départ du général de Gaulle, Malraux reviendra à son œuvre littéraire dont la dernière période sera dominée par l'obsession de l'Art. L'Art lui paraît apporter non certes l'éternité, mais ce qui semble le plus proche d'elle : une plus haute puissance pour vaincre le destin.

Il ressent profondément la crise de notre civilisation, dont la crise de la jeunesse lui paraît la plus évidente manifestation. C'est que la science, qui est devenue assez forte pour défendre l'humanité, n'a pas été en mesure de « former un homme ». Elle n'a pas remplacé les « valeurs suprêmes » qui justifiaient la vie humaine. « Je crois, écrit-il, que la civilisation des machines est la première civilisation sans valeur suprême pour la majorité des hommes. » Rappelons-nous le dialogue avec Nehru : « Il est maintenant clair que la science est incapable d'ordonner la vie. Une vie est ordonnée par des valeurs : la nôtre, mais aussi celle des nations, et peut-être celle de l'Humanité. »

Jeunesse de France, souviens-toi du message qu'il t'a lancé du haut de l'Acropole :

« Au seuil de l'ère atomique, une fois de plus, l'homme a besoin d'être formé par l'esprit... À ceux qui se demandaient ce que pourrait être la devise de la jeunesse française, j'ai répondu : "Culture et Courage." »

La nuit est tombée sur la Cour carrée du Louvre où André Malraux pour Le Corbusier ordonna l'hommage de l'eau sacrée du Gange et de la terre de l'Acropole.

Dans quelques instants sa voix s'élèvera parmi nous.

Alors s'avancera le poignant cortège des ombres de toutes celles et de tous ceux qu'il a admirés, aimés et honorés de son émouvant talent :

« Jeanne, sans sépulcre et sans portrait... qui a donné au monde la seule figure de victoire qui soit : une figure de pitié ;

Braque et Le Corbusier, qu'au nom de la France, il salua au seuil sévère du tombeau ;

Ces combattants du maquis, dont les femmes noires de Corrèze, immobiles du haut en bas de la montagne, attendaient en silence l'ensevelissement ;

Ces morts de la Brigade Alsace-Lorraine, sur la tombe desquels "les gosses de Ramonchamp et de Dannemarie étaient venus la nuit conduits par l'institutrice, planter leurs petits drapeaux" ;

Jean Moulin, « pauvre roi supplicié des ombres, et ses frères dans l'ordre de la Nuit » ;

Charles de Gaulle, grand maître de l'Ordre de la France, qui, dans le terrible sommeil de notre pays, en maintint l'honneur comme un invincible songe. »

André Malraux les a rejoints dans l'histoire et dans le cœur de la France. Il y vivra à jamais avec eux parce qu'il appartient à « l'éternelle poignée de ceux par lesquels ce qui transfigure les individus commence ou recommence : la légion des témoins ».

# Le programme pour l'emploi des jeunes de M. Raymond Barre, Premier ministre

Le 26 avril 1977

En nommant le 28 mars dernier un nouveau gouvernement, choisi et conçu pour l'action des douze prochains mois, le président de la République lui a assigné une double tâche : poursuivre le redressement économique en cours ; présenter un programme d'action qui réponde par des mesures simples aux préoccupations concrètes des Français.

C'est ce programme que je présente aujourd'hui à l'Assemblée nationale. Je voudrais, dès l'abord, souligner qu'il s'inscrit, par son esprit et son contenu, dans la ligne de la politique élaborée en septembre dernier par le précédent gouvernement et mise en œuvre depuis lors.

Lorsque j'ai exposé, le 5 octobre 1976, au Parlement, les orientations de politique générale du précédent gouvernement, j'ai souligné que son action, qui se concentrait sur la lutte contre l'inflation et le redressement économique et financier de la France, n'était pas technique, mais fondamentalement politique et qu'elle devait s'inscrire dans la durée.

Pourquoi cette action était-elle politique ?

Parce qu'une économie forte est la condition du progrès, de la justice sociale et de l'indépendance nationale.

Pourquoi cette action devait-elle s'inscrire dans la durée ? Parce que la gravité de la crise, l'ampleur des déséquilibres à surmonter exigeaient une politique s'étendant sur plusieurs années, comme le montre d'ailleurs l'exemple des pays qui se sont, avant nous, engagés sur la voie du redressement.

Fidèle à cette conception, le précédent gouvernement a conduit, avec l'approbation et le soutien de la majorité, une politique globale de redressement économique et financier, en dépit de difficultés de tous ordres et d'oppositions *a priori*.

S'il a pu le faire, c'est en fin de compte parce que les Français ont compris, au fond d'eux-mêmes, que cette politique était nécessaire et qu'il y avait là un enjeu capital pour chacun d'entre eux, comme pour la nation.

En témoignant de leur clairvoyance et de leur civisme, en apportant au redressement économique du pays, chacun à son niveau, une contribution active, ils ont permis d'enrayer l'aggravation des déséquilibres qui nous menaçaient, et d'obtenir des progrès réels et significatifs.

Pourtant, chacun peut observer qu'un sentiment de malaise, et même d'inquiétude, persiste dans notre pays.

Le nouveau gouvernement est conscient de ce trouble qui ne s'explique pas seulement par des raisons électorales et politiques. La France n'a-t-elle pas enregistré de plein fouet les conséquences d'une crise mondiale sans précédent depuis trente ans ?

Comment ne pas éprouver de l'inquiétude lorsque, tout à coup, le prix du pétrole est multiplié par cinq ; lorsque le cours des denrées que nous consommons quotidiennement comme le café est multiplié par six ; lorsque le plein-emploi auquel le pays s'était habitué depuis de très nombreuses années apparaît comme un souvenir du passé ; lorsque s'intensifie une concurrence internationale qui exige de nos entreprises un effort considérable d'adaptation ; lorsque l'ombre du protectionnisme s'étend sur un monde dont la prospérité tenait, pour une grande part, à la libération croissante des échanges ? N'est-il pas naturel que cette prise de conscience des problèmes mondiaux et nationaux engendre craintes pour l'avenir et doutes pour la capacité de notre pays à surmonter de tels problèmes ?

Comment ne pas être sensible aux difficultés qu'affrontent les Français les plus modestes et les plus vulnérables qui ont été les principales victimes de l'inflation et du désordre économique et qui portent aujourd'hui leur part de l'effort national ?

Faut-il alors s'étonner des soucis, des interrogations, des appréhensions, mais aussi de la tentation de céder à certaines illusions et de se laisser séduire par les promesses d'un changement qui prétend abolir, comme par miracle et par sa seule vertu, les rudes contraintes du présent ?

Pourtant, un pays comme le nôtre, habitué aux épreuves, mais toujours prêt à l'effort, ne doit se laisser conduire ni à un fatalisme résigné ni à une fuite en avant désespérée. Le gouvernement conduira, dans cette période difficile, une action de remise en ordre profonde de notre économie. Il le fait parce que c'est à cette seule condition que pourront progresser les conditions de vie des Français et que pourra être sauvegardé l'avenir de la France.

Cette politique doit être menée dans un esprit de solidarité nationale, qui doit s'exprimer à l'égard des hommes et des femmes qui ne trouvent pas d'emploi et des Français dont les conditions de vie sont les plus durement touchées par les difficultés économiques.

Redressement et solidarité, voilà les deux axes fondamentaux de la politique du gouvernement au cours des mois à venir.

L'effort national en septembre dernier, vous l'avez, mesdames, messieurs les députés, soutenu et approuvé, car vous avez compris que la situation économique dans laquelle se trouvait la France à l'été 1976 appelait une action vigoureuse, globale et cohérente.

La dépréciation rapide du franc, le grave déséquilibre de la balance commerciale, l'accélération de la hausse des prix, le déficit budgétaire, les hausses de rémunérations sans rapport avec la productivité nationale, tout cela conduisait inéluctablement à l'asphyxie de notre économie, à une baisse du niveau de vie, à un chômage durable, à l'isolement de la France.

Aujourd'hui, les facteurs clés de l'inflation sont contrôlés, même s'ils ne sont pas complètement maîtrisés.

La progression de la masse monétaire a été ramenée de 20 % à la fin de 1975 à 12 % à la fin de 1976.

Depuis octobre dernier, la baisse du franc a été arrêtée et son cours a été stabilisé par rapport au dollar, monnaie dans laquelle nous payons nos importations de pétrole et de matières premières. La bonne tenue de notre monnaie a permis, depuis deux mois, une diminution progressive des taux d'intérêt favorables aux investissements.

Ce résultat a été obtenu tout en augmentant le niveau de nos réserves de change. Certes, la France a dû recourir, depuis 1974, à l'endettement extérieur pour financer le déficit de sa balance des paiements. Mais, je le rappelle à ceux qui critiquent cet endettement, il n'y avait pas d'autre moyen d'éviter une baisse profonde de notre taux de change ou une réduction draconienne de notre activité économique et de notre niveau de vie. Cet endettement n'est pas excessif si on le rapporte à nos réserves et aux capacités de notre économie. Le crédit international de la France demeure intact.

Enfin, la progression des revenus commence, depuis le dernier trimestre de 1976, à s'infléchir de façon sensible, sans que le pouvoir d'achat des rémunérations soit amputé, comme dans des pays européens voisins.

Déjà apparaissent les premiers fruits de l'effort.

Notre commerce extérieur s'améliore progressivement, mais régulièrement. Nous pouvons espérer que notre balance commerciale sera équilibrée à la fin de l'année.

La hausse des prix en 1976 a été contenue en deçà de 10 %.

Pour 1977, le taux d'inflation sera de nouveau réduit.

Si les indices de prix des mois de mars et d'avril seront élevés, c'est parce qu'ils subiront l'incidence de trois facteurs considérables qui ne pouvaient être éludés :

– La hausse des prix des matières premières, qui a été de 95 % au cours des douze derniers mois ;

– La hausse des rémunérations qui a été lancée l'année dernière de l'ordre de 15 %, hausse la plus élevée de tous les pays industrialisés, à l'exception de l'Italie ;

– Enfin, l'augmentation au 1er avril des tarifs publics qu'imposait le déficit de certaines entreprises nationales.

Il y aura, bien entendu, de bons esprits pour conclure à l'inefficacité de l'action gouvernementale. Mais il est vrai qu'en ce domaine, lorsque les résultats sont bons, les détracteurs affectent de suspecter les statistiques et, lorsque les indices sont élevés, ils trouvent dans ces mêmes statistiques la preuve de l'échec.

Les mêmes bons esprits annonçaient une récession de l'économie. Ils ne peuvent cependant observer, depuis septembre dernier, aucune baisse de la production industrielle qui, au contraire, continue de croître, même si le rythme de progression est modéré. On s'attend, maintenant, à une augmentation de 4 % du volume de l'investissement industriel privé. Le taux de progression de nos exportations est très satisfaisant ; 11,5 % depuis septembre 1976. La croissance économique atteindra, sur l'ensemble de l'année 1977, un rythme que ne permettaient pas d'escompter la gravité des déséquilibres initiaux et les multiples contraintes qui pèsent sur notre économie.

Le point noir de la situation économique française reste cependant l'évolution de l'emploi.

Faut-il, pour y remédier, renoncer à l'orientation actuelle de la politique économique et, comme certains le suggèrent, prendre sans délai des mesures de relance globale ? Le gouvernement ne le pense pas puisqu'il s'agit là d'une question fondamentale – l'emploi – et d'un choix politique essentiel sur lesquels je dois à l'Assemblée une explication.

Le gouvernement est décidé à maintenir le cap de sa politique économique tout au long de l'année 1977, car les résultats obtenus jusqu'ici, pour encourageants qu'ils soient, restent fragiles. Il confirme les orientations arrêtées en matière de crédit, de budget, d'évolution des rémunérations. Il se refuse à une relance globale de l'économie pour deux raisons de fond qui expliquent, d'ailleurs, l'attitude prudente des pays qui ont déjà pourtant obtenu de grands succès dans la lutte contre l'inflation – je pense à l'Allemagne fédérale et aux États-Unis.

D'abord, comment effectuer une telle relance ? En majorant inconsidérément le déficit des finances publiques ? En acceptant un nouveau dérapage des revenus ? En créant de la monnaie ? Tous ces moyens signifient le retour à l'inflation. La hausse accrue des prix et la dépréciation nouvelle du franc qui en résulteraient contraindraient, dès la fin de cette année, à prendre de nouvelles mesures restrictives, bien plus rigoureuses, dont l'emploi serait la principale victime. N'oublions pas trop rapidement que l'inflation ne conduit pas au plein-emploi, mais au chômage.

Par ailleurs, l'expérience a montré qu'une action de relance globale a une efficacité douteuse sur l'emploi, car le chômage dans les sociétés modernes n'est pas seulement affaire de conjoncture.

Le gouvernement ne combat pas et ne combattra pas l'inflation en plongeant le pays dans la récession. Le niveau actuel de l'activité est là pour en témoigner.

Après avoir mis depuis octobre dernier 11,5 milliards de francs de prêts à la disposition des entreprises, notamment des petites et moyennes entreprises qui constituent l'élément vivace de notre tissu industriel, le gouvernement se propose maintenant d'augmenter le volume des équipements publics engagés en 1977.

Des crédits de paiement supplémentaires d'un montant de 625 millions de francs serviront à accélérer l'engagement des autorisations de programme ouvertes dans les lois de finances récentes.

D'autre part, des autorisations de programme supplémentaires de 1 250 millions, assorties de crédits de paiement, seront ouvertes au 1ᵉʳ juillet prochain au titre du fonds d'action conjoncturelle.

Les crédits de ce fonds seront notamment affectés à l'équipement, au logement, aux travaux ruraux, à l'aménagement du territoire et à la protection de la nature et de l'environnement. Dès les prochains mois, l'effet de cette mesure sur les commandes passées aux entreprises dans le secteur du bâtiment et des travaux publics se fera sentir.

La politique de redressement économique et financier est, à moyen terme, la condition nécessaire d'un retour au plein-emploi. Mais nous ne pouvons, à court terme, rester indifférents à l'accroissement du chômage, dont nous connaissons tous les lourdes conséquences sociales et humaines.

Aussi le gouvernement entend-il mettre en œuvre sans retard un programme d'action qui soit susceptible de produire à brève échéance des effets positifs sur l'emploi, et notamment sur l'emploi des jeunes.

Pour le gouvernement comme pour la majorité qui le soutient, notre société doit en effet se fixer comme objectif d'offrir un travail à tous car il s'agit de donner aux hommes et aux femmes de ce pays leur place dans la collectivité nationale, de leur permettre d'exercer leurs compétences et leurs talents, de respecter leur dignité.

L'ampleur du chômage est aujourd'hui, hélas !, le trait commun de toutes les économies modernes, quels que soient leur régime politique ou leur système économique. Partout, au-delà des difficultés conjoncturelles, la redistribution des richesses dans le monde et l'exigence d'une compétitivité accrue rendent plus difficiles les créations d'emplois ou même le maintien de certains emplois.

Partout, la distorsion qui se manifeste entre les aspirations dues au progrès du niveau de vie et à l'allongement de la scolarité d'une part, et la nature des emplois offerts par l'économie, d'autre part, accroît l'insatisfaction de beaucoup de jeunes.

Partout, on observe, avec l'évolution des esprits et des mœurs, une forte augmentation de la demande de travail de la part des femmes.

Sept millions de demandeurs d'emplois aux États-Unis. 1 400 000 en Grande-Bretagne, 1 250 000 en Allemagne fédérale, un million en France, près d'un million au Japon : ces chiffres, publiés par l'OCDE, sont significatifs.

Ils font apparaître comme illusoires les remèdes de ceux qui prétendent obtenir, dans un domaine aussi difficile, des résultats immédiats et spectaculaires.

On peut, bien sûr, pratiquer une politique autoritaire de l'emploi en imposant aux jeunes leur métier, en assignant à tous les travailleurs leur résidence et leur lieu de travail, en déguisant, enfin, la réalité du chômage. Mais cela, les Français n'en voudront jamais.

Dans une société de liberté comme la nôtre, nous devons résoudre les problèmes de l'emploi en faisant appel à la solidarité nationale. Celle-ci doit s'exercer en priorité en faveur des jeunes dont une nouvelle classe d'âge va d'ailleurs se mettre à la recherche d'un emploi à partir de l'été.

Nous devons répondre à leurs aspirations pour eux-mêmes, qui en viennent à douter de l'efficacité de notre système économique et social, et pour les familles, qui voient avec inquiétude leurs fils et leurs filles condamnés au désœuvrement et à l'incertitude.

Rien ne serait plus grave que de les décevoir. Telle est l'inspiration du programme pour l'emploi que je présente aujourd'hui à l'Assemblée nationale.

Ce programme poursuit deux objectifs distincts, mais complémentaires. Il s'agit en premier lieu de mobiliser toutes les possibilités d'offrir un emploi aux jeunes.

À cette fin, le gouvernement propose un ensemble de mesures d'effet immédiat.

Dès le vote de la loi qui sera nécessaire, tout employeur qui embauchera, au-delà de ses effectifs actuels, des jeunes de moins de vingt-cinq ans jusqu'au 31 décembre 1977 bénéficiera de l'exonération de la part patronale des cotisations de Sécurité sociale jusqu'au 1er juillet 1978. Cette mesure s'appliquera aux jeunes sortis depuis moins d'un an du système scolaire ou universitaire, d'un centre professionnel ou du service national.

Un effort de même nature sera engagé en faveur de l'apprentissage. Les maîtres d'apprentissage qui embaucheront des apprentis avant le 31 décembre 1977 seront exonérés de la part patronale des cotisations de Sécurité sociale pendant toute la durée de l'apprentissage, soit deux années. Ils conserveront le bénéfice des ristournes.

De plus, la qualité d'artisan sera maintenue aux employeurs dont l'effectif de salariés dépasserait le seuil de dix à la suite d'embauches nouvelles d'apprentis.

Enfin, l'État contribuera, lui aussi, à l'effort national de création d'emplois. Le gouvernement autorisera le recrutement à titre temporaire de 20 000 personnes pour les affecter à des tâches à temps complet ou à temps partiel dans des secteurs prioritaires comme les postes et télécommunications, l'action sociale, la jeunesse et les sports, le fonctionnement de la justice et notre représentation économique à l'étranger.

Il s'agit, sur ce dernier point, de compléter l'effort que je demande aux entreprises d'accomplir en faveur du déploiement de notre économie sur les marchés extérieurs.

Parallèlement à ces mesures, le gouvernement a décidé de prendre deux initiatives.

Il demande aux organisations professionnelles et syndicales de rechercher les conditions dans lesquelles, pendant la période de difficultés que nous traversons, des travailleurs de moins de soixante-cinq ans pourraient bénéficier d'un régime de préretraite excluant tout cumul avec un nouvel emploi.

Par ailleurs, le gouvernement souhaite faciliter aux travailleurs immigrés privés d'emploi le retour et la réinsertion dans leur pays d'origine, s'ils en expriment le désir. Une aide individuelle, dont le montant pourrait être de l'ordre de 10 000 francs, leur sera accordée.

Le deuxième objectif du programme pour l'emploi est de mieux préparer les demandeurs d'emploi à l'exercice de leur futur métier. Une part sans doute importante du chômage actuel tient en effet à l'inadaptation des emplois recherchés et des emplois offerts. Cela est particulièrement vrai pour les jeunes et pour les femmes.

Le gouvernement se propose donc d'offrir à tous les jeunes qui le souhaiteraient et qui n'auraient pu trouver un emploi de bénéficier, à partir de l'automne, soit de stages dans les entreprises, avec une possibilité de formation, soit d'une formation dans des centres publics ou conventionnés.

Ces jeunes recevront une indemnité mensuelle équivalent à 90 % du SMIC. Les jeunes de moins de dix-huit ans pourront également accéder à ce dispositif et recevront une indemnité de 410 francs par mois.

Par ailleurs, les femmes seules ayant au moins un enfant à charge et les veuves bénéficieront des contrats emploi-formation réservés jusqu'ici aux jeunes.

Ce programme pour l'emploi est sans précédent. Il a un coût global de l'ordre de 3 milliards dont 1 700 millions de francs à la charge de l'État. Il offre aux jeunes à la recherche d'un premier emploi de grandes possibilités supplémentaires d'insertion dans la vie professionnelle.

La mise en œuvre de ce programme suppose que dans chaque région et dans chaque département, tous les moyens disponibles soient mobilisés et étroitement coordonnés. Les organismes de concertation existants seront simplifiés et rendus plus opérationnels. Les établissements publics régionaux devront jouer un rôle accru dans la conduite de cet effort national.

À ce titre, ils disposeront de nouvelles facultés définies dans le cadre de la loi de 1972. Celles-ci leur permettront notamment d'aider les entreprises à obtenir certains prêts et d'encourager la création d'entreprises industrielles nouvelles.

Dans le même esprit, j'ai demandé au gouverneur de la Banque de France de charger ses directeurs locaux d'une mission d'information et d'orientation des petites et moyennes entreprises afin de leur permettre de bénéficier pleinement de toutes les facilités de financement existantes.

En outre, un comité départemental coordonnera l'action des différents organismes financiers afin de rechercher les solutions appropriées pour les entreprises ayant à faire face à un problème de financement spécifique.

L'ensemble de ces mesures ne produira, mesdames, messieurs les députés, son plein effet que si le gouvernement trouve un esprit de coopération et un appui auprès des entreprises et des Français eux-mêmes. Ce que le gouvernement propose, en fait, au pays, c'est un pacte national pour l'emploi et d'abord pour l'emploi des jeunes.

Notre société ne serait pas fidèle à l'idéal de solidarité qui doit l'animer si elle n'apportait pas, dans les circonstances actuelles, un soutien accru aux catégories les plus éprouvées par les difficultés économiques.

Aussi le gouvernement estime-t-il nécessaire, conformément aux orientations arrêtées par le président de la République, de faire un effort important en faveur des familles et des personnes âgées.

À l'occasion de la revalorisation annuelle des prestations familiales, il a décidé, conformément au contrat de progrès avec les familles, une majoration de ces prestations de 10,2 % dont 1,5 % au titre de la progression du pouvoir d'achat.

De plus, le gouvernement a décidé d'avancer au 1ᵉʳ juillet la date de prise d'effet de cette majoration qui intéressera 4 600 000 familles.

Je rappellerai que cette mesure vient s'ajouter à l'institution du complément familial et du congé de mère qui donnent lieu à des projets de loi qui seront soumis à votre assemblée durant la prochaine session.

Enfin, le gouvernement autorisera la Caisse nationale d'allocations familiales à affecter en 1977 et 1978 une dotation supplémentaire au fonds national d'action sanitaire et sociale, en vue de développer les services collectifs mis à la disposition des familles, tels que les crèches et les travailleuses familiales. Une disposition analogue sera prise en faveur des familles d'agriculteurs.

La solidarité nationale s'exercera aussi en faveur des personnes âgées. Nous devons leur assurer des conditions de vie qui garantissent aux plus modestes d'entre elles sécurité et dignité.

À la demande du président de la République, le gouvernement avait déjà prévu un effort important pour la fin de l'année en fixant à 10 000 francs le montant que devrait atteindre le minimum vieillesse à cette époque. Cette hausse est avancée au 1ᵉʳ juillet prochain. En décembre, une nouvelle étape permettra de porter le minimum vieillesse à 11 000 francs.

C'est, ainsi, une majoration de plus de 20 % qui aura été acquise en quelques mois par plus de deux millions de personnes.

Par ailleurs, le gouvernement entend améliorer les conditions de vie des personnes âgées en facilitant, si elles le souhaitent, leur maintien à domicile. Des projets de loi en ce sens vous seront soumis au cours de la présente session.

En second lieu, la situation des veuves sera améliorée par l'augmentation en deux étapes du plafond des ressources au-dessous duquel elles peuvent cumuler une pension qui leur est propre et une pension de réversion.

En troisième lieu, les pensions des retraités du régime général qui ont liquidé leur retraite avant que n'entre en vigueur la loi du 31 décembre 1971 seront revalorisées de 5 % à compter du 1er octobre prochain.

Enfin, pour atténuer les difficultés financières tenant au passage de l'activité professionnelle à la retraite, le gouvernement proposera, dans la loi de finances pour 1978, d'instituer un abattement fiscal forfaitaire de 5 000 francs sur le dernier revenu d'activité. Cet aménagement fiscal favorisera surtout les retraités dont le revenu est modeste.

L'ensemble des dispositions à caractère social que je viens de présenter, qu'il s'agisse de l'emploi, des familles ou des personnes âgées, est naturellement coûteux. En 1977, compte tenu des mesures relatives aux investissements prévus, les dépenses supplémentaires pour le budget de l'État atteindront 3,3 milliards de francs.

La solidarité des Français doit donc s'exprimer aussi dans le financement de ces dépenses. Il ne saurait être question, en effet, de l'assurer par une création de monnaie.

Le financement de ce programme sera obtenu pour partie par un effort fiscal, pour partie par une contribution des entreprises, pour partie par l'emprunt.

Dans le cadre de la politique d'économies d'énergie, le gouvernement propose de relever de façon modérée la taxe intérieure sur les produits pétroliers : 5 centimes par litre d'essence ordinaire, 6 centimes par litre de supercarburant, 4 centimes par litre de gasoil.

Le produit de cette mesure, qui doit s'élever à 860 millions de francs environ cette année et à 1,5 milliard l'an prochain, permettra de financer la part des dépenses budgétaires qui ont un caractère permanent en 1978 et au-delà.

De plus, une contribution exceptionnelle sera demandée en 1977 aux banques et aux assurances. Elle procurera une ressource de 650 millions de francs. Elle prendra la forme d'un raccourcissement des délais de versement à l'État du produit de la taxe sur les conventions d'assurance et du prélèvement libératoire de 25 % perçu par les banques.

Afin de financer le programme de formation et de stages en faveur des jeunes, dont une partie sera prise en charge par le budget de l'État, il est proposé au Parlement d'autoriser une majoration exceptionnelle et non reconductible de la taxe d'apprentissage égale à 0,1 % des salaires.

Le même projet de loi prévoira que les entreprises devront affecter également, à titre exceptionnel, aux dépenses d'adaptation des jeunes au premier emploi le cinquième de la contribution patronale à la formation continue.

Ces mesures aboutissent, compte tenu de la ressource fiscale de 1,5 milliard de francs, à un découvert budgétaire pour 1977 légèrement inférieur à 12 milliards. Celui-ci sera financé par les moyens normaux de trésorerie à hauteur de 6 milliards de francs. Pour couvrir le reste, le gouvernement propose de lancer un emprunt d'État à long terme de 6 milliards de francs. Les souscripteurs de cet emprunt auront leur capital garanti par référence à l'ensemble des monnaies constituant l'unité de compte européenne. Dans la limite de 1 000 francs par an et par déclarant, les intérêts de cet emprunt seront exonérés d'impôt sur le revenu. Un abattement spécifique complètera celui qui, dans la limite de 3 000 francs par an, est de droit commun pour les revenus des obligations.

Ainsi le programme que propose le gouvernement sera financé dans des conditions qui ne mettront pas en cause le rétablissement de nos équilibres économiques et financiers.

Mesdames, messieurs les députés, le programme d'action que le gouvernement a établi pour les prochains mois a pour objet de contribuer à faire sortir la France de la crise économique et sociale qui la frappe.

Le gouvernement ne l'a pas élaboré en limitant son horizon au terme de la présente législature. Il ne peut certes ignorer cette échéance ; mais, ainsi que je l'ai dit, une politique pour la France doit se concevoir en tenant compte de l'ampleur des problèmes intérieurs et extérieurs qui se posent à la nation. Aucun pays n'a relevé le défi de la crise qui frappe le monde depuis 1973 sans accepter un effort durable et soutenu. La France, pas à pas, dominera, elle aussi, l'épreuve. À nous de lui en indiquer la voie et de lui en fournir les moyens.

Les mesures mises en œuvre en septembre dernier constituaient la première étape de notre redressement. Celles que le gouvernement propose aujourd'hui en marquent une seconde. Mais si la politique du gouvernement doit suivre l'évolution des faits, elle ne saurait s'écarter de son inspiration profonde ni renoncer à la continuité. Suspendre l'action entreprise pour retomber dans les facilités de l'inflation, ce serait condamner à brève échéance le pays à une période encore plus longue de rigueur et de contrainte. De plus, le monde dans lequel nous vivons est trop difficile et incertain pour que nous puissions penser avoir le temps devant nous et pour nous. Bien vite, le pays se rendrait compte qu'il a été abusé et il ne pardonnerait pas à ceux dont l'action l'aurait plus encore affaibli.

La politique du gouvernement s'inscrit, par ailleurs, dans le droit fil de celle qui a été poursuivie depuis vingt ans par les gouvernements successifs de la Ve République et par les majorités parlementaires qui, de législature en législature, les ont fidèlement soutenus. Les principes de cette politique sont simples : assurer à la France la liberté, le progrès économique et social, l'indépendance, édifier dans notre pays une société de participation, de responsabilité et de justice, permettre à la France de jouer son rôle et de tenir son rang en Europe et dans le monde.

Pour mener à bien sa tâche, le gouvernement a besoin de la confiance du Parlement. Il la demande à l'Assemblée nationale, conformément à l'article 49, alinéa 1 de la Constitution.

Dans les circonstances actuelles, il est indispensable que le pays sache que le gouvernement est soutenu, sans arrière-pensée ni équivoque, par une majorité unie et résolue.

Je demande à la majorité de montrer au pays qu'elle ne doute pas d'elle-même. Elle peut mettre à l'actif de son bilan le remarquable développement économique et le considérable progrès social.

Oui, messieurs, et le considérable progrès social dont a bénéficié la France au cours des vingt dernières années.

C'est à cette majorité que le pays doit le fonctionnement efficace de ses institutions. C'est à elle qu'il doit d'avoir pu affronter la plus sérieuse crise économique internationale depuis la fin de la Seconde Guerre mondiale sans désordre politique et social.

Si la majorité écarte sans hésitation les surenchères démagogiques pour lesquelles elle trouvera toujours plus fort qu'elle, si elle défend avec fermeté les intérêts fondamentaux de la France et des Français, elle ralliera une fois de plus les Français autour d'elle. Ainsi évitera-t-elle à la France l'aventure politique, économique et sociale.

Ainsi permettra-t-elle à la France de demeurer, dans le monde qui l'observe, un pays sûr de lui et respecté.

La politique que doivent mener ensemble le gouvernement et la majorité est la politique du courage.

Il n'y en a d'ailleurs pas d'autre.

Mais si nous la menons, alors je vous l'assure, la grande partie nationale et internationale où nous nous trouvons engagés sera une fois de plus gagnée par la France.

# Raymond Barre dans les sondages
## de 1976 à 1981

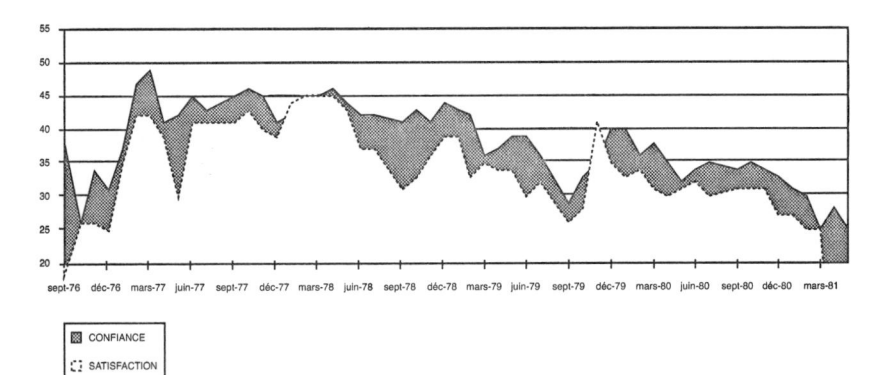

Les deux sondages de référence sont les sondages « historiques » de l'Ifop et de la Sofres, seuls à couvrir de longues périodes avec les mêmes questions, ce qui permet une perspective dans le temps. L'Ifop pose une question de « popularité » (« satisfaction de l'action menée par le Premier ministre »). La Sofres pose une question de « confiance » (« Faites vous confiance à Raymond Barre pour résoudre les problèmes qui se posent ? »).

Considérées a posteriori sur la période des cinq ans que Raymond Barre a passés à Matignon, les courbes ont la même orientation : une relative égalité entre les jugements positifs et négatifs jusqu'à la mi-1978, une nette dégradation des opinions positives et une progression des opinions négatives à partir de cette date.

On peut, en examinant l'actualité de la période, associer assez précisément les mouvements d'opinion aux événements. En négatif, avec le deuxième choc pétrolier, en positif, avec l'accident de santé de Raymond Barre, fin 1979, qui a provoqué un soubresaut jamais vu dans le sondage Ifop (saut de 13 % en un mois, de 28 à 41 % de jugements positifs). Ainsi est démontrée la dimension psychologique de l'attachement des Français à Raymond Barre, qui jugent sévèrement les résultats de l'action gouvernementale mais qui, sur un accident de santé, montrent leur attachement à l'homme.

Le mouvement général révèle qu'un homme, totalement inconnu de l'opinion publique, a installé ses cotes de popularité et de confiance à un niveau de 30 à 40 % sur très longue période. La suite (années 1982-87) montrera la force du capital de confiance ainsi construit.

L'enseignement le plus intéressant est sans doute de superposer les deux cotes positives de satisfaction d'une part (Ifop), et de confiance d'autre part (Sofres). On constate que, si les deux courbes ont une évolution très similaire, la courbe de confiance est toujours supérieure à la courbe de satisfaction. L'action gouvernementale était jugée sévèrement mais la confiance continuait d'être apportée à celui dont on critiquait les résultats.

Jacques Bille
Ancien conseiller de Raymond Barre,
Professeur associé à l'université Paris II-Panthéon-Assas

# Index

# INDEX

# Table des matières

Ouvrage composé par Nord Compo
Villeneuve-d'Ascq

Impression réalisée sur CAMERON par
BRODARD ET TAUPIN
La Flèche

pour le compte des Éditions Fayard
en janvier 2007

Imprimé en France
Dépôt légal : janvier 2007
N° d'éditeur : 80645 – N° d'impression : 39320
35-18-3271-0/01